LA CRITICA LITERARIA EN LA PRENSA ESPAÑOLA DEL SIGLO XVIII (1700-1750)

PERSILES - 66

JESÚS CASTAÑÓN

LA CRITICA LITERARIA EN LA PRENSA ESPAÑOLA DEL SIGLO XVIII

(1700-1750)

TAURUS

Cubierta de AL-ANDALUS

© 1973, Jesús Castañón

© 1973 TAURUS EDICIONES, S. A.

Plaza del Marqués de Salamanca, 7. MADRID-6

Depósito Legal: M. 36.393 - 1973

ISBN 84-306-2066-4

PRINTED IN SPAIN

INDICE

APENDICES

INTRODUCCION

Renuncio de antemano a trazar un cuadro general del siglo XVIII, ya desarrollado en abundante y conocida bibliografía, que, en el caso concreto del periodismo, ha sido expuesta de manera exhaustiva por Enciso Recio, en su tesis doctoral sobre Nipho y el periodismo español del siglo XVIII [1] y puesta al día en el interesante prólogo al trabajo de Teófanes Egido López sobre la prensa clandestina de dicho siglo [2].

A poco de su nacimiento, fijado en el siglo XVII por modernas investigaciones [3,4], la prensa noticiera sufrió el extraordinario incremento del periodismo erudito-literario que, en verdadero aluvión, domina todo el siglo XVIII.

Con el *Diario de los Literatos de España* aparece entre nosotros la «crítica literaria periodística», cuyo con-

---

[1] ENCISO RECIO, Luis Miguel, *Nipho y el periodismo español del siglo XVIII*, Secretariado de publicaciones. Universidad de Valladolid. Valladolid, 1956.

[2] EGIDO LÓPEZ, Teófanes, *Prensa Clandestina del siglo XVIII: «El Duende Crítico»*, Universidad de Valladolid, «Estudios y Documentos», núm. 24. Valladolid, 1968. (Prólogo de Luis Miguel Enciso Recio, págs. 13-24.)

[3] GÓMEZ APARICIO, Pedro, *Historia del Periodismo español desde la «Gaceta de Madrid» (1661) hasta la desamortización de Isabel II*. Editora Nacional, Madrid, 1967.

[4] DE GREGORIO, Domenico, *Metodología del Periodismo*, Ediciones Rialp, Madrid, 1966, pág. 11.

cepto se halla expresamente reconocido no sólo en el propio *Diario*, sino también por el abate don Juan Andrés:

> «*A la crítica pueden también pertenecer las gazetas y diarios, que anunciando al público las obras literarias que van saliendo à luz, se erigen en jueces, y quieren proferir sentencias decisivas sobre su mérito...*» [5].

Años después, Sempere y Guarinos, al alabar la extensa labor bibliográfica y crítica de los diarios extranjeros, daba un espaldarazo definitivo al paladín de estas tareas críticas en nuestra patria, su admirado *Diario de los Literatos de España*, surgido «*después de cerca de un siglo que en varias partes de Europa se había introducido la publicación de los Diarios y otros papeles periódicos acerca de la literatura*» [6].

Por otra parte, desde el doble frente de los escritores y los preceptistas, surge una tenaz oposición a la nueva crítica, el *Anti-Diario*, cuyo estudio resultará igualmente aleccionador para un mejor conocimiento histórico de los orígenes y avatares de la crítica literaria periodística.

A falta de las imprescindibles monografías, sólo intentaré aquí hacer un poco de luz en esta enmarañada selva de polémicas.

---

[5] Abate D. Juan ANDRÉS, *Origen, progresos y estado actual de toda literatura*. Traducción al castellano por D. Carlos Andrés, Madrid, Imprenta de Sancha, MDCCXLIII, tomo VI, página 706.

[6] SEMPERE Y GUARINOS, Juan, *Ensayo de una Biblioteca española de los mejores escritores del reinado de Carlos III*, Madrid, Imprenta Real, 1785, I, págs. 19-21.

ERUDICION Y CRITICA EN LA PRENSA DEL SIGLO XVIII

I

PANORAMA CAOTICO EN LA «GACETA DE MADRID»

Una mirada atenta al gran ventanal bibliográfico de la *Gaceta de Madrid* nos dará un panorama verdaderamente desconsolador de la prensa en la primera mitad del siglo XVIII.

Un fenómeno atmosférico (una aurora boreal o un eclipse), la llegada de un personaje a la Corte, la simple proposición de un enigma —género al que eran tan aficionados los hombres del XVIII— y, no digamos nada, la aparición de un Papel, de una obra literaria o la predicación de un sermón, desencadenan inmediatamente una tormenta de escritos, de apologías y de impugnaciones, de intentos de concordancia entre los diversos autores, de cartas, de pintorescas opiniones..., cuando no desatan, como es frecuente, una sarta de interminables polémicas en racimo que Carlo Boselli y Cesco Vian describen expresivamente a propósito del Diario y algunas otras publicaciones periódicas:

> «*provocó, come tutte le opere importanti del secolo XVIII, moltissimi polemici, repliche e contrarrepliche...*» [7].

---

[7] BOSELLI, Carlo, y VIAN, Cesco, *Storia della Litteratura Spagnuola dalle Origine ad oggi*, Quarta edizione, «La lingua estesa», Firenze, Milano, 1946, pág. 137.

Antonio Pappel dice, no sin gracejo [8], que la polémica *«es la sal, la pimienta y el vinagre con que se sazonan la mayoría de los escritos del siglo XVIII».* Y Menéndez Pelayo:

> *«Recorremos la historia de las guerras de pluma en el siglo pasado, y encontramos repetidos ejemplos de intolerancia y descomedimiento increíbles»* [9].

La manía de leer y de escribir periódicos o papeles sueltos era tan acentuada que, en vista de su creciente tono polémico, el rey hubo de dar un decreto el 18 de marzo de 1749 obligando a todos los papeles, por pequeños que fuesen, a solicitar la licencia previa [10], y la censura tuvo que adoptar, a lo largo del siglo, un tono cada vez más intolerante, especialmente en tiempos del Juez de Imprentas don Juan Curiel. La maledicencia alcanzó tales grados que incluso hubieron de imponerse penas como las que padecieron don Francisco de Valdemoros y dos religiosos aprobantes de su obra el *Piscator Complutense,* desterrados por cinco años a veinte leguas de la Corte [11].

Tal abundancia de periódicos y papeles sueltos llegó a producir un verdadero malestar que, ya a finales de siglo, reflejaba el *Correo de Madrid (o de los ciegos)* en su «Pronóstico literario para el año de 1787. Juicio del año», que bien pudiera servir de pronóstico de todo el siglo:

> *«de la combinación de todo, resulta, que el año será lo mismo que el pasado. Lluvias continuas de papeles: fuertes granizadas entre sí: cosechas de paja*

---

[8] PAPPEL, Antonio, «La prosa literaria del neoclasicismo al romanticismo», en *Historia general de las Literaturas Hispánicas,* tomo IV, pág. 3.

[9] MENÉNDEZ PELAYO, Marcelino, *La ciencia española,* Madrid, Imprenta A. Pérez Durrull, 1887. Prólogo, tomo I, pág. XXVI.

[10] A. H. N., Consejo de Imprentas, Juzgado y Comisión de Imprentas. Leg. 50.692.

[11] A. H. N., Consejo de Imprentas, Juzgado y Comisión de Imprentas. Leg. 50.694.

muy abundantes: el grano muy escaso: este se com-
prará barato, y aquélla bien cara» [12].

Y poco después vuelve a la carga recomendando silencio a tantos y tan desenfrenados periódicos:

> *«Ay señor Censor, señor Apologista, señor Corres-*
> *ponsal de mi alma, y todos los demás ilustres es-*
> *critores diarios, hebdomedarios y mensuales de estos*
> *tiempos! Oigan Vmds... apotesten de su pluma...*
> *procuren a viva fuerza tomar a docenas píldoras*
> *de silencio, con bastante dosis de arrepentimiento,*
> *para que se les detenga el fluxo de escribir...»* [13].

No menos expresiva es esta alusión que puede leerse
en las obras del Padre Isla:

> *«Como la mayor parte del día están vuestras mer-*
> *cedes ociosos, en cansándose de cuidar de sus peones,*
> *de la leyenda de Gacetas, Mercurios y algún librejo*
> *que otro, de la conversación del cura y cuentos de*
> *viejas, agarran a un pobre amanuense, y a trueque*
> *de satisfacer su incansable curiosidad, escriben a*
> *troche y moche para cuantos conocidos tienen en*
> *las ciudades vecinas: de modo que parece se hizo*
> *para vuestras mercedes aquella coplilla, que no sé*
> *donde la leí, aunque sé que es muy silbada:*

> > *Escribesme que escribiste,*
> > *Y escribirás de manera,*
> > *Que por escribir más cartas*
> > *Te escribirás la respuesta»* [14].

Semejante furia adquirió la manía de imprimir epístolas y la de publicar papeles sueltos —interminables

---

[12] *Correo de Madrid (o de los ciegos)*, Martes, 9 de enero
de 1787, «Pronóstico literario para el año de 1787. Juicio del año».
[13] ID., 9 de febrero de 1787.
[14] ISLA, P. José-Francisco de, *Cartas apologéticas, Obras*,
B. A. E., Madrid, 1850, tomo XV, pág. 368.

2

series de réplicas y contrarréplicas— que en el caso de Torres Villarroel o del Padre Feijoo llegaron a constituir verdaderas montañas [15].

Asiduos escritores de Papeles sueltos como don Pedro Engueras, don Gómez Arias o don Diego de Torres Villarroel, entre otros muchos, inundaron la nación con sus publicaciones, a las que hay que añadir las de sus amigos y enemigos, defensores e impugnadores. Prescindamos de autores tan prolíficos.

Dejemos a un lado igualmente los múltiples Papeles alusivos a sucesos contemporáneos —campo del periodismo noticiero—, como las innumerables relaciones de batallas, de viajes, de hechos acaecidos en la Corte, de sucesos particulares...

Dejemos a un lado el sinnúmero de Papeles técnicos: astronómicos, filosóficos, de materia religiosa, los infinitos que tratan de temas relacionados con la medicina...

Así y todo, el lector de la *Gaceta de Madrid* (esa publicación que tan ávidamente esperaban los contemporáneos, según diversos testimonios de la época) se encontrará con un vasto aluvión de periódicos y Papeles sueltos, dominio prácticamente desconocido —incluso en las Historias del Periodismo y en la bibliografía especializada— del que, sólo a título de muestra, presento aquí una breve selección con los periódicos y Papeles que me han parecido más significativos [16].

Paralelamente, un detenido estudio de la bibliografía que aparece citada en la *Gaceta de Madrid* entre 1700 y 1750 (que habría que completar con los datos suministrados por las censuras de libros existentes en el Archivo Histórico Nacional, Sección de Consejos de Privilegios, licencias y tasas de libros) nos daría una visión progresiva del avance cultural del Siglo de las Luces.

---

[15] Nada menos que 47 impugnadores le atribuye al Padre Feijoo Antolín López Peláez en la *Gaceta de Madrid* sólo entre los años 1726 y 1775. V. LÓPEZ PELÁEZ, Antolín, *Los escritos de Sarmiento y el siglo de Feijoo*, La Coruña, Andrés Martínez, 1901, pág. 41.

[16] *Gaceta de Madrid*: 1700-1750. V. Apéndice IV, págs. 246-253.

De 1700 a 1710 la bibliografía apenas si hace su aparición tímidamente: casi no se encuentran más periódicos que el *Célebre Piscator Sarrabal de Milán*, del que a veces se anuncia *(Gaceta* núm. 8, de enero de 1709) su rápida salida, pues «*se está traduciendo*», y el *Diario de Barcelona*, si bien existe una larga serie de relaciones y compendios sobre los sucesos de Europa, que palían, a su modo, la sed de información de los lectores.

Don Juan Ferreras es uno de los primeros autores: los diversos tomos de su Historia seguirán siendo anunciados casi a lo largo de toda la mitad del siglo.

No menos tímidamente empiezan a anunciarse también en este primer decenio autores como fray Antonio de la Peña (1701), que estudia el *Arbol Genealógico de Sus Magestades;* el sacerdote caldeo Isac, que traduce una misa de su idioma nativo (1703); don Luis Francisco Calderón Altamirano, que escribe sobre las *Virtudes Morales Christianas* (1708); don Luis Enríquez de Navarra, prematuro historiador de la vida de Felipe V (1708); don Antonio Mexía, autor de *Tablas Coronológicas* (1708); fray Francisco Pinto, franciscano descalzo, especializado en Oraciones Panegíricas —género muy de la época— (1708); el capitán don Diego de Noguera, con su *Cartilla de la Cavallería Militar* (1709); el cura de Colmenar Viejo, don Joseph Ortiz Cantero, con su *Dicterio Catechístico* (1709); fray Gaspar de Jesús María, con su tratado sobre Nuestra Señora de Illescas (1709); o el R. P. M. fray Gabriel Serrada, con su *Escudo Triunfante del Carmelo* (1710)..., amén de una interminable serie de cartas reales, relaciones y algunos otros libros.

El segundo decenio acusa un fuerte bajón cultural y, en consecuencia, del volumen bibliográfico: apenas aparecen Papeles sueltos nuevos, abundan los clásicos tratados de Moral y Teología, vidas de santos, sermones y noticias de la Corte —muerte de la Reyna y casamiento en Parma del Rey Ntro. Sr.

Se hacen más frecuentes y detalladas las noticias del exterior: Brasil, por ejemplo. Y se siguen con gran detalle y mucha mayor puntualidad los acontecimientos de la guerra.

De 1720 a 1730 hay, por el contrario, una auténtica efervescencia bibliográfica. Aparecen algunos periódicos nuevos y el espacio bibliográfico aumenta progresivamente en la *Gaceta de Madrid*. El número 50 del año 1721 trae ya anunciados tres libros nuevos; el número 47 de 1725 incluye cinco; el número 32 de 1725 anuncia tres Papeles nuevos de un solo autor, el prolífico don Diego de Torres; el año 1727 abunda en polémicas, centradas fundamentalmente, en torno a Torres Villarroel y el R. P. Feijoo, la aparición de cuyas obras es un verdadero fulminante para la guerra literaria de su tiempo.

Es este decenio central de la primera mitad del siglo no sólo el de mayor auge, sino posiblemente el catalizador de la nueva cultura de imitación de lo francés.

Las cartas —como las del Barbero de Guadalcanal— y los Papeles sueltos son numerosos.

Se monta una guardia más estrecha en torno a las nuevas publicaciones y a cada nuevo escrito sigue el conocido aluvión de apologías e impugnaciones.

De 1730 a 1740 surge la etapa de mayor actividad de la polémica literaria: el español se debate en una interminable serie de ataques y defensas. El capítulo de las polémicas en torno al *Diario de los Literatos*, que por su carácter innovador se atrae todos los odios —también algunas simpatías— es aleccionador en este aspecto. Pero no es sólo contra el *Diario de los Literatos*: Gregorio Mayans y el Padre Feijoo, José Salvador Mañer e Ignacio de Luzán, el Padre Isla o el Padre Losada, ambos jesuitas, y, en general, cualquiera que publique un libro, un periódico, una carta, un simple Papel volante, conoce pronto los sinsabores de la brega intelectual, de la envidia, el gran vicio nacional, que ahoga pronto todo intento de originalidad, todo noble o innoble deseo de diferenciación, de sobresalir un palmo por encima de los demás.

La guardia que cada español monta en torno a las publicaciones de su vecino se ha cerrado extraordinariamente. Sólo así se explican títulos de otra forma incomprensibles:

El Padre Luis Losada había publicado su primera

Carta familiar del cura de Morille. Cuando aparece la segunda, lleva el extraño título de *Vida y Salud de la famosa Carta del cura de Morille sobre lo Guzmán del Glorioso Santo Domingo (Gaceta* núm. 15, de 14 de abril de 1739). La sorpresa del título desaparecerá, sin duda, al leer en el número 8 de 24 de febrero de 1739 este anuncio: *Entierro de la Carta familiar del cura de Morille.* El tema aparece tratado a su vez en un libro de don Pedro Joseph de Mesa Benítez *(Ascendencia ilustre de Sto. Domingo de Guzmán)* criticado en el tomo V, art. V del *Diario de los Literatos,* págs. 190-239, y en una *Dissertación apologética a favor del Gran Linage de Santo Domingo de Guzmán el Bueno (Gaceta* núm. 3, de 17 de enero de 1741). Y es muy presumible, dada la importancia del tema, que daría lugar a otras muchas polémicas. La cuestión debió suscitar gran interés, según se afirma en el libro *Assalto de la sugestión, y la venganza a el Licenciado Don Luis López, Beneficiado, y cura propio de la Villa de Morille con el soplo, escándalo y miedo de el Doctor D. Diego de Torres, que resiste prudente y estira miedoso* (Zaragoza; sin año) [17].

Marca asimismo el decenio la aparición de varios Papeles sueltos, como el *Almanak* nuevo del astrólogo conde de Nolegar sobre los tan preferidos fenómenos atmosféricos, la crítica social —especialmente en escritos sobre el amor y la relajación de las costumbres, como el tema del «cortejo o chichisveo»—, la crítica de los sistemas filosóficos de la Escolástica —como el Papel de respuesta al Piscator de la Escuela Thomista, *Gaceta* número 37 de 1731; o las varias referencias a esta temática en el propio Diario—, así como cierta irreverencia o desparpajo en la misma manera de titular (*Diálogo Crítico Physico entre un Capón y una Beata*) y nace, pujante, la *Crítica literaria periodística:* el Diario de los Literatos de España, 1737-1742.

---

[17] TORRES, Diego de, *Assalto de la sugestión y la venganza a el Licenciado Don Luis López, Beneficiado y Cura de la Villa de Morille con el soplo, escándalo y miedo de el Doctor D.* ————————, *que resiste prudente y estira miedoso,* Zaragoza, sin año, A. H. N. Consejo de Imprentas e Impresiones, Leg. 51.630.

Por si fuera poco, vienen a reforzar el incremento literario obras como los *Orígenes de la Lengua Española*, de Gregorio Mayans y Siscar, y la *Poética*, de Ignacio de Luzán.

Aparecen asimismo otros periódicos literarios o simplemente noticieros como el *Mercurio Histórico y Político* y el *Memorial Literario*, que también se hacen la guerra entre sí desde los primeros momentos.

Estamos casi a la mitad del siglo y se presiente ya el próximo triunfo del Neoclasicismo.

De 1740 a 1750 la crítica literaria sufre un rudo golpe con la muerte del *Diario de los Literatos*, a mano de sus enemigos, «*por haber prevalecido contra él los tiros de la ignorancia y de la envidia*»[18]. Surgen nuevos intentos de *Crítica literaria periodística*, como el *Mercurio Literario* o la famosa *Resurrección del Diario de Madrid, o nuevo Cordón Crítico General de España* —de que me ocuparé más adelante— firmada por tres autores, aunque Cejador[19] asegura que está firmada con seudónimo de «*cuatro*» sujetos y que es obra original de fray Juan de la Concepción, estudiante en Alcalá, lector de Teología y de Escrituras en Salamanca y autor asimismo de numerosos papeles publicados bajo los diversos y populares seudónimos de «Juan de Madrid», «El Patán de Carabanchel», «Piscator cómico»...

Se tratan con preferencia los temas astrológicos, en que destacan D. Gómez Arias y D. Diego de Torres Villarroel, objeto de insistentes ataques por su interpretación de un cometa, que originó un verdadero alud bibliográfico del que pueden ser significativos ejemplos estos dos Papeles aparecidos en el número 20 de 1744: «*Respondido y Respondedor, el Astrólogo D. Gómez, y el Doct. D. Diego Torres, e impugnación a estos, y a los demás Astrólogos, que han escrito sobre el Cometa...*», del Licenciado don Alberto Antonio Soler; y el del matemático don Juan Andrade, «*Remedio de pusilánimes,*

---

[18] SEMPERE Y GUARINOS, Juan, *Ensayo...*, tomo V, prólogo, página 6.

[19] CEJADOR Y FRAUCA, Julio, *Historia de la Lengua y Literatura Castellana*, tomo VI, Madrid, 1917, págs. 90-91.

Juicio, y Pronóstico seguro contra todos los que hasta aquí se han hecho de los Phenómenos que se han dexado registrar en nuestro Orizonte, y Descripción de la falibilidad e incertidumbre de la Ciencia».

Gran cultivo tienen también los temas costumbristas: *Ramillete Festivo,* y *Diario de todas las fiestas de Madrid* —Gaceta del 29 de marzo de 1740—; o las *Falacias y engaños de la Corte, trampas y estafas de algunos de sus individuos,* de don Luis Ignacio Quirol —núms. 37 y 52 de 1744—; *Morir viviendo en la Aldea, y vivir muriendo en la Corte* —núm. 18 de 1746—.

Aparecen igualmente varios Piscatores con el simbólico nombre polémico de «Don Quixote»; uno de ellos incluso se titula pomposamente *El Piscator de los Piscatores, Gaceta* núm. 49 de 1745.

Se publican las primeras traducciones de las *Memorias de Trevoux* —tan alabadas en el *Diario* y que, andando el tiempo, traducirá Rustand—, llevadas a cabo por don Joseph de la Torre (núm. 17, julio de 1742).

Y la *Gaceta* del año 1750 se inunda de Papeles en torno a un enigma propuesto por la Academia de Valencia.

Entre los autores de Papeles cabe destacar a don Francisco de la Justicia y Cárdenas, don Antonio Muñoz, don Jorge de Cárdenas, don Francisco de León, fray Juan de la Concepción, la Gran Piscatora Aureliense doña Manuela... y a otros muchos, cuya simple mención haría esta relación interminable.

Así de abigarrada y confusa, difícil de conocer a fondo, mientras no se estudie este inmenso complejo literario —y no un ramillete de autores llegados a nosotros en aras de la suerte—, se nos presenta la, no sin razón, calificada de oscura primera mitad del siglo XVIII.

II

SATIRA Y CRITICA EN EL SIGLO DE LAS LUCES. — DOLENCIAS DE LA CRITICA. — ALGUNOS DE SUS TOPICOS. — LA INFLUENCIA FRANCESA Y LA REPUBLICA LITERARIA

Una de las características fundamentales del siglo XVIII es el predominio de la sátira, a la que, según Paul Hazard[20], ha servido de base la «irrespetuosidad» reinante a finales del XVII.

España, que ya tenía una honda tradición satírica, desarrolla en el XVIII todas las posibilidades del género: el Padre Isla, Jorge Pitillas, Moratín, Cadalso, Forner... y toda una serie de ignorados escritores de papeles sueltos dan buena idea de esta corrosiva afición a la sátira. El poder satírico es tan grande que nada queda a salvo, ni siquiera el tema religioso, y muy especialmente la oratoria sagrada, contra la que embistió fray Gerundio y una interminable legión de escritores anónimos. A los reparos del Penitente sobre la licitud de la sátira de lo religioso en la historia de fray Gerundio de Campazas, se contesta que hay dos clases de sátira:

I. La intrínsecamente mala, «con toda maledicencia, dicho picante, escrito injurioso o libelo infamatorio, que tire directamente a denigrar, oscurecer o quitar la honra del prójimo»;
II. «Que se define comúnmente un género de escrito inventado para corregir y reprender las cos-

---

[20] HAZARD, Paul, *El pensamiento europeo en el siglo XVIII*, Revista de Occidente, Madrid, 1946, pág. 7.

tumbres corrompidas de los hombres; ya con dichos picantes, ya con gracias, chistes, sales y agudezas, tirando únicamente a hacer los ridículos, y apuntando únicamente y directamente a las costumbres, la cual sólo por incidencia o reflexión puede herir y lastimar a las personas» [21].

El número 44 del *Memorial Literario* hace incluso una «Historia abreviada de las sátiras».

Antonio Silbeira, en un curioso libro, retirado por la censura, intitulado *El Enemigo de Madrid* [22], hace un estudio largo de la sátira presentando entre los principales satíricos a Quevedo y a Jorge Pitillas:

El que pintaba al Rin los aladares
en versos tan malditos y endiablados
como pudiera el mismo Cañizares.

Poco más adelante declara su manifiesta admiración por Jorge Pitillas que *«en nuestros tiempos... desenvainó la espada, siguiendo en todo a Juvenal».*

El Padre Bernard Gaudeau, S. J. [23], compara a fray Gerundio con Don Quijote, por su poder de hacer reir a toda España, considerándolo, además, como una sátira de hondo carácter crítico, como obra de un gran teólogo, sabio y hombre de buen gusto.

Parecidas alabanzas hace del gran satírico Padre Luis Losada, a quien el también jesuita Padre Uriarte atribuye las magníficas sátiras aparecidas en el *Diario de los Literatos* bajo el seudónimo de *Hugo Herrera de Jaspedós* y de quien se sabe tuvo pensado escribir una especie de Quijote crítico contra los malos escritores de su siglo.

En lo político-social, frente a la versión oficial del

---

[21] ISLA, P. José Francisco de, *Obras*, B. A. E., tomo XXV, página 320.

[22] SILBEIRA, Antonio, *El Enemigo de Madrid*, A. H. N., Consejo de Imprentas, Leg. 5.553.

[23] GAUDEAU, P. Bernard, *Prêcheurs burlesques en Espagne au XVIIIᵉ siècle. Etude sur le P. Isla*, Retaux Bray, París, 1891. Introducción.

«Siglo de las Luces», se levanta también la versión oficiosa y satírica, desde la sátira política como *El Duende Crítico* —recientemente estudiado por Teófanes Egido López—, a la sátira de costumbres —el chichisveo, tema ampliamente tratado en el *Diario de los Literatos*—, la sátira literaria —con sus permanentes tópicos de la multitud de los libros inútiles, sátira contra los malos escritores...— o la sátira general, contra esto y aquello, sátira contra todo el siglo, como la que encontramos en Forner —especialmente en su obra *Los Gramáticos*, ahora impresa por John H. R. Polt en magnífica edición crítica [24]— o en forma de auténtica novela picaresca, digna continuación de la picaresca de los Siglos de Oro, como la famosa novela satírica *El siglo ilustrado. Vida de D. Guindo de la Ojarasca, nacido, ilustrado y muerto según las luces del presente siglo. Dada a luz para seguro modelo de las costumbres* con el seudónimo de D. Justo Vera de la Ventosa, año 1778 [25], especie de Guzmán de Alfarache, del Siglo de las Luces, dedicada, además, según consta en el original conservado en la Biblioteca Menéndez Pelayo [26], a uno de los personajes más conocidos de la Ilustración, el intendente de Sevilla don Pablo de Olavide.

Del clima picaresco de la obra puede ser ejemplo el capítulo primero: Padres, Nacimiento y Crianza Ilustrada de D. Guindo, digno sucesor literario de Lázaro de Tormes, incluso por las deshonestas circunstancias de su nacimiento.

---

[24] FORNER Y SEGARRA, Juan Pablo, *Los gramáticos, historia chinesca*, edición crítica por John H. R. Polt, Editorial Castalia, Madrid, 1970.

[25] VERA DE LA VENTOSA, Justo, *El siglo ilustrado. Vida de D. Guindo de la Ojarasca, nacido, ilustrado y muerto según las luces del presente siglo. Dada a luz para seguro modelo de las costumbres* por D. ———, año 1778, B. R. A. H., Ms. 9-31-7030. Existen numerosos manuscritos de los que, dado su interés, pienso hacer, en su día, una edición crítica.

[26] *Libro de la Marcialidad con el nombre de D. Guindo y sacado y agregado à la vida y costumbres del Intendente que fue de Sevilla Pablo de Olavide llamado así aora por estar penitenciado y trasladado en Madrid*, año de 1779, B. M. P., M. 234.

Donde más se cargan las tintas negras es en lo relativo a la educación de D. Guindo (capítulo tercero), desde sus estudios de gramática con el Preceptor D. Líquido hasta sus estudios filosóficos en una Universidad ilustrada (capítulo cuarto), el grado de Bachiller (capítulo quinto) y los estudios de teología (capítulo sexto) y cánones (capítulo séptimo). El mismo tono acre mantiene el autor en las lecciones políticas de los cargos que sucesivamente desempeña D. Guindo.

No falta el descarado lenguaje de la picaresca,

«*donde los antiguos leían* Borracho, *se lee ahora:* Hombre de gusto; *donde ponían* Ladrón, *se lee* Hombre de ingenio; *donde* Cabrón, Hombre civil»[27]; ni las alusiones burlescas sobre el siglo xviii —del que esta novela inédita es el ejemplo más mordaz que recuerdo—: «¿*Y quién será tan ciego que no conozca la Ilustrada Ilustración de este Ilustradísimo siglo?*»[28].

Por si fuera ya poca crueldad declarar en la propia portada la clave histórica del personaje político —relación que se amplía a todos los personajes de la novela en los manuscritos de la Biblioteca Nacional—, se cierra el libro con estos corrosivos versos:

El que mucho nacio tan ilustrado
el que instruido fue con tantas luces
el hombre mas ilustre entre Andaluces
el timbre luminoso de un Estado
el Bachiller Don Guindo de Alumbrado...

Por idénticos caminos se despeña la crítica, cuya arma más frecuente es la propia sátira.

Modesto Lafuente señala al Padre Feijoo como

«*el astro de la crítica, que empezó a disipar la densa niebla de los errores y de las preocupaciones vul-*

---

[27] Ms. de la B. R. A. H., pág. 9.
[28] Id., pág. 177.

gares, del pedantesco escolasticismo y de las tradiciones absurdas» [29].

y destaca entre los principales cultivadores del género a los autores del *Diario de los Literatos*, al Padre Isla, al Padre Codorniú, Sánchez Valverde, Capmany y varios autores de la Historia de la Literatura —Lampillas, los Mohedano, López Sedano...—, así como la importancia de varios papeles periódicos —*El Censor*, el *Semanario Erudito*, *El Apologético Universal*...

Paul Hazard describe atinadamente la situación:

> *«Es la crítica universal; se ejerce en todos los dominios: literatura, moral, política, filosofía...»* [30].

En el campo de la Preceptiva Literaria, en el que todos aspiran a imponer su tiranía, el *Diario de los Literatos*, la *Poética* de Luzán y la *Sátira contra los malos escritores*, de Jorge Pitillas, son unánimemente admitidos como los introductores del nuevo gusto neoclásico en la literatura española.

Y, junto a tan conocidos baluartes, y junto a las polémicas en pro y en contra de la naciente crítica, una legión de escritores ignorados, como don Juan Manuel de Haedo, autor de *El Perfecto Poeta* [31], o el pretencioso don Juan Francisco de Masdeu, autor de un *Arte poética fácil. Diálogos familiares en que se enseña la poesía a qualquiera de mediano talento, aunque no sepa otra cosa sino leer y escribir* [32].

Con el nacimiento de la nueva Crítica literaria periodística, fundamentalmente representada, en la primera mitad del siglo, por el *Diario de los Literatos*, surge un

---

[29] LAFUENTE, Modesto, *Historia General de España*, Establecimiento tipográfico de Mellado, Madrid, 1857, tomo 19, pág. 262 y ss.
[30] HAZARD, Paul, *El pensamiento europeo en el siglo XVIII*, página 12.
[31] HAEDO, Juan Manuel de, *El Perfecto Poeta*, A. H. N., Consejo de Impresiones. Leg. 5.530.
[32] A. H. N., Consejo de Impresiones, Leg. 5.574.

triple campo de batalla: *a*) Los escritores; *b*) los preceptistas; *c*) los críticos, que, además de censurar a escritores y preceptistas —recibiendo a cambio una repulsa muy generalizada— se hacen también una feroz guerra entre ellos mismos.

Menéndez Pelayo, en su amplia y documentada *Historia de las ideas estéticas* [33], sitúa a Feijoo también entre los introductores de las nuevas tendencias críticas con sus disertaciones sobre «el no sé qué» y *«la razón del buen gusto»*.

No sin razón, los Diaristas se afiliaban entre sus seguidores, hasta el punto de ser tachados de *«feijonistas»* por el Padre Segura.

Y el Padre Codorniú alababa la discreción crítica del Padre Maestro al dedicarle sus conocidas *Dolencias de la crítica*:

> *«Porque à quien mas propiamente debian acudir* las Dolencias de la Crítica, *que a V. S. viendo quan Sana, y robusta, quan discreta y cortes la demuestra en todos sus libros, como a una voz lo confiessan, los que penetran a fondo el significado de la Crítica verdadera?»* [34].

Las múltiples e innumerables polémicas, sátiras y apologías, vinieron así a polarizarse en dos bandos fundamentales: amigos del Padre Feijoo —entre los que se contaban varios de los mejores preceptistas, el *Diario* y una interminable serie de continuaciones del mismo— y enemigos de Feijoo —generalmente también enemigos del *Diario de los Literatos* y de la nueva crítica.

Antes de entrar en el estudio concreto del *Diario*,

---

[33] MENÉNDEZ PELAYO, Marcelino, *Historia de las ideas estéticas en España*. Edición revisada y comprobada por D. Enrique Sánchez Reyes, Aldus, Santander, MCDXL, tomo III, pág. 83.

[34] CODORNIÚ, P. Antonio, *Dolencias de la crítica, que para precaución de la estudiosa juventud, expone a la docta madura edad y dirige al mui ilustre señor Don Fr. Benito Gerónimo Feijoo... el P. ———, de la Cía. de J., honorario de la Academia del Buen Gusto de Zaragoza*, con Lic., Gerona, por Antonio Oliva, año 1760. Dedicatoria: Gerona, 28 de agosto de 1760.

bueno será traer a colación unos cuantos ejemplos aislados, pero significativos, de la resistencia que la todavía naciente e imperfecta crítica iba a encontrar en el bando común de los escritores y aún a veces en el propio seno de los que, con igual derecho que el *Diario*, aspiraban también a implantar su tribunal de alta crítica.

El Padre Segura y varios escritores más, estudiados con detalle en el capítulo dedicado al *Anti-Diario*, alzan su airada voz contra los diaristas:

> *«se exhiben Legisladores, dando à los Escritores, preceptos y leyes de cómo, y de lo que devían tratar en sus libros, como se ve en diversos Extractos»* [35].

No contentos con la protesta, se nombran a su vez (de ahí la insistente petición de una protección real por parte de los diaristas) *censores e impugnadores* del *Diario* en particular y de la nueva crítica en general.

Tan violentamente iba a ser recibida por los autores de la crítica y tales fricciones se iban a crear entre los diversos bandos, provocando una mayor derivación de la crítica propiamente tal hacia la sátira literaria, que diagnosticador tan agudo de las *Dolencias de la Crítica* como el Padre Codorniú había de hacerse esta paradójica pregunta:

> *«¿En qué puede consistir que debiendo ser la crítica la salud de todas las ciencias y artes, se haya convertido en enfermedad de la república de las letras?»* [36].

---

[35] SEGURA, J. Jacinto, *Apología segunda contra los Diarios de los Literatos de España en general y sobre el extracto XI del tomo IV*. Su autor, el M. R. P. Fr. ———, Examinador Synodal, Lector, que fue, de artes, y de Theología en el Real Convento de Predicadores de Valencia, y Regente de los Estudios en los Conventos de Luchente, y Lombay. Con licencia, en Valencia, en la oficina de Joseph Tomás Lucas, junto á la Plaza de S. Vult, año 1739, pág. 35.

[36] CODORNIÚ, P. Antonio, *Dolencias de la crítica...*

Desdevises du Dezert presenta asimismo un panorama desolador de la crítica de la época:

«*La critique espagnole du XVIII° siècle manque de profondeur et ressemble trop souvent à une querelle personnelle étrangement âpre et passionnée. Sa valeur propre est médiocre; mais la mêlée des critiques et des auteurs constitue par elle même un spectacle extrêmement amusant, une ample foire aux vanités d'une très pittoresque animation*» [37].

Y poco después completa el panorama con una nada halagüeña alusión a los escritores:

«*Les gens paisibles trouvaient ces attaques scandaleuses, et pensaient avec le P. Codorniú que "la critique était une véritable épidémie dans la République des Lettres" (1 Dolencias de la Critica). Ils avaient tort; si médiocre et misérablement personelle qu'elle ait été, la critique du XVIII° siècle parvint à faire justice d'un grand nombre de mauvais écrivains et à donner droit de cité à la raison dans la littérature*» [38].

Cadalso, en *Los eruditos a la violeta*, carga asimismo contra los nuevos críticos, lanzando al mismo tiempo sus dardos contra la pedantería de los comentaristas o preceptistas.

Parecida postura adopta Tomás de Iriarte, en cuya obra *Los literatos en Quaresma* abundan ya las alusiones a las reuniones de los Literatos. Significativa es la reunión del Quinto Domingo, dedicada a «Predicar sobre las parcialidades de los Críticos»:

«*Unos hai que desprecian a los Autores extraños; y otros que desprecian a los nuestros: unos que solo*

---

[37] DESDEVISES DU DEZERT, G., *L'Espagne de l'ancien régime*, París, 1897, tomo III, pág. 285.
[38] ID. ÍD., pág. 293.

estiman a los antiguos; y otros que solo estiman a los modernos» [39].

Sin embargo, se trata con respeto al Diario de los Literatos *«que trabajaban personas de sólida erudición, y delicado gusto».*
Forner, en quien los críticos tienen uno de sus más sañudos enemigos, no perdona ocasión de zaherirles: En *El asno erudito;* en las *Reflexiones sobre la lección crítica que ha publicado D. Vicente de la Huerta;* en las *Exequias de la lengua castellana* —donde nos presenta a Salafranca respondiendo a las acusaciones de Mayans— y muy especialmente en *Los Gramáticos,* se desata una y otra vez con renovada furia tanto contra los preceptistas como contra los críticos.
La fobia a la nueva crítica le lleva a escribir sus *Demostraciones palmarias de que el Censor, su Corresponsal, el Apologista Universal, y los demás Papelejos de este jaez, no sirven de nada al Estado, ni a la Literatura de España,* en las que pesimistamente afirma:

«En verdad, es necesario compadecer la miseria humana y rogar a Dios para que nos libre de ser Literatos, y en especial de que nos titulemos Censores» [40].

En *La corneja sin plumas,* carga asimismo contra los malos escritores, afirmando de don Paulo Ignocausto —seudónimo del autor— que *«fue muy dado a la crítica de obras agenas; porque le enfadaban sobremanera la vanidad y la superchería; y casi siempre hallaba graba-*

---

[39] IRIARTE, Tomás de, *Los literatos en Quaresma, por D. Amador de Vega y Santa Clara.* Se imprime y se vende en Madrid donde la *Gazeta.*

[40] FORNER, Juan Pablo, *Demostraciones palmarias de que el Censor, su Corresponsal, el Apologista Universal, y los demás Papelejos de este jaez, no sirven de nada al Estado, ni a la Literatura de España... Las escribe el* BACHILLER REGAÑADIENTES *para ver si quiere Dios que nos libremos de una vez de esta plaga de críticos y Discursistas menudos que nos aturden.* Con licencia, en Madrid, año de 1787, pág. 55.

3

dos estos caracteres en las obras de sus contemporáneos» [41].

En el Prólogo de un *Vergel de Poesía esmaltado de variadas flores* que publicaba don Pedro Guzmán Menéndez y Sanz en febrero de 1766 aparece esta significativa descripción de la crítica:

«... *y mayormente en este siglo, en el qual ha suvido la Crítica tan de punto, que aún los Ingenios más sutiles, y los hombres más toscos, Eruditos y Literatos no se pueden ver libres de semejante Peste*» [42].

En una curiosa carta de controversia a las opiniones de Luyando sobre la tragedia, publicada en Barcelona en 1753 por don Jaime Doms [43] se expresa también gráficamente, en términos económicos, esta general oposición a la Crítica:

«... *porque me dicen, que es tanta la moneda chanflona, que hai en esto de eruditos* críticos, históricos etc. *que pasan por reales un sin número de necios, que, examinados por los contrastes de estas profesiones, apenas valen un cornado.*»

Idéntica opinión mantendría poco después —1760— don Manuel Joven y Trigo que, en la censura de las *Dolencias de la Crítica* del Padre Codorniú, escribe:

«*En el presente siglo es la Crítica la Ciencia de la Moda. Aun los que no profesaron jamás Facultad*

---

[41] FORNER, Juan Pablo, *La corneja sin plumas, Fragmento póstumo del Licenciado Paulo Ignocausto*. Puerto de Santa María, por D. Luis de Luque y Leyna, año MDCCXCV, pág. 6. B. N., V., C.ª 236, núm. 16.

[42] MENÉNDEZ Y SANZ, Pedro-Guzmán, *Vergel de Poesía exmaltado de variadas flores*, A. H. N., Consejo de Imprentas, Juzgado y Comisión de Imprentas, Leg. 50.692.

[43] DOMS, Jaime, *Carta al Senador Don Agustín Montiano y Luyando...*, escrita por ————, en Barcelona, Casa de la Imprenta, MDCCLIII, pág. 6, B. M. P., R-III-B-772.

alguna, se atreven a profesarse Críticos, sobre todas las materias de qualquiera Facultad» [44].

Parecido panorama presenta el propio Padre Codorniú, hombre que, según su censor, es «crítico de críticos, pero sin resto de *Enbidia;* porque ciertamente no tiene que enbidiar» en el prólogo a su famosa obra:

«*todos se precian de títulos y a todos pica la Crítica*» [45].

Y un poco más adelante:

«*porque verdaderamente no parece la Crítica el día de hoy, sino el imperio de Alexandro, que muerto él, todos sus favorecidos tienen su ambición, y osadía de coronarse Reyes*» [46].

¿Y qué otra cosa iba a decir quien certeramente señalaba como coordenadas de la crítica de su tiempo el capricho, la inconstancia, la temeridad, la indocilidad, la mordacidad... y demás males agudos de la misma?

Sempere y Guarinos, aludiendo a las dificultades por que atraviesa la crítica literaria en España, tras subrayar la patética afirmación —incluida en la Dedicatoria del *Orador cristiano*— de que «*La Crítica anda en España a sombra de tejado...*», hace referencia a las «*persecuciones que han padecido el autor de esta quexa, el P. Feijoo, los Diaristas y otros que quisieron hacer algún uso de ella*» y esboza un panorama optimista sobre el futuro de la crítica literaria en nuestra nación:

«*pero todas las cosas tienen su tiempo. Si entonces andaba la crítica a sombra de tejado, ahora va públicamente por las calles... Tal vez ha llegado ya*

---

[44] CODORNIÚ, P. Antonio, *Dolencias de la crítica...* Aprobación.
[45] ID. ÍD., Prólogo.
[46] ID. ÍD., pág. 12.

*esta libertad à propasarse à los asuntos màs sagra-
dos, y dignos de nuestra mayor veneración»* [47].

Solo unos años después, cuando el autor publica el
prólogo del tomo V de su *Ensayo* y ha tenido lugar de
experimentar lo que supone ejercer la crítica literaria
en este país, varía diametralmente su óptica, asocián-
dose moralmente a su admirado *Diario de los Literatos*,
y lamentando la poca aceptación que su propia obra ha
tenido en nuestra patria:

> «... *en mi País ha sido aplaudida de bien pocos,
> despreciada de algunos, y yo insultado con los más
> baxos dicterios»* [48].

Tan desprestigiada andaba la crítica entre los escritores que no faltó un periódico —*El Apologista Universal*— en que, como contrapartida, se ejercitase siempre
la defensa de los autores.

Incluso hubo un periódico con aire y título de caballero andante —*El Belianís literario* [49], del que, según
Criado y Domínguez [50], se publicaron siete números—, que
hacía sátira de todos los periódicos de aquel tiempo.

Por su parte, la nueva crítica —que dentro del *Diario
de los Literatos* mantiene generalmente un tono de dignidad, salvo cuando se trata de contumaces enemigos
del *Diario* o de competidores en el terreno de la crítica—
se despeña con frecuencia por una interminable guerrilla

---

[47] MURATORI, Antonio, *Reflexiones sobre el buen gusto en las
Ciencias y las Letras.* Traducción de Juan Sempere y Guarinos,
Madrid, Antonio Sancha, 1782, págs. 249-250.
    [48] SEMPERE Y GUARINOS, Juan, *Ensayo...*, tomo V, pág. 7.
    [49] (PATRICIO BUENO DE CASTILLA), *El Belianis literario. Discurso
andante, dividido en varios Papeles periódicos en defensa de algunos puntos de nuestra literatura contra todas las críticas par-
tidarias del Buen Gusto y la reformación.* Su autor: ————.
Parte primera, tomo I, Madrid, por Joachin Ibarra, año 1765.
    [50] CRIADO Y DOMÍNGUEZ, Juan, *Antigüedad e importancia del
periodismo español. Notas históricas y bibliográficas,* por D. ——
————, Abogado. Tercera edición, Madrid, MDCCCXCII, página 10, nota 1.

entre los nuevos críticos o por una insulsa serie de «tópicos de la crítica» monótona e invariablemente aplicados contra el «*lamentable estado de las Artes y las Ciencias de su siglo*».

He aquí algunos de los más usuales:

Tópico de la indiferencia: todo autor que se ve atacado por otro, finge no darle importancia, no haber leído los ataques de su enemigo o haberse enterado casualmente por informes de sus amigos; pero, a continuación, reacciona con una apología o con una larga serie de improperios.

Tópico de los «Zelos de los genios» o de la frecuente envidia entre eruditos y escritores.

Tópico de los críticos. En el propio *Diario de los Literatos* no faltan feroces ataques contra cuantos pretenden invadir lo que ellos consideran monopolio de la crítica.

Tópico de los plagiarios.

Tópico de la pedantería de los Gramáticos.

Tópico del mal estado de las Artes, Ciencias y costumbres del siglo.

Tópico del menosprecio de los extranjeros hacia los libros españoles.

Tópico de la inutilidad y multitud de malos libros.

Tópico de los Zoilos [51].

Tópico de la necesidad de la crítica para el bien de la nación, instrucción de la juventud y economía de tiempo y de dinero para los lectores.

Tópico de la Aduana literaria o cordón crítico, como el que se ponía a las ciudades en época de cólera.

Tópico de la Crítica, como Don Quixote, contra los entuertos de los malos escritores.

Tópico del tribunal de Censores o de Críticos.

---

[51]   *«Pocos autores vemos*
          Que sean sólidos
          Y para un Aristarco
          Hay muchos Zoilos.»
V. ISLA, P. José Francisco de, *Obras escogidas*, pág. 369.

Tópico de la necesidad de una protección real a la crítica o creación de una Academia de Artes y Ciencias que vele por la pureza de las mismas.
Tópico del país, ciudad, gobierno, o república de las letras...

Acaso el más persistente de todos estos tópicos de la crítica literaria periodística —conservado todavía en parte en nuestros tiempos— sea el de la visión pesimista de las ciencias y letras de su tiempo. La *Resurrección del Diario de Madrid*, primera continuación confesada del *Diario de los Literatos*, ya en la misma aprobación, presenta un panorama cultural que no puede ser más negativo:

«*La* Ciencia médica *no tiene principios ciertos. Poco sabe del reino de plantas, aves y animales.*
La Filosofía *que se enseña en las escuelas es casi toda metafísica, y muchos consumen lastimosamente la vida en la* Theología Escolástica, *sin atender a dar paso en otras ciencias.*
En las Matemáticas *hay muchas preciosidades por ajustar.*
La Historia *y la* Chronología *están defectuosas.*
El Sagrado Arte de la Oratoria *se ha bastardeado.*
La repetición de los Compendios Morales *son infructuosas transcripciones.*
Los Cánones *tienen sus repetidores.*
El Derecho Civil *necesita reforma, y un método más fácil*» [52].

[52] LUAZARE, Santiago Alvaro; ROMERO, Pedro Pablo, y LANDABORE, Antonio, *Resurrección del Diario de Madrid, o nuevo Cordón crítico General de España, dispuesto contra toda suerte de Libros, Papeles, y Escritos Contravando, cogido, por su desgracia, El Papel de Don Diego de Torres, sobre los Temblores de la Tierra, como primer estravío del Cordón. Dedicado al Divino Verbo Encarnado, nuestro Señor Jesu-Christo.* Escrito por D. ————. ————. Con licencia: en Madrid, año de 1748. Aprobación del Licenciado Don Carlos González Marrón.
El original de la licencia figura a nombre de D. Juan Santiago

En la «Razón del Cordón» y en la «Alocución a los *Señores Cortesanos*» el panorama es todavía mucho más desolador.

Parecido menosprecio de la literatura de la época se halla en una conocida carta de Jorge Pitillas a su primo don José Cobo de la Torre:

«Esta se ve aquí cada día más perdida, y aunque se ha mitigado algo el furor de escribir, no obstante se publican bastantes libros, pero todos a cual peor, con grande desconsuelo de los que siquiera conocemos un buen libro y gustamos de leerle» [53].

Joseph Xavier Rodríguez de Arellano, incondicional admirador del *Diario*, de quien tendré ocasión de hablar, llevaba el sentimiento de este tópico de los malos libros tan hondamente arraigado que afirmaba en una carta a Salafranca:

«Cada Martes nos acuerda la Gaceta *libros nuevos, pero tales muchos de ellos, que sólo por esta razón puede llamarse el Martes día aziago.»*

Entre los pocos que reaccionan contra tópico tan comúnmente admitido se encuentra Ignacio de Luzán, que en una de las cartas que acompañan a su conocida *Carta Latina a los PP. de Trevoux*, haciéndose eco del prólogo del tomo VII del *Diario de los Literatos*, hace una calurosa defensa de los libros y autores españoles [54].

Pocas veces se verán en un solo periódico resumidos

---

de Luazare «residente en esta corte» (A. H. N., Consejo de privilegios, licencias y tasas de libros, Leg. 50.644).

[53] CUETO, Leopoldo Augusto de, *Poetas líricos del siglo XVIII*, B. A. E., tomo 61, pág. LXVII.

[54] (PHILATHETES, Ignacio) = LUZÁN, Ignacio de, *Carta Latina de ———— a los PP. de Trevoux, sobre lo que se dice en las memorias del mes de marzo del año pasado de 1742, acerca de las cosas Literarias de España*. Añádense dos Cartas Españolas sobre el mismo asunto. Con Licencia, en Zaragoza, en la Imprenta de Francisco Moreno, Impresor, vive en la Plaza de la Seo, año 1743, pág. 36.

los tópicos y los males de la crítica como en *El Bufón de la Corte,* cuyo título, altamente satírico, es ya un reflejo del espíritu del siglo. Su carácter festivo le permite dirigir alternativamente su artillería bien contra los malos escritores, bien contra los propios críticos.

En el primer número encontramos ya estas descaradas afirmaciones:

> «*Aquí no hay más Prólogo, que decir, que a vista de tantos Escritores tontos, quiero yo ser uno de tantos*» [55].
>
> «*Finalmente, yo voy a ser un Escritor de entusiasmo..., ò un nuevo Don Quixote del buen gusto*» [56].
>
> «*Yà he dado a entender mi temple, ni ningún miedo al Coco de la Crítica*» [57].
>
> «*Yo no salgo a bailar para tirar coces à nadie; déxo este oficio à otros que tienen fuerzas, y herraduras para hacerlo*» [58].
>
> «*Yo no gastaré conversaciones con los que impugnen, ò contradigan, porque no gusto reñir, ni aun de burlas*» [59].

El número 3 —págs. 37-44— incluye una fuerte sátira en verso contra el chichisveo y demás libertades amorosas de la época.

Refiriéndose al denigrante panorama de los plagios, tan duramente criticado en el *Diario,* dice:

> «*... a esta costa... desdichada será la Madre que no tenga un hijo Escritor*» [60].

Tratando de la plaga de cultivadores de la Crítica y de los achaques de la misma:

---

[55] SERNA, Joseph de, *El Bufón de la Corte,* Madrid, Imprenta de D. Gabriel Ramírez, 1767, núm. 1, pág. 7.
[56] ID., íd., pág. 8.
[57] ID., íd., pág. 8.
[58] ID., íd., pág. 9.
[59] ID., íd., pág. 10.
[60] ID., íd., pág. 50.

«... *en la Lonja abierta de la nueva Crítica se dàn por muy poco dinero desvergüenzas como el puño*» [61].
«*Lo mismo tratan los Críticos de moda, pero enemigos del modo, à los mejores talentos de España que si fueran Dropes de la Erudición*» [62].

El resto [63] es un feroz ataque a la nueva crítica. En el núm. XIII —pág. 193— hace, en verso, una curiosa parodia de los prólogos:

«*Prólogo para una Obra, que todavía no se ha escrito, y puede ser que no se escriba; intitulada: "El Idiotismo de Moda".*»

Acaso, a la vista de tanto desprecio por las propias letras y de las continuadas alabanzas que de los eruditos y escritores extranjeros se hacen en libros y periódicos españoles de la época, se ha fraguado el concepto de una influencia francesa total sobre nuestra literatura del XVIII y muy especialmente sobre el nacimiento y desarrollo de la erudición y de la crítica nacionales.

Para el *Diario de los Literatos* esta influencia ha sido unánimemente certificada, haciéndole derivar muy directamente del *Journal des Savants*.

Entre las múltiples referencias quiero destacar la de Carlo Boselli y Cesco Vian, que califican al *Diario* de «*imitazione non banale del Journal des Savants*» [64].

Casi idéntica afirmación sostienen la mayoría de los tratados sobre la crítica de la época.

Paul Mérimée, recogiendo opiniones de varios eruditos, asegura rotundamente que el *Diario de los Literatos* —*Journal des Lettrés*— está calcado —«*calqué*»— sobre el *Journal des Savants* [65].

---

[61] ID., íd., pág. 51.
[62] ID., íd., págs. 51-52.
[63] ID., íd., págs. 52-64.
[64] BOSELLI, Carlo, y VIAN, Cesco, *Storia dela Letteratura Spagnola...*, *op. cit.*, pág. 133.
[65] MÉRIMÉE, Paul, *L'influence française en Espagne au dix-huitième siecle*, 38e Cahier des «Etudes françaises», Société d'Edition «Les Belles Lettres», París, pág. 49. B. N., V/Cª 2189-13.

A tal afirmación han contribuido, en buena parte, los propios diaristas, con su reseña de la historia del periodismo, inserta en la introducción al tomo I.

Igual postura, de alabanza por lo francés, sostienen los diaristas a lo largo de los prólogos de los seis primeros tomos, sin duda con el fin de atraerse la simpatía de Felipe V, creador de tantas instituciones culturales, para una soñada *Academia de Artes y Ciencias*, de la que el *Diario de los Literatos* debería ser órgano crítico-informativo.

No deja de ser extrañamente curioso el que tan pronto como han recibido la ayuda económica para la edición del séptimo tomo y gastos de las ediciones de los tomos anteriores, cambien la bandera y aseguren que la invención de la «crítica literaria periodística» es netamente española y no extranjera, citando como precursores de la misma a Luis Lemos, Catedrático de Salamanca en 1558, que en el Libro II, fol. 101 de *Dialecticorum errorum errore*, afirmaba:

«... *assi también entre nosotros huviera una pública Assamblea de hombres igualmente eruditos, y justos, à quienes tocasse el examinar las obras nuevas de los Autores...*» (VII, IX, 186).

Idea en la que insisten machaconamente los diaristas:

«*No quisieran los Estrangeros que huvieramos hallado esta invención en* España; *pero otras les quedan con que hacernos embidiosos...*»

Los tópicos de la crítica, las continuadas referencias del *Diario* y otros periódicos de la época a la ciudad, país o república de la Literatura, la última cita del *Diario* sobre las teorías del Catedrático Luis Lemos, las diez ediciones que la *República Literaria* de Saavedra Fajardo alcanza en el siglo XVIII... [66] nos llevan a pensar en una

---

[66] SAAVEDRA FAJARDO, Diego, *República Literaria.* Prólogo y notas de Vicente García de Diego, Espasa-Calpe, Madrid, 1956, segunda edición, págs. XXX-XXXIII.

influencia indiscutible de tan popular obra en la crítica literaria del siglo ilustrado.

Influencia que aquí sólo puedo analizar someramente y que, al menos mientras no se haga un profundo estudio monográfico de las fuentes del *Diario de los Literatos*, no descarta la también evidente influencia francesa, de la cual es de esperar se ocupe en su próxima tesis doctoral el erudito francés Paul Guinard [67].

Sería asimismo necesario un estudio sobre las fuentes de la *República Literaria*, para las cuales Vicente García de Diego apunta como posible la *Veritas fucata, sive de licentia poetica, quantum poetis liceat a veritate abseedere*, de Luis Vives [68].

Joaquín de Entrambasaguas coloca a la *República Literaria* entre las sátiras que ridiculizan el ambiente intelectual de la época, en línea con «Quevedo, Gracián y Suárez de Figueroa, y, un siglo después, Cadalso y Moratín» [69].

Una rápida lectura de la *República Literaria* bastará para hallar ya en el título del primitivo manuscrito [70] no sólo el gastado tópico crítico del siglo XVIII sobre la multitud de los libros, sino la misma idea de censura o juicio de los «autores en todas facultades» que después alentará en el *Diario de los Literatos*.

La edición de 1665 [71], encabeza su título como «juicio de Artes y Ciencias...», que muy bien pudiera relacionarse con las «*Memorias eruditas para la Crítica de las*

---

[67] En prensa ya este ensayo, llega a mis manos el libro de Paul J. GUINARD *La presse espagnole de 1737 à 1791*. («Collection Thèses, Mémoires et Travaux». Institut d'Etudes Hispaniques. Sorbonne. Paris, 1973.) En la nota 27, pág. 117, el autor sostiene la tradicional tesis de una influencia francesa total sobre el *Diario de los Literatos*, cuya conocida Introducción al tomo I cita en confirmación de su argumento.

[68] SAAVEDRA FAJARDO, Diego, *República Literaria*, pág. LIII, edición citada.

[69] ENTRAMBASAGUAS, Joaquín de, «La Crítica estética en la República Literaria de Saavedra Fajardo», *Revista de la Universidad de Madrid*, Sección de Letras, III, 1943, págs. 135-181.

[70] SAAVEDRA FAJARDO, Diego, *República Literaria*, pág. XVII, edición citada.

[71] ID., íd., pág. XXVIII.

Artes, y las Ciencias» que Salafranca proclamará como idea engendradora del *Diario*.

A lo largo del siglo, las referencias a la *República Literaria* son abrumadoramente continuadas, hasta tal punto que los propios enemigos de la crítica, como el autor del feroz *Ni Hércules contra tres*, acuden a ella para su defensa, recordándoles a los diaristas los bajos oficios que los críticos desempeñaban en dicha *República*.

Una simple ojeada al contenido de ambas obras, nos indicará rápidamente el parecido del *Diario de los Literatos* y la obra de Saavedra Fajardo: ambas obras ejercen una crítica estética de tendencia paralela —aunque con pequeñas discordancias en cuanto a Lope y Góngora—; ambas muestran un interés preferente por los asuntos lingüísticos, así como por los temas jurídicos y por los adelantos de la filosofía empírica, frente al inmovilismo de la escolástica; ambas muestran un revelador interés por las cuestiones histórico-geográficas y un coincidente tono de burla hacia los adelantos de la Medicina; en ambas, finalmente, predomina, pese al aparente aparato erudito, un fuerte espíritu de cruda polémica y sátira del ambiente intelectual.

LA CRITICA LITERARIA
PERIODISTICA

III

PRECEDENTES PROXIMOS, NACIMIENTO Y AVATARES DEL «DIARIO DE LOS LITERATOS DE ESPAÑA»

Resulta extraordinario, solamente explicable por el excesivo celo didáctico del Siglo de las Luces, que la vieja idea del catedrático de Salamanca Luis Lemos, llevada a cabo como sátira en la *República Literaria*, intente llevarse a sangre y fuego, al terreno de la práctica, queriendo hacer del *Diario* un órgano informativo y formativo, órgano de orientación de la opinión pública en una palabra, en el debatido campo de las letras: que los diaristas intenten plasmar en realidad cotidiana la realidad literaria de la sátira de Saavedra Fajardo.

Pero, por sorprendente que parezca, la idea de la crítica literaria periodística —institucionalizada en forma de tribunal que aspira al debido respaldo de la protección real para la mejor ejecución de su difícil misión—, no era nueva en lo que iba de siglo:

El propio rey había dado una orden el 6 de febrero de 1723 por la que remitía a informe del Bibliotecario Mayor, don Juan Ferreras, un papel en que se les proponía a sus majestades como muy conveniente para el bien de la nación que sus bibliotecarios hiciesen doble resumen de cada libro nuevo para remitirlo a las *Academias de París y Memorias de Trevoux*, que habían puesto por excusa para no dar información bibliográfica de España, la carencia de datos. Conocida es también por el *Diario* (prólogo al tomo VII) la tópica contestación de don Juan

Ferreras, que juzgaba no existía en España libro alguno merecedor de tanto esfuerzo.

También Mayans y Siscar, bajo el seudónimo de *Justo Vindicio*, había realizado la crítica periodística, aunque como «crítico oculto» —según irónica afirmación de Salafranca— en su *Nova Literaria ex Hispania,* feroz catálogo del panorama cultural español, publicado por Menkenio en el tomo de las *Actas Lipsienses,* correspondiente al 31 de octubre de 1731 (v. págs. 202-212). Aventura crítica, que volvería a repetir en 1732 con sus *Epístolas Latinas,* igualmente atacadas en el *Diario.*

A partir de 1730 (v. Apéndice IV) la *Gaceta de Madrid* da noticia de varios papeles eruditos y periódicos de tendencia crítica como *La Tertulia Crítica, sobre el Papel Histórico Político de Mos. Marne, con muchas adiciones, notas y reparos convenientes a la verdad, y posibilidad,* de Gerónimo Sánchez, publicado en 1734, o los que acusan ya la existencia de protocensores como el titulado *Don Gómez Arias en Compañía, esgrimiendo rayos de su pluma, derribando la torre de impugnadores que contra él han escrito los Críticos Nerones de la Corte* (1734) o *El Poeta soñando, juzgado en el Tribunal de Apolo* (1735).

En la famosa tertulia que se celebraba en casa de don Julián Hermosilla, de la que había de nacer con el tiempo la Academia de la Historia, y de la que formaban parte los fundadores del *Diario,* en la junta de 23 de mayo de 1735, había sido asimismo sugerida por Agustín Montiano, y recibida con algunos reparos, la idea de crear un *Diccionario Histórico Literario de España* [72].

Por si fuera poco, para caldear el ambiente, aparece en este mismo año de 1735 una nueva edición de la *República Literaria* con la oración de don Gregorio Mayans y Siscar [73]. Y el legajo 74 de la sección de Impre-

---

[72] B. R. A. H., Ms. 9-21-4-3988.
[73] SAAVEDRA FAJARDO, Diego, *República Literaria. Obra póstuma de D.* —————, *Cavallero que fue de la Orden de San-Tiago, del Consejo del Rey, Don Felipe IV, en el Supremo de las Indias, i su Embajador Plenipotenciario en los Trece Cantones; en la Dieta de Ratisbona por el Circulo, i Casa de Borgoña; i en el*

siones del A.H.N. (libro registro núm. 2715) nos presenta *El Piscator erudito para este año*, según consta por la licencia que, para su impresión, solicitó Pedro Rodríguez de Acebo, en nombre de Monsieur Le Margne (Mañer), que, como cuantos intentaron abordar el ejercicio de la crítica, será también fuertemente vapuleado en diversos artículos del *Diario de los Literatos*. Lamento no poder tener mayores noticias que las de su continuación en 1736, bajo el título de *Piscator o Pronóstico erudito para el que viene de 1737*, a nombre de Francisco del Zepo [74].

Todavía consta en el mismo libro otra curiosa publicación periódica anterior al *Diario de los Literatos*, *El Piscator de la Arcadia* (legajo 83 del libro núm. de matrícula 2.715: licencia de publicación expedida en 1736, a favor de un tal Joseph Ibáñez), cuyo conocimiento y estudio sería de gran interés para el esclarecimiento de estos oscuros orígenes de la Historia de la Crítica literaria periodística.

Las *Memorias Eruditas para la Crítica de Artes, y Ciencias* —1736—son, según se declara en la introducción al tomo I del *Diario*, un primer intento, por parte de Salafranca, para introducir en nuestra patria la idea de la crítica literaria periodística o de las revistas de crítica literaria, de las que se hace en la citada introducción una desmesurada apología.

Pero, sin duda, y pese a otras muchas tentativas de crítica periodística que posiblemente desconocemos, el primer intento eficaz y serio de cimentar la crítica literaria periodística en nuestra patria lo constituye el *Diario de los Literatos de España*, Madrid, 1737-1742, siete tomos en 8.º, en su edición más conocida.

Un valioso manuscrito de la Biblioteca de la Real Aca-

Congresso de Munster para la Paz general con los Olandeses. Con licencia. Madrid. Juan de Zuñiga. 1735. Con la oración de don Gregorio Mayans y Siscar.
(La obra es considerada —*op. cit.*, pág. XXX— por García de Diego como «importante para la genealogía de las ediciones, porque sirve de modelo a casi todas las posteriores».)
[74] *Gaceta de Madrid*, 1736, n.º 8.

demia de la Historia [75] que en su día fue utilizado como fuente para la redacción de los Fastos de la misma Academia, nos conserva, afortunadamente, con una frescura virginal y una abundancia singular de detalles —posteriormente silenciados en los Fastos [76]— el nacimiento, fines y trascendentales aspiraciones del *Diario de los Literatos*.

Empieza este manuscrito, compuesto por alguien que tuvo a mano interesantes documentos de los que desgraciadamente no me ha sido posible hallar ni rastro, describiendo la famosa tertulia que, por «*casual concurrencia*», se empezó a celebrar «*las noches de Invierno*» a principios del año *1735* en casa del Señor «*Don Julián de Hermosilla, Abogado entonces de los Reales Consejos, después Teniente Corregidor de Madrid, y ahora Ministro Togado del Consejo de Hacienda*». Interesante tertulia, muy siglo XVIII, en la que se trataba «*de varios puntos curiosos, ya históricos, ya físicos, y ya sobre otras materias, en que se hablaba sin prevención anterior*».

Algunas equivocaciones sostenidas con empeño llevan pronto a la necesidad de la distribución de temas asignados de antemano, para cuyo reparto y organización de las respectivas disertaciones actúan como primer Presidente y Secretario, respectivamente, don Francisco de Zabila y don Juan Antonio de Roda.

Entre la curiosa lista de asistentes desde los primeros momentos figuran *don Juan Martínez Salafranca* y *don Leopoldo Gerónimo Puig*, que firman, juntamente con Hermosilla y algunos más, las Constituciones de la futura Academia de la Historia —cuidadosamente elaboradas por Montiano—, el 23 de mayo de 1735, como fundadores de la misma.

Aparecen asimismo algunas disertaciones de Salafranca y una lista de presidentes de la tertulia en la que Salafranca figura dos veces desempeñando tal cargo: una por no haber aceptado dicha presidencia don Julián de

---

[75] B. R. A. H., Ms. 9-21-4-3988.
[76] *Fastos de la Real Academia de la Historia*, en Madrid, en la Oficina de Antonio Sanz, Impresor de la Academia, año 1739.

Hermosilla y otra que todavía ejercía en octubre de 1737, *«aunque parece que fue el último que presidió con este nombre»*.

A consecuencia de la aparición de las feroces sátiras de los *Papeles del Duende* —1736—, don Juan de Hermosilla se opuso a que las Juntas se siguieran celebrando en su casa, y los contertulios trasladaron sus reuniones a la Biblioteca Real, por influencia del P. Guillermo Clarke, confesor del Rey, y con permiso del bibliotecario mayor don Blas Nasarre, de quien Montiano y el conde de Torrepalma eran amigos.

El 8 de octubre de 1736 entra a formar parte de la tertulia otro de los fundadores del *Diario*, don Francisco Xavier Manuel de la Huerta y Vega, *«Presbítero del Gremio y Claustro de la Universidad de Alcalá, Cronista General del Reino de Galicia y miembro de la Real Academia Española»*.

El 15 de octubre del mismo año son elegidos revisores de diversos trabajos de la tertulia Montiano y Luyando, Salafranca y Huerta.

El 28 de abril de 1737, Salafranca es encargado de importantes trabajos literarios. Sus asuntos marchan sobre ruedas, pero la aparición del *Diario de los Literatos* —13 de abril de 1737— provoca el violento choque que le separará —hasta 1748— de la querida y soñada Academia de la Historia, en cuyo favor y en cuyo logro tanto había trabajado:

«Determinada pues la Junta a recurrir a S.M., la sobrevino un incidente que la ocasionó detención y no poco embarazo. Emprendieron algunos meses antes tres de sus Individuos el Diario de los Literatos de España. *Los dos primeros volúmenes de esta utilísima obra periódica, desusada hasta entonces entre nosotros, merecieron por lo general la aprobación de los eruditos; pero su crítica causó tanta inquietud en algunos escritores recomendables, y más particularmente en el* Vulgo de la República Literaria, *al ver descubiertos sus descuidos, sus necedades, ò sus plagios que muy presto se*

hizo odiosa a ellos, a sus partidarios y a los que temían igual fortuna para sus producciones. Fue tal la multitud de apologías, y aún de sátiras, que contra ella se esparcieron, que, se empezó a dudar de su permanencia, si para resistirlas no se añadía al mérito y a la constancia de sus autores el escudo de la protección. Ya por entonces, como hemos dicho, creía la Junta que no se hallaba distante de lograrla, por lo perteneciente à si, y estando también persuadida a que el Diario era uno de los medios que más podían contribuir al adelantamiento de las Letras, como han contribuído siempre las Obras Críticas, oyó con gusto que se empezaba a hablar de unirle a ella, y de pedir al Rey un patrocinio para uno, y otro instituto en un solo cuerpo. Nombró a los señores Roda, Rios y Nabarrete para que representando sus veces, tratasen con los Diaristas el modo de hacer la unión: y después de varias conferencias que con ellos tubieron, en que hubo necesidad de vencer algunas dificultades, llegaron a concordarse y a firmar [1. Nota marginal: —en 27 de agosto de 1737—] una especie de convenio en que se expresaban las calidades con que se había de executar. La más notable era pedir al Rey que llevando la Junta Título de Academia Real mandase perpetuar en ella la obra del Diario en utilidad de sus autores concediéndoles también algún subsidio para su continuación. En estos términos parece se formó el memorial, pero ya sea porque después discordiaron entre sí, o con la Junta, o ya porque esta juzgó con mejor acuerdo, que por más útil que fuese no la convenía el oficio de juzgar las obras de los vivos, hallamos dentro de poco suspendida su presentación, y más adelante separados de la misma Junta à los señores Salafranca [2. Nota marginal: El señor Salafranca volvió a la Academia por acuerdo de 28 de junio de 1748] y Puig. No nos consta la verdadera causa que medió para ello, inferimos si de los pocos papeles que de entonces se conservan, que dieron a la Junta nueva ocasión de exercitar su constancia.»

Una de las primeras sátiras contra el *Diario* [77] insiste reiteradamente en este mismo nacimiento del Diario en el seno de la tertulia de Hermosilla:

«... *Me dicen, pues, son veinte los de la referida Junta, en que ay personas de todas Clases, los más de ellos Pretendientes en la Corte, que unos son de Valencia, otros de Aragón, otros de Andalucía, y de ambas Castillas... etc... aunque a la Junta, o Conferencia, que es el Lunes de cada semana, solo se hallan tres, ò quatro de los referidos, aunque de vista conoce a los demás. Dixome [un sujeto «que los ve los más de los días y los habla»], pues, nombrándome al Doct. Huerta, a D. Juan de Salafranca, a D. Leopoldo Puig, a D. Lope Hurtado de Mendoza, à D. Lope de los Ríos, a D. Alonso Verdugo* [78], *à D. Antonio Sotelo, etc. que había también un Cavallero hijo de un Doce de Sevilla.»*

Y lo mismo hace Salafranca, bastantes años después, desde su retiro de Villel, cuando ya no sólo los fundadores del *Diario* llevaban varios años separados de la Academia de la Historia, sino que incluso el propio *Diario* había sucumbido.

En carta fechada en Villel el 25 de marzo de 1750 [79],

---

[77] CÁRDENAS Y RIBERA, Juan, *Ni Hércules contra tres. Impúgnase el Diario de los Literatos de España. A costa de Don Juan Félix Francisco de Rivarola y Pineda Rodríguez de Cárdenas, Familiar de el Numero de el Tribunal de la Santa Inquisición de la Ciudad de Sevilla, Primer Varon primogenito de la Casa de Rivarola, y Patrono de la Capilla de San Gregorio en la Iglesia del Colegio de San Alberto, en la propia ciudad, etc.* Con licencia, Madrid, Imp. Alfonso de Mora, 1737, págs. 112-113.

[78] V. MARÍN, Nicolás, «El Conde de Torrepalma, la Academia de la Historia y el *Diario de los Literatos de España*», *Boletín de la Real Academia Española*, 1962, núm. 42, págs. 91-120.

[79] MARTÍNEZ SALAFRANCA, Juan, *Cartas de D. ————, uno, ò el principal de los Autores del Diario de los Literatos*, B. N.,

tras hacer hincapié en las continuas solicitaciones con que los amigos de la Corte vienen a turbar su retiro, rogándole que vuelva a Madrid «*unos para un oficio, otros para otro*» por estar en trámite el convencer al Rey para la creación de una «*Academia de Artes y Ciencias*» a imitación de la francesa, así como la nueva puesta en marcha del Diario [80], insiste en que no abandonará nuevamente su patria «*sino con orden de S.M. y buena renta*».

Poco después [81] vuelve a la carga:

> «*Sobre el Diario, nada puedo afirmar ni conceder: porque señaladas las rentas por S. M. todos dirèmos la última resolucion y ansi no me haran la gracia de preguntarme, sino de mandarme; porque abiertamente me dicen que he de ir quiera, ò no quiera, con el dulcificante de que ya conocen que me privan de mi sosiego, y de mi placer en los exercicios de la agricultura; pero que es preciso tomar las armas. Aunque quisiera complacer a Vm. como lo deseo, no puedo aventurarme à entrar en la Corte con la renta que tengo; pero si las cosas se practican como las piensan, no tendre escusa ninguna, si no es mi cansada edad...*»

En 1750 debieron de llegar al máximo las inquietudes de Salafranca en cuanto a su regreso a Madrid para ocupar un cargo importante en la soñada Academia de Artes, y Ciencias, como inventor de la gran empresa del *Diario:*

> «*Hasta ahora no tenemos nada asegurado sobre volver a Madrid; porque todos los Correos se re-*

Ms. 10.579. Carta de Salafranca a D. Joseph Cevallos, Villel, 25-III-1750, fols. 13 y 15.

[80] «Quieren también resucitar el Diario que yo comencé; y a este fin acavo de escrivir al Rvmo. Pᵉ Panel, Maestro de los Serenisimos Infantes.»

[81] *Op. cit.*, Carta de Salafranca a Cevallos, Villel, 8-V-1750, fol. 15 vᵒ.

ducen â instancias de los amigos, y â escusas mías. A preguntas, y respuestas, sobre lecturas, y literatos. Lo mas que me atrevi a dezir, ô ofrezer fuè, que con Decreto de S.M. y dinero, para el viage iria a travajar. Pero en la ultima me destemplè un poco, porque estaba sufriendo con impaciencia, que siendo yo el inventor, me convidassen con tantas instancias a mi propia invención; desamparada solamente por falta de medios para la prensa. Dexo aparte el caudal del estudio, que podría hacerme también quejoso, y verá Vm. como tengo razón considerando la mala conducta de los resucitadores; pues bien examinados los sugetos devian proponerse al Rey, y su Magestad mandar que se presentasen en la Corte, ô en otro lugar que se descuvriese mas conveniente para asentar un tribunal tan serio, delicado, necesario, y amigo del retiro; que a mi parezer estava mejor en un lugar distante tres, ô quatro leguas de la Corte. No se lo que resolveran porque a esta ultima carta no he tenido respuesta» [82].

Y en sucesivas cartas:

«Sobre el Diario ninguna cosa han avisado. Solamente un amigo me pregunta hacia qué Quartel de Madrid, quiero que me busque, y prepare Qüarto»...

«Sobre volver â Madrid no ay que persuadirme, porque antes de salir de la Corte, ôfreci que solo volverìa â continuar el Diario. Con que si lo dige es preciso cumplirlo: mas es menester que esta prosecución no sea mendicante como nosotros la hicimos, sino con toda la solidez necesaria de authoridad Real, suficiente compañía, con persona culta y demás cosas precisas: porque no hemos de comenzar para volverlo luego a dejar estentoreamen-

---

[82] **Op. cit., Carta de Salafranca a Cevallos, Villel, 5-VI-1750,** fol. **18.**

te, con disminucion de mis bienes domésticos y demás afanes de pesadumbres» [83].

Todavía, este constante instigador de ingenios, don Joseph Cevallos, envía a Salafranca ejemplares del periódico *Resurrección del Diario.* Salafranca reacciona con el lógico pesimismo de quien ha visto desmoronarse todas sus esperanzas, pero aplicando el conocido tópico de la indiferencia:

> *«De los Autores de la Resurrección del Diario, y de la misma obra, ninguna noticia tengo, ni los amigos me dicen nada porque saven que no gusto de perder el tiempo: y por la misma razón... estimaría que como no sea obra suia, no me remita papel alguno, porque cuestan grandes postas, y es una fábrica que yo tambien la entiendo, y podré hacer quantas satyras quiera; pues es maior diversion hacerlas, que no leer las agenas»* [84].

Desde este momento Salafranca se va encerrando en su torre de marfil: morirá en Villel, veintidós años después, sin ver cumplidos sus queridos sueños y lleno de decepciones, tras haber renunciado a la pequeña compensación real de una canonjía en Huesca. La Academia de la Historia, en cuya fundación ha trabajado tanto, le ha arrojado de su seno (si bien volverá a admitirle nuevamente cuando ya se halla en su retiro). La soñada fundación de la Academia de Artes y Ciencias no ha tenido lugar. La institución más parecida a la misma, la Academia de Bellas Artes de San Fernando, no ha tenido en cuenta para nada a la crítica literaria a la hora de formar sus estatutos. El *Diario de los Literatos,* su más querida creación, de la que se sentía tan orgulloso, ha muerto definitivamente, corriendo la misma suerte que las numerosas resurrecciones que, aún en vida de su fun-

---

[83] *Op. cit.,* Carta de Salafranca a Cevallos, Villel, 31-VII-1750, fols. 19 y 21.

[84] *Op. cit.,* Carta de Salafranca a Cevallos, Villel, 23-X-1750, fol. 23.

dador, se apresuraban a recoger el estandarte de la nueva crítica, sin que ni en lo moral, ni en lo económico, los Diaristas hubiesen recibido una eficaz protección real que les permitiese continuar su obra, ni tan siquiera un decreto —como en el caso del P. Feijoo— que protegiese a sus personas de los numerosos ataques a que estarían continuamente expuestos.

Por su parte, el otro valiente mantenedor del *Diario*, don Leopoldo Jerónimo Puig, en interesante posdata a una carta de contestación a Cevallos, fechada en Madrid en 25 de noviembre de 1749, se expresaba en parecidos términos:

> «... *El Diario ni se continùa, ni yo espero que se continúe, amenos que la proteccion... faculte los medios para la impresion, y reprima los insultos â que estavan expuestos sus Autores*» [85].

Otra pista bastante interesante para seguir de cerca el desenvolvimiento del *Diario* la constituyen sus dedicatorias, introducciones y prólogos, en los que los propios Diaristas van dando sangrante testimonio de sus aspiraciones y fracasos, de las apologías e impugnaciones, de su optimismo inicial y de la adversidad que cada vez va tejiendo una red más tupida en torno al *Diario*, si bien esta versión ha de tomarse con las debidas reservas, aunque siempre constituirá un extraordinario complemento a la intransigente postura, no menos apasionada, por cierto, de sus feroces enemigos.

La observación del desarrollo del *Diario* nos permite igualmente esclarecer algunas de las oscuras cuestiones suscitadas en torno a su historia.

En primer lugar hay que hacer constar el hecho de que los tres primeros tomos obedecen, con bastante precisión, al plan trimestral de la revista: los tres aparecen en el año 1737, y en ellos firma en cabeza y colabora —según se afirma en el prólogo del tomo V del *Diario*

---

[85] *Op. cit.*, Carta de D. Leopoldo Geronimo Puig a D. Joseph Cevallos, Madrid, 25-XI-1749, fol. 8.

y en el número 2 del *Mercurio Literario*— don Francisco Javier de la Huerta y Vega.

Esta primera etapa, que podemos denominar, con los autores del *Anti-Diario*, época del triunvirato, se caracteriza también por una mayor urbanidad crítica, especialmente en los dos primeros tomos, como atinadamente observa ese fino medidor de los cambios del *Diario* y mayor enemigo del mismo, el dominico valenciano P. Jacinto Segura:

> «*Los principales Diaristas de los Extractos XII, XIX, XX y XXIII del tomo II en la práctica, estilo y modo de sus expresiones, yà no se reconocen en el tomo IV. Los motivos de aver desertado de la facción Diarista los ingenios mas perspicaces para censurar, y vestir las sátyras con apariencias de advertencias cortesanas, cualquiera los puede descuvrir*» [86].

A los redoblados ataques de los enemigos, crecientes a partir del tomo III, han correspondido también en el interior del *Diario* acontecimientos tan graves como el abandono del mismo por el diarista Huerta y Vega y la expulsión de los otros dos «*pobres clérigos*» del seno de la Academia de la Historia.

No les faltaron tampoco posibles altercados con sus primitivos impresores, a juzgar por el ataque que Jorge Pitillas les hará en el tomo VII y el inconveniente que supuso el que en la imprenta de Juan Muñoz un empleado, a quien se llamaría al orden precisamente «*en el quarto de Huerta y Vega*», hubiese dejado filtrarse los originales de la crítica de los Orígenes de Mayans, que así publicaría rápidamente su famosa *Conversación*, feroz réplica a la crítica del *Diario*.

Signos externos tan curiosos como el propio escudo del *Diario* acusan asimismo este cambio de etapas: salidos los dos primeros tomos con el escudo habitual, en que aparecen entre otros signos la clava y el caduceo

---

[86] SEGURA, P. Jacinto, *Apología segunda...*, págs. 2-3.

como símbolos de la crítica, aparece el tercero con un escudo en que estos símbolos —fuertemente criticados por Mayans en su *Conversación*— han sido tímidamente cambiados. Los tomos siguientes, impresos en la Imprenta Real, volverán a ostentar lo esencial del antiguo escudo, aunque con una confección más tosca y haciendo desaparecer el *toison d'or*. Hay motivos para suponer que la tímida medida hubiese obedecido al lógico temor de diarista tan indeciso como Huerta y Vega, que poco después abandonaría el *Diario* para ser el único de los diaristas que permaneciera en el seno de la Real Academia de la Historia.

Paralelamente también, el ambiente optimista de la dedicatoria al Rey Nuestro Señor y del resto de la Introducción del primer tomo, va tornándose pesimista a medida que los enemigos empiezan a atacar, cada vez con más fuerza, al *Diario*.

El Prólogo del segundo tomo, aunque breve, rezuma ya un resentimiento de los diaristas por la falta de la unánime aceptación, que ellos esperaban. En él se sientan los primeros ladrillos de la defensa del *Diario*, con los años desviado totalmente de sus primitivos planes y encauzado hábilmente por sus enemigos, hacia el resbaladizo terreno de la polémica literaria.

También en esto, como en otros aspectos, el tomo III es de mera transición, sin prólogo y con un silencio harto significativo.

La segunda etapa del *Diario*, iniciada con el tomo IV —que Nicolás Marín califica de primer volumen independiente de la Academia de la Historia [87]—, se caracterizará, en primer lugar, por la ausencia de Huerta y Vega, que, acaso, tuvo parte —como insinúa Gascón y Guimbao— en la protección económica, directa o indirecta, del mismo, ya que a partir de este momento la edición de los diversos volúmenes se hará con evidente anomalía.

El tomo V, publicado ya en febrero de 1739, gastará una buena parte de su largo prólogo en la defensa de

---

[87] *Op. cit.*, v. nota 78, pág. 115.

la nueva crítica, alargándose en una extensa enumeración de los enemigos del Diario, y mucho de su contenido interior en atacar al terrible P. Segura.

El prólogo del tomo VI, publicado un año después —1740—, entona todo un largo canto del cisne, de irritante tono polémico.

El soneto final, precisamente por su acento de falsa vitalidad, anuncia asimismo la honda enfermedad satírica que corroe las entrañas del Diario: el nivel irónico ha llegado al máximo; sus enemigos le han arrastrado al camino de la perdición.

Sólo el entusiasmo de la dedicatoria al excelentísimo señor don Joseph del Campillo y Cossío —tomo VII— parece presagiar la continuación del mismo. Continuación que, sin embargo, parece ya muy dudosa, a la vista de los ataques y defensas que constituyen el meollo del prólogo. El tono satírico que adopta dicho tomo, así como la inclusión en el mismo de colaboradores auténticamente expertos en la sátira, como Jorge Pitillas o Hugo Herrera de Jaspedós, acabará definitivamente con la obra.

Ningún síntoma más claro de la agonizante marcha del Diario que el esquema cronológico de la aparición de los diversos tomos:

Tomo   I.   Suma de la tasa: 13 de abril de 1737.
Tomo   II.   Suma de la tasa: 24 de julio de 1737.
Tomo III.   Suma de la tasa: 23 de diciembre de 1737.
Tomo   IV.   Suma de la tasa: 17 de junio de 1738.
Tomo   V.   Suma de la tasa: 4 de febrero de 1739.
Tomo   VI.   Suma de la tasa: 26 de marzo de 1740.
Tomo VII.   Suma de la tasa: 10 de febrero de 1742.

La época del triunvirato queda claramente marcada por una regularidad editorial casi total. Los tomos IV y V —pertenecientes ya a la segunda época—, aunque compuestos simultáneamente, o al menos presentados a la licencia a la vez, no salen ya sino con una clara discontinuidad, debida a la falta de recursos económicos.

Del mismo modo los tomos VI, VII y VIII (éste quedaría sin imprimir) habían sido ya presentados en el despacho del escribano de cámara don Miguel Fernández Munilla el 27 de noviembre de 1739, fecha en que se aprueba la licencia de los mismos, a los que más tarde se concederá un privilegio por real decreto firmado en el Pardo el 31 de marzo de 1740, que resulta capital para demostrar la existencia de dicho VIII tomo inédito [88].

Tomo VIII, cuyo hallazgo sería francamente interesante, no sólo para completar la crítica de los libros aparecidos en los años 1737 y 1738, sino también para el estudio de la marcha, posiblemente decadente, del *Diario de los Literatos*.

Es casi seguro que este VIII tomo no haya visto la luz pública, ya que los recursos económicos de los diaristas, incluso con la ayuda donada por Campillo, no les permitían nuevas aventuras editoriales.

Dudosa parece asimismo la segunda edición del tomo VII —a la que, con motivo de la publicación de la *Sátira contra los malos escritores*, de Jorge Pitillas, aluden Ticknor, el marqués de Valmar, Menéndez Pelayo y otros...—, que no he podido hallar, y de la que más bien parece haber pruebas en contra de su existencia.

El marqués de Valmar, en *Poetas líricos del siglo XVIII* [89], copia una significativa carta de Hervás a su primo don José Cobo de la Torre, fechada en Madrid el 24 de julio de 1741 (1721 es evidente error), en que alude claramente a las dificultades económicas por que pasan los diaristas para la próxima edición del VII tomo del *Diario:*

---

[88] A. H. N., Consejo de Privilegios, Licencias y tasas de libros, Leg. 50.639.
[89] VALMAR, Marqués de, *Poetas líricos del siglo XVIII*, página LVII.

Seisçientos y ochenta y seis.

SELLO TERCERO, SESEN-
TA Y OCHO MARAVEDIS,
AÑO DE MIL SETECIEN-
TOS Y QUARENTA.

Q quanto por parte de D.n Juan Mtinz
Sala_franca, y D.n Leopoldo Geronimo Puig Presbyteros, se representó en
el m.i Cons.i temian compuesto y deseauan imprimir, los tomos sexto, septimo y
Octauo del libro intitulado Diario delos Literatos de España, Y para poder-
lo executar sin inuxxir enpena alguna. Sup.co al m.i Cons.i fuese seruido concederles
licençia y priuilegio por diez años para su impresion, Remitiendolos ala Zensura en
la forma acostumbrada: Visto por los del, y como por su mandado se hicieron las
diligençias que por lapragmatica ultimamente promulgada sobre la impresion delos
libros se dispone se acordo expedir esta mi Cedula. Por laqual concedo licençia y
facultad alos expresados D.n Juan Martinez Salafranca, y D.n Leopoldo
Ger.mo Puig, para que sin inuxxir en pena alguna, por tiempo de diez años primeros
siguientes que hande correr y contarse desdeel dia delafha deella Ysolos dhos, ylapersona
que su poder tubiere y no otra alguna, puedan imprimir y vender los Referidos
tres tomos sexto, septimo, y Octauo, del libro intitulado Diario delos Literatos de
España, por los originales que en el mi Cons.i se vieron que van Rubricados y firmados al fin de D.n Miguel Fernandez Munilla mi secretario es.no de Cam.a
mas antiguo y degouierno deel, con que antes quese vendan setraigan al Cons.i juntamente con los originales, para quese vea si la impresion estacon Forme aellos, trauendo
asimismo fee en publica forma como por Corrector por mi nombrado se vió y
corrigio dha impresion por los originales, para quese tase el precio aquese han

«*Los* Diaristas *(Salafranca y Puig), que habían muy a propósito salido a procurar el remedio de tan sensible corrupción, han aflojado mucho en el seguimiento de su instituto, hostigados sin duda de no ver otro premio de su fatiga que los aplausos de los racionales y bien intencionados, que son los menos. Entre éstos se encuentra tu paisano don José Campillo, que por el manejo grande que tiene en el Gobierno de la monarquía es hoy el móvil de todo, en quien han encontrado una muy favorable acogida en diferentes y largas conferencias que con él han tenido, y les ha ofrecido seriamente su protección y apoyo para el logro de sus pretensiones respectivas al* Diario, *y su honroso y proficuo establecimiento. Alentados con esta esperanza, se trata con calor de publicar el sétimo tomo, en que también saldrá á luz la sátira primera contra los malos escritores, de tu amigo* Jorge Pitillas, *quien para este efecto la ha entregado al brazo seglar de los* Diaristas, *y éstos, con su permiso, le han leído á uno ú otro sujeto inteligente, y entre ellos al mismo señor Campillo (que se precia de serlo), y de todos recibio singulares aplausos, en tanto grado, que al último se le antojó el saber su verdadero autor, y fue preciso decirselo en confianza...*»

En el Archivo General de Simancas se conserva, bajo el título de «Limosna y Ayudas de Costa por una vez»[90], una significativa instancia de los diaristas[91], a

_____

[90] Archivo General de Simancas, Ministerio de Hacienda, Tesorería General, año 1741 —4 primeros meses—, Leg. 227.

[91] Señor: Dn. Juan Martínez de Salafranca y Dn. Leopoldo Geronymo Puig dicen: que el año 1737 introduxeron el Diario de los Literatos de España, por constarles que esta invención se mandó executar de orden de V. M. en el año 1723, à Dn. Juan de Ferreras Bibliothecario mayor para que las Censuras de los Libros, que se hicieran se publicaran en las memorias, ò Diario de los P.P. de Trevoux, y haver respondido este Sabio Bibliothecario, que no podía establecerse por no haver personas por entonces de estudio proporcionado para un trabajo de esta especie, por lo que aunque reconociendo su corto estudio y capacidad se aplicaron entre

la que se responde con la concesión de «*cincuenta Doblones líquidos de á sesenta Reales cada uno*» para los gastos ocasionados por la introducción del *Diario de los Literatos de España* y «la impressión de los seis tomos que han dado al público».

Carta e instancia, que hablan claramente de las dificultades por que pasaba el *Diario* en vísperas de la edición conocida —seguramente la primera— del séptimo tomo del *Diario*, en que aparece la agradecida dedicatoria a la ayuda prestada por la protección de Campillo, así como la sátira de Jorge Pitillas, y cuyo ejemplar —al igual que el de los tomos VI y VIII— tenía la licencia ya concedida en 27 de noviembre de 1739, según ya he señalado.

Por otra parte —sin que ello descarte totalmente la posible existencia de esa segunda edición del tomo VII—, tampoco aparece citada en las fuentes bibliográficas generales, ni en el catálogo de la Biblioteca de Ticknor, publicado por Whitney [92].

---

tanto que se hallaban sujetos de mayor suficiencia à practicar esta invención con la confianza de que seria del agrado de V. Mag. y cierta utilidad a la Patria, à cuyo fin se atrevieron à dedicar esta Obra à V. M. y lo han continuado en seis tomos, que han dado al pubco. à sus expensas con imponderable fatiga por ser solo tres, con mucho desconsuelo por haver padecido tantas persecuciones, y sin Rtas. para ocurrir à las impressiones, Compra de Libros, y otros gastos correspondientes. à su Grado y aplicación, por lo q. viendo las repetidas instancias de los sujetos mas Sabios, y de mayor autoridad, y deseando continuar en servir à S. Ma. y à la Patria.

Supcan. a V. M. rendidamte. se digne favorecer la continuación de esta Obra, concediendo à los Autores de dho. Diario, y à los q. en adelante trabajaren en el; su Rl. Protección, mandando se les de por ahora una ayuda de Costa la q. fuere del agrado de V. M. para proseguir con la impression del septimo tòmo, y los demas, mrd., q. esperan de la Generosidad, y distinguido afecto de V. Mt. à promover las Artes, y Ciencas. Señor: Dn. Juan Mtrnz. de Salafranca, y Dn. Leopoldo Geronymo Puig.

Supcan. à V. M.»

[92] WHITNEY, James Lyman, *Catalogue of the Spanissh library and the Portuguese books bequeethed by George Ticknor the Boston Public Library*, Boston. Printed by Order of the trustees, 1879.

El fallecimiento de don José Campillo (nombrado ministro de Hacienda en 1741, año en que los diaristas obtienen, mediante su poderosa protección, la primera subvención económica), acaecido el 11 de abril de 1743, debió de significar asimismo la sentencia de muerte para el *Diario*.

Parece ser que el débil estado de su salud obligó a Salafranca a retirarse a Villel, desde donde, en 1749, mantiene una larga correspondencia con Cevallos, y donde morirá en 1772, prácticamente olvidado de la Corte, pese a las continuas instancias de sus amigos para que resucitara la fallida empresa del *Diario*.

Por otra parte, los que deseaban ocupar el trono del *Diario* y los aspirantes al rango de *críticos* se apresuraban a levantar sus resurrecciones particulares —todas igualmente efímeras y endebles—, mientras en el otro frente de batalla, en el *Anti-Diario*, se trabajaba febrilmente, cada vez con redoblado ahínco —incluso desde la misma frontera de la prensa— para dar en tierra con el *Diario*.

La historia del *Diario* —en el que las cuestiones de la gran polémica del *Anti-Diario* ocupa un espacio en prólogos y contenido nada despreciable— quedaría incompleta sin el conocimiento de esa otra cara, de esa otra oscura raíz que también alimentó, condicionándola en buena parte, toda su existencia, especialmente en su segunda época.

5

IV

LA OTRA RAIZ DEL «DIARIO»: EL «ANTI-DIARIO». PRINCIPALES POLEMICAS

La oposición a la nueva crítica, que hemos visto ya tan acusada en capítulos anteriores, así como el fuerte espíritu polémico del Siglo de las Luces, adquieren una virulencia extraordinaria en el caso concreto de la aparición del *Diario de los Literatos de España*, que —como bien dice Hugo Herrera de Jaspedós en su famosa carta— provoca una polvareda tal que no perdona rincón de la patria por pequeño que sea.

Casi al mismo tiempo que el *Diario*, el *Anti-Diario* [93] levanta, ya desde el primer momento, su poderoso baluarte.

Son dos frentes de una misma guerra, que se acechan ininterrumpidamente. El caso típico del P. Segura, que recibe en Valencia cartas de sus espías en la Corte, es representativo.

En número de publicaciones, en cantidad de colaboradores, en puntualidad de salida de las ediciones, la gran conspiración contra el naciente y desvalido *Diario* tiene tantos poderes en su favor que apenas si se explica la larga resistencia y la inquebrantable fe de los diaristas.

[93] Baso esta denominación en el título de «*Ilustre Anti-Diarista*», con que los autores del *Diario* designaron a uno de sus más encarnizados enemigos, el dominico valenciano P. Jacinto Segura, autor, entre otras cosas, de dos conocidas *Apologías contra el Diario de los Literatos*.

La batalla sobreviviría incluso al propio *Diario*, prolongándose, en cierto modo, hasta nuestros días.

PRINCIPALES POLEMICAS

Lástima es que el tiempo haya hecho sus estragos en el abundantísimo material —a juzgar por lo mucho que todavía se conserva— con que se podría ilustrar ampliamente este capítulo.

En primer lugar, lamento no haber podido encontrar algunos papeles a que hace alusión en su interesante reseña bibliográfica —ordenada cronológicamente— Julio Gómez de Salazar [94]:

«*Armesto, Ignacio*, Papel de aviso a los Censores Nominales del Anti-Crítico, *compuesto por D. ......, Madrid, 1737.*

Pérez Carvajal, Alonso, Carta de Don ...., en respuesta al Papel de Aviso a los Censores Nominales del Anti-Crítico, *Madrid, 1737.*

Jiménez, Ana, Respuesta de la Señora Ana Ximenez, a la Carta de Don Alonso Pérez Carvajal, *Madrid, 1737.*

Ocejo, Pedro Nolasco de, Los impresores, y Plumistas de la Corte, en busca del Diario Apologético de las murmuraciones. Prossa corriente, y vulgar, para que todos la entiendan. *Escrito por Don Pedro Nolasco de Ozejo. Y ofrecido al Excelentissimo Señor Conde de Haro, &. Con Licencia. Madrid. Imp. Alonso Balvás (1738)* [95].

Salazar, Juan José, Diálogo contra el Diario de los Literatos, *Madrid. 1738.*

(Sales, Agustín), Juicio de la Segunda Apología

---

[94] GÓMEZ DE SALAZAR, Julio, «Bibliografía periodística. Diario de los Literatos». Madrid. *Gaceta de la Prensa Española*, núm. 88, Madrid, junio de 1955, págs. 21-22.

[95] Tengo entendido que existe ejemplar de esta obra en la sección *sin catalogar* de la Biblioteca Nacional.

del P. Fr. Jacinto Segura. *I.* Demostracion de la cortedad del Doctor Marcial Emo Mogunez [*anag. de Manuel Gomez i Marco*] en materia de antigüedades. *Por Fortunato Januseni* [*anag. de Juan Antonio Fuster seudep.*] *Valencia, Imp. Joseph Estevan Dolz, s. a.* [*1739*].»

Tampoco ha hecho referencia a los mismos *«en gracia de la brevedad»* el autor de la más ordenada, aunque breve, reseña de dichas polémicas, don Jerónimo Rubio Pérez-Caballero, que en el número 23 de la revista *Teruel*[96] ha realizado uno de los más atinados estudios de conjunto sobre la vida y obra de Salafranca.

A falta de tales materiales, empiezo este estudio del *Anti-Diario*, por la conocida conversación de Mayans y Siscar, de la que el lector podrá hallar amplia referencia en el propio *Diario*.

Lo mismo que de las restantes polémicas reseñadas en el *Diario*, hago, al final, un resumen, en el que pongo de relieve aquellas cuestiones que, con admirable habilidad periodística, los diaristas procuraron silenciar en sus réplicas, acaso porque constituían los puntos flacos y más atacables de su manera de hacer la crítica.

GREGORIO MAYANS Y SISCAR

«Conversación sobre el "Diario de los Literatos de España"»[97]

De las polémicas contra el *Diario*, que he podido hallar, parece ser ésta una de las que tuvo mayor reper-

---

[96] RUBIO PÉREZ-CABALLERO, Jerónimo, «Juan Martínez Salafranca. El Origen de la revista literaria española», revista *Teruel*, órgano oficial del Instituto de Estudios Turolenses de la Excelentísima Diputación provincial de Teruel, núm. 23, enero-junio de 1960, págs. 116-142.

[97] MAYANS Y SISCAR, Gregorio, *Conversación sobre el «Diario de los Literatos de España».* Lo publicó D. Plácido Veranio, Imprenta de Juan de Zúñiga, Madrid, 1737.

cusión y, sin duda, de las que hizo más mella en los diaristas. Basta ver el tono preocupado de Salafranca en su réplica y el espacio que dedica a las aplicaciones como «hombre de bien», es decir, a su defensa y a la defensa del *Diario* —dejando incluso menor espacio para contestar a las «materias de literatura o de lingüística»—, para darse cuenta de la importancia que el turolense concedía a su enemigo.

Con maestría y habilidad dialéctica, va respondiendo a los principales ataques de Mayans y Siscar, el cual no deja en pie ni siquiera el título y el escudo del *Diario*.

Para mayor facilidad del lector, resumiré muy brevemente el contenido de la polémica en unos puntos esenciales:

1.º Salafranca se declara responsable único del *Extracto de los Orígenes*, escrito casi todo con su letra o con la de los otros dos diaristas.

La opinión más común, propugnada por Mayans, es que tuvo otros colaboradores. Salafranca lo niega rotundamente y llega incluso a sostener sus afirmaciones jurándolas por los cuatro evangelios.

2.º Descubre como autor de la conversación a don Gregorio Mayans y Siscar —oculto bajo el seudónimo de don Plácido Veranio—, señalándole incluso la fecha de aparición del libro: 10 de septiembre de 1737.

3.º Acusa a Mayans de haber sacado de la imprenta los originales del *Extracto de los Orígenes* para poder componer más rápidamente su *Conversación*.

4.º Se hace el imparcial y ataca la ironía de Mayans, mientras él mismo cae en idéntica ironía, pese a sus propósitos de ser templado en la propia defensa.

5.º Sostiene que la idea del *Diario* era ya vieja en él, anterior a sus *Memorias Eruditas*, y que había sido expuesta en la tertulia de Hermosilla, poniéndose en práctica cuando un literato ofreció dinero para la impresión. Niega asimismo la cacareada protección oficial, aclarando que le habían fiado el coste para la impresión, pero que debían pagarlo. En efecto, tal protección oficial no llegaría hasta la impresión del tomo VII.

6.º Hallamos repetido el tópico del Tribunal o tres jueces del Infierno, con que Mayans denomina a los diariastas, calificándolos además de triunvirato más inicuo que el de Antonio, Lépido y Octavio.

7.º Se presiente un orgullo creciente por el éxito del *Diario* y se hace mención de los entonces ya frecuentes ataques.

8.º Se defiende la idea del *Diario* con el interés del monarca por el adelantamiento de las letras, basándose en la famosa carta enviada por el rey al bibliotecario mayor, don Juan Ferreras.

9.º Los diaristas se ofrecen a publicar todos los manuscritos ajenos que tengan algún mérito literario.

10.º Acalorada defensa de las *Memorias de Trevoux* como ejemplo de buen periodismo literario.

11.º Los diaristas se declaran *críticos*, o sea, creadores en España de la crítica literaria periodística.

12.º Hay una insistencia grande en el tópico de la mala literatura del siglo.

13.º Se ataca personalmente a Mayans por haber sacado su libro sin aprobaciones, ni tasa, en contra de lo ordenado por la ley.

14.º Hay una referencia elogiosa a la *Gaceta de los Literatos* de Ginebra.

15.º La enemistad con Mayans viene desde la publicación de las *Memorias Eruditas*.

16.º Mayans acusa a los diaristas de faccionarios.

17.º Los diaristas acusan a Mayans de desordenado, precipitado en las conclusiones, insuficientemente documentado en las materias que trata, apasionado y falto de estilo adecuado para el tema que trata.

Aumenta en este apartado extraordinariamente la ironía de Salafranca.

18.º No deja de ser curioso que Mayans alabe la modestia de Huerta y Vega, que poco después abandonaría el *Diario*.

19.º Los diaristas defienden a capa y espada su honradez e imparcialidad crítica.

20.º Acalorada defensa de Gil Menagio, San Isidoro y Quevedo.

21.º Mayans acusa a los diaristas de «Asesinadores de los Literatos de España», que quitan «la estimación» de los autores españoles.

Los diaristas se defienden con una larga invectiva sobre la necesidad de la crítica para mejorar el estado de la literatura, y terminan volviendo las armas contra el propio Mayans, a quien acusan de haber cometido el mismo delito en su *Catálogo Crítico de los Libros Españoles*, publicado por Menkenio.

22.º Mayans es acusado también de antifeijonismo.

23.º Al estudiar las objeciones puestas al escudo del *Diario* se desata la ironía de Salafranca haciendo un estudio paralelo del escudo de la *Conversación*.

24.º Atacan fuertemente a Mayans por haberse metido en estudios de antigüedades «*con afán de sabio*», por haber ejercido de «*crítico duro de los autores españoles*», por haber achacado a los diaristas ayudantes en el tomo primero de los que ellos dicen haber carecido, por haberse corrido igualmente que Mayans era uno de estos colaboradores del *Diario* y por haber envenenado las relaciones entre los buenos amigos, procurando por todos los medios que no diesen a luz pública el *Extracto de los Orígenes*.

25.º Los diaristas hacen una acalorada defensa del título de su *Diario*, que no están dispuestos a cambiar por el de *Diario*, o *Jornal*, *de los Letrados*, como quiere Mayans.

Hay toda una digresión lingüística sobre el distinto significado de las palabras literato y letrado.

Jerónimo Rubio Pérez-Caballero (ver nota 96) se muestra partidario de Mayans, arguyendo que *Diario de los Literatos* es una traducción del *Giornali dei Litterati*, de Italia.

Creo que no debe descartarse tampoco la influencia de la *Gaceta de los Literatos*, de Ginebra, a que los diaristas hacen alusión repetidas veces en su famosa introducción al tomo I.

26.º Siguen una serie de ataques de Salafranca a los *Orígenes*, en que vuelve a la carga, como en el extracto hecho en el artículo 2.º del tomo II del *Diario*, insistiendo sobre la falta de método y discutiendo su interés y contenido lingüístico. A veces la ironía es sangrienta, acusando a cada paso a su rival de mala interpretación del *Extracto de los Orígenes.*

27.º La burla llega a la sátira personal, al afirmar Salafranca que él solo, sin empleos ni títulos, es sobradamente capaz de contestar y contradecir al «condecorado Mayans».

El interés de este artículo (VIII del tomo III, páginas 189-385) es extraordinario para el estudio del desarrollo del *Diario*, obligado, antes de lo previsto, a abandonar sus trazadas normas de urbanidad y respeto a los escritores para inclinarse por la peligrosa vertiente de la sátira.

Muchas de las acusaciones que Mayans hace a los diaristas y que Salafranca silencia hábilmente en su *Extracto de la Conversación*, serán aprovechadas y repetidas incansablemente por los sucesivos acusadores del *Diario.*

Leyendo la *Conversación* se encuentran, entre otras, estas significativas acusaciones:

1.º Se acusa a los diaristas de sofistas de la crítica o falsos críticos, imputándoles incompetencia y falta de preparación y de títulos académicos para el desempeño de tan importante cargo.

2.º «... i ni es Diario, porque no se refiere a la publicación de los libros según los días en que salen a luz.»

3.º Los censores están llenos de errores y de groserías, son mucho peores que los libros censurados.

4.º Tópico del desdén, por el que Mayans dice que ha leído a la fuerza, por indicación de los amigos, el tomo I.

5.º El *Extracto de los Orígenes*, en que asegura han colaborado varios, no le pareció «Extracto, ni Censura: sino una Sátira parecida a la Comedia Antigua, llena de imposturas i dicterios». Añade también que peca de oscuridad.

6.º Les acusa de difamadores, a pesar de ser sacerdotes, y de hombres que destruyen la fama de algunos escritores, ganada a costa de su estudio.

7.º De ningún modo considera a los diaristas capacitados para ser los censores de toda la Nación: «*todo lo condenan sin conocimiento de lo que hacen*».

8.º Les acusa de no leer los libros originales, sino copias de copias; de no entender en cuestiones de lingüística; de no haber leído a Aldrete porque no ponen otras citas que las que usa el mismo Mayans.

9.º Les achaca asimismo falta de reflexión, falsedad y puerilidad en todas sus censuras.

10.º Insiste repetidamente en toda una extensa conjuración de los diaristas y sus venenosos ayudantes contra su persona.

11.º Les acusa de faltar a la ley de la imparcialidad, atacando todo cuanto él dice y siendo parciales contra él.

12.º Asegura que esta parcialidad les lleva incluso a calumniarle y que dan palos de ciego y tiran piedras sin tino.

El polvo de esta apasionada polémica salpicaría mucho más allá de los límites temporales usuales. En *La corneja sin plumas*, publicada en 1795 —a más de medio siglo de la muerte del *Diario*— todavía Forner aprovecha la leve ocasión de que un autor plagiario llama a Aldrete Alderete para mezclar con el bochorno del autor satirizado el de los propios diaristas:

«*En el mismo defecto cayeron los Autores del* Diario de los Literatos de España *y se lo notó Mayans en el* Plácido Veranio» [98].

Aprovecha asimismo Forner todos sus escritos para lanzar un continuado ataque contra los críticos, especialmente en su fuerte obra satírica, *Los Gramáticos*. En las *Exequias de la Lengua Castellana* nos presenta a Cervantes lanzando este ataque contra los diaristas:

———
[98] FORNER, Juan Pablo, *La corneja sin plumas*, v. nota 41, página 34.

«*Este anciano, nos dijo Cervantes, se queja con razón; trabajó infatigablemente en restituir las letras de España a su esplendor antiguo. Tres diaristas, de los cuales el uno dejó por testimonio de su grande ingenio dos tomejos de* Memorias literarias, *esto es, dos cuerpecillos de noticias copiadas tumultuariamente; otro, una historia cuajada de fábulas y cuentos de viejas, y el tercero nada, se empeñaron en desacreditarle, y si no lo consiguieron, faltó muy poco. Culpábanle por haber escrito que en España pauci colunt litteras, caeteri barbariem; y los buenos de los diaristas, que persiguieron de muerte a todos los escritores de su tiempo; que no dejaron libro sano a ninguno, tratándolos de bárbaros, de pedantes, de rudos; que llegaron a proferir con no menos arrogancia que la que culpaban en aquel varón docto, que se avergonzarían de suscribir su nombre en cualquiera de los escritos que se habían publicado en este siglo hasta sus días, le hicieron un cargo horrible porque publicaba lo que ellos mismos publicaban. ¡Rara condición de hombres, pero ejemplo no raro del poder de este desventurado amor propio, que nos hace ver con odio en los demás aquellos mismos vicios que los demás reprenden en nosotros! Yo sé que su aplicación era digna de otra consideración en este sitio; pero, como vendieron a veces el juicio en obsequio de la parcialidad, y cargaron sus críticas de resentimientos personales, que aceleraron, sin duda, la ruina de una obra que hubiera sido utilísima manejada con más comedimiento y moderación, Apolo los ha expuesto al común escarmiento, destinándolos a maestros de esgrima en el Parnaso, y no sin bizarría en la justicia; porque de sus extractos hizo colocar en la* Biblioteca Delfica *los útiles, doctos e imparciales, remitiendo los demás al ministerio que se ha dado aquí a los malos libros*» [99].

---

[99] FORNER, Juan Pablo, *Exequias de la Lengua Castellana*, edición y notas de Pedro Sáinz Rodríguez, Ediciones de «La Lectura», «Clásicos Castellanos», núm. 66, Madrid, 1925, págs. 106-113.

El Conde de la Viñaza acusa también a los diaristas de que,

«*En lugar de limitarse a juzgar con sereno juicio las proposiciones que, como resultado de un nuevo y agudo empirismo, asentaba Mayans, llegaron hasta a negarle orden y método en la manera de desarrollar el asunto, sin advertir que el autor se propuso desenvolverlo en la modesta forma de discurso*» [100].

El aspecto lingüístico de esta polémica ha sido estudiado modernamente por Fernando Lázaro Carreter [101], quien considera que la crítica hecha a los *Orígenes de la Lengua* de Mayans en el *Diario de los Literatos* se pierde «en un detallado y enojoso examen de las partes de los *Orígenes*, y llega al final sin tratar la cuestión prometida». Lamenta también que Salafranca no aclare con mayor exactitud sus teorías lingüísticas y afirma que «don Gregorio Mayans trazó en sus *Orígenes* un cuadro completo de estas cuestiones» para concluir diciendo que «Martínez Salafranca no debía estar sin duda muy al tanto de las doctrinas lingüísticas».

Por su parte, Javier Cruzado [102] pone de manifiesto la superioridad lingüística de Mayans, haciendo de paso referencias a las alabanzas que del mismo hacen Menéndes Pelayo y el Conde de la Viñaza.

Cree, sin embargo, que Mayans se dejó ganar en el terreno polémico por la habilidad e ironía de Salafranca, cuyas ideas lingüísticas son, no obstante, más anticuadas y aferradas al tópico lingüístico de su época.

Considera también a Salafranca superior a Mayans en la cuestión de los sinónimos.

Y reconoce que Mayans se mostró muy por debajo

---

[100] MUÑOZ MANZANO, *Biblioteca Histórica de la Filología Castellana*, Imprenta de Juan Tello, Madrid, 1893, págs. 96-98.

[101] LÁZARO CARRETER, Fernando, *Las ideas lingüísticas en España durante el siglo XVIII*, C. S. I. C., Patronato Menéndez Pelayo, Instituto «Miguel de Cervantes», Madrid, 1949, págs. 55-57.

[102] CRUZADO, Javier, «La polémica Mayans-*Diario de los Literatos*. Algunas ideas gramaticales y una cuestión estética», *B. B. M. P.*, XXI, abril-junio, págs. 133-151.

de su doctrina habitual en la parte estética y que llevó
las de perder, en cierto modo, al responder con exabrup-
tos a las acusaciones de los diaristas.

Jerónimo Rubio Pérez-Caballero está asimismo también de parte de Mayans en cuanto a la superioridad
lingüística del valenciano.

Por mi parte estoy de acuerdo con Cruzado, en que,
en la ironía, los diaristas llevan la mejor parte sobre
un Mayans, que escribe con seudónimo y muy en sabio
erudito, para ser puesto en ridículo por la habilidad dialéctica de Salafranca.

JUAN CÁRDENAS Y RIBERA: «*Ni Hércules contra tres*»
(v. nota 77).

La publicación de este libro constituyó una de las
primeras causas de aquella creciente acrimonia y sátira
defensiva de los diaristas que, como muy bien indica el
Padre Segura, había de aumentar extraordinariamente
a partir del tomo IV, en que los diaristas se ensañan con
Cárdenas y Ribera.

Como en el título no consta su nombre, aunque sí en
las licencias y aprobaciones, lo primero que hacen es
descubrir el nombre del autor y la fecha de la aparición
del libro —24 de diciembre de 1737—, casi al día siguiente de la aparición del tomo III.

Tras hacer una defensa de Salafranca se ataca al autor con fuerte ironía y sin la menor consideración, ta-
chándole de ignorante, de falto de método y de absoluto
desconocedor de la alta función de la crítica, así como
de absoluta falta de respeto a los autores. Cierra esta
violenta acusación un párrafo indignado contra Cárdenas
y Ribera, cuyo libro sustenta, a su juicio, dos ideas bási-
cas: *a*) mantener todas las mentiras y fábulas censura-
das en el *Diario*; *b*) servir de pregón y bandera a todos
los enemigos del mismo.

Una lectura de la enojosa obra nos explica sobradamente la indignación de los diaristas, al mismo tiempo
que nos suministra algunos nuevos datos sobre el *Diario*:

1.º Insiste fundamentalmente en el tópico del Tribunal o Triunvirato de los Censores, idea ya expresada en el propio título.

2.º Los diaristas no tienen orden del soberano para criticar las obras de los escritores. Para esa labor tan difícil, tan mal vista sin tener tal misión explícita, se necesitarían muchos conocimientos y más tiempo, varios años de pausada preparación de las críticas.

3.º Se ataca, con mala fe, el que el *Diario* haga crítica precisamente de los libros de actualidad y de los autores vivos, como si antes no hubiese logrado España tener «Escriptores».

No hubiera molestado tanto, lógicamente, la crítica literaria no periodística.

4.º Se les acusa de plagio: «*Octavario de las Gacetas del año 1737, pues son las Gacetas, el Museo de donde sacan las noticias de los Libros.*»

5.º Ataque al emblema y escudo del *Diario*.

6.º Fuerte ataque a la teoría de los diaristas sobre los primeros pobladores de España.

7.º Acusada mala intención, al querer indisponer a los diaristas con el monarca, diciendo que la dedicatoria del tomo I del *Diario* va dirigida al Rey Nuestro Señor, sin poner su *nombre*, como le correspondía.

8.º Fuerte ataque personal a Salafranca —para quien se pide condena— por haber traducido al castellano, en el tomo II de las *Memorias Eruditas, El juicio de los Sabios*, de Adriano Bayllet.

9.º Se les acusa de criticar favorablemente sus propios libros —artículo 9, tomo I, sobre los *Anales de Galicia*, de Huerta y Vega.

10.º Son injustos: a veces omiten debidos aplausos y otras veces publican «*excesos, y encarecidos encomios, y jactancias*».

11.º Ignoran la Genealogía.

12.º Se censura el tono de magisterio con que hablan en el *Diario*.

13.º Hacen crítica de los indefensos muertos, como don Pedro Enguera.

14.º Ataca a don Nicolás Antonio, a quien habían defendido los diaristas.

15.º Se incluye a los diaristas en la facción del espíritu contradictorio de la escuela de Pellicer, Alvarez de Toledo y Juan Ferreras.

16.º Se insiste en que tras los diaristas se oculta toda una complicada organización, de la cual ellos son sólo «*un fingido Triunvirato, testa de ferro, que han tomado por disimulo los veinte que a título de Academia se han soñado Censores públicos con libre y espontánea voluntad*».

17.º Se les acusa de no hacer crítica —como en efecto no la hacen por dos veces nada menos— del doctor don Juan Antonio Flores de Velasco, porque le tienen miedo.

18.º Presumen de ser Maestros en todas las ciencias, como si estuvieran «*enseñando a los niños de las escuelas*».

19.º Traducen párrafos de autores franceses que venden como propios.

20.º Quieren «*governar un Mundo entero*» corrigiendo las expresiones de los autores e indicándoles cómo deben escribir.

21.º Termina con una serie de insultos personales llamándoles arrojados, superfluos y bomólocos o provocadores de la risa.

A la vista de tales y tan graves acusaciones no podemos por menos de admirar la relativa sangre fría y habilidad dialéctica con que los diaristas pudieron llevar a cabo la reseña de tan enojoso libro.

PADRE JACINTO SEGURA

Los diaristas, acaso de buena fe al principio, se vieron envueltos en la complicada polémica entre Agustín Sales y el Padre Jacinto Segura, polémica acre y casi interminable, cuya bibliografía principal ha sido resumida así por Luis García Guijarro en su tesis doctoral sobre Agustín Sales [103].

1. *Padre Jacinto Segura*, Norte crítico: desagravio de un Escrito del Autor.
2. *Sales*, Apología contra la inconstancia de un Moderno.
3. *Fray Joseph Antonio Pérez de Benitia*, La verdad vindicada contra las falsedades, ficciones y calumnias que contienen la Apología del Doctor Agustín Sales.
4. *Sales*, Segura convencido en todo cuanto opone contra la Dissertación del Sagrado Cáliz..., *1737*.
5. *Padre Segura*, Apología II... *(1739)*.
6. *(Sales)*, Juicio de la II Apología del P. Fr. Jacinto Segura. Demostración de la Cortedad del Doctor Manuel Emo Mogumez.—*La escribió don Fortunato Jamuseni, a favor del maestro el doctor Agustín Sales...*

(Ximeno cree que se publicó en 1739 y que Jamuseni es el anagrama de Juan Antonio Fuster; García Guijarro cree que es obra de Sales.)

A buen seguro que la guerra entre los dos bandos seguiría posiblemente incluso después de la muerte de ambos protagonistas, como propugnaba el vengativo Padre Segura, en el encarnizado ambiente polémico de Valencia, donde las rivalidades entre órdenes religiosas y las enemistades suscitadas por cuestiones de oposiciones y de ejercicios universitarios no eran menores que las de Madrid.

La correspondencia de Mayans —también enemigo del *Diario*— contiene alusiones nada favorables a Sales, autor tan prolífico que cuenta con un total de 70 obras y que, además de ser cronista de Valencia desde el 27 de octubre de 1738, se había sabido atraer a su bando —por medio de la adulación, según el Padre Segura— a los autores del *Diario*.

---

[103] GARCÍA GUIJARRO, Luis, «Agustín Sales. Apuntes biobibliográficos», Fortanet, Madrid, 1908, pág. 46. *B. R. A. H.*, 5-4-7-1671.

La intervención de los diaristas en este avispero de las polémicas y banderías valencianas vino a sumar en la ciudad levantina peligrosos enemigos a los que el *Diario* ya se había creado en la Corte. El Padre Segura y Mayans sabrían presentar hábilmente dicha enemistad como una aparente discordancia entre los diaristas de la Corte y los eruditos de provincias.

Hay que advertir, en favor del dominico— como los diaristas lo advirtieron en favor de Sales—, que fueron los diaristas los primeros en abrir el fuego: al principio de una forma más o menos disimulada con su apoyo discreto a Sales y luego de una forma cada vez más creciente —artículos XII, XIII y XIV del tomo II— para terminar en un claro y descarado ataque personal contra el Padre Segura, al extractar la obra de Sales *Segura convencido*.

Con tales precedentes, no es de extrañar, pues, que estallase la cólera del Padre Segura, el cual declararía una especie de guerra santa al *Diario*, en la que no cejará hasta dar con él en tierra.

Las dificultades económicas por que atravesaron los diaristas, con el consecuente retraso en la salida de los tomos IV, V, VI y VII, contribuyeron, a su vez, a la victoria del dominico, con el que vendrían a solidarizarse todos los abundantes enemigos del *Diario*.

No sabían bien los diaristas hasta qué extremo habían comprometido el prestigio de su obra al intervenir en la aparentemente insignificante polémica provinciana de Sales y Segura.

Veamos ahora algunos aspectos de la polémica:

P. JACINTO SEGURA: «*Verdad vindicada*...» [104]

Se publica muy poco después que el tomo II y lleva al final una Nota al *Diario de los Literatos de España*,

---

[104] SEGURA, P. Jacinto, *Verdad vindicada por el R. P. Fr. Joseph Antonio Perez de Benitia, Lector de Theologia Jubilado de la Orden de Predicadores, contra las falsedades, ficciones y calumnias que contiene la Apologia Crítica del Doctor Agustín*

que —adelantándose incluso a Mayans— viene a abrir el fuego contra el *Diario*, cuyo tomo II conoce el Padre Segura a través de las referencias de dos personas residentes en Madrid, una de las cuales le asegura que los diaristas —como buenos *«Feixonistas»*— *«tienen una gran disposición para escribir contra V. Rma»*. Otra carta le avisa de que *«el Martes, que viene, sale el Diario de los Literatos, en que se satyrizan, e impugnan las obras de V. Rma., trabajo del P. Sarmiento que por este medio ha hallado su despique»*. Con tal motivo lanza el Padre Segura estos ataques contra el *Diario*, cuyo tomo II —del que le son adversos los artículos XII, XIII y XIV— acaba de aparecer:

1.º Parcialidad: contra la norma que se habían propuesto en el prólogo del tomo I son, injustamente, favorables al doctor don Agustín Sales.

2.º Han puesto en manos del Padre Sarmiento —cuya *Demostración Apologética en defensa del Theatro Crítico* había sido atacada por el dominico valenciano— el *Extracto del Norte Crítico* para que así el benedictino pueda ensañarse contra él.

3.º Les compara con Paulo y Jovio, que hacía protestas de inocencia e imparcialidad, mientras atacaba ferozmente las obras de Josepho Acheo.

4.º Ataca al Extracto de los *Anales del reino de Galicia* —art. IX del tomo I— en el que advierte varios errores históricos y la «inerudición« de los diaristas.

5.º Considera ya pernicioso el estudio del *Diario*, como compendio lleno de errores.

6.º Todavía no llegó a la lejana Valencia el II tomo del mismo.

7.º Ataca a los Padres Sarmiento y Feijoo, con los que antes ha tenido también sus polémicas en sus famosas *Vindicias por Savanarola*.

8.º Promete despreciar las objeciones del tomo II del *Diario* y guardar el más olímpico silencio por res-

---

Sales. Partes I y II. Con licencia, en Valencia, por Antonio Balle. (Tasa 12 de agosto de 1737.) B. N., 2/63304.

puesta, aunque más tarde escribirá sus dos famosas Apologías contra el mismo.

P. Jacinto Segura: «*Apología contra los Diarios de los Literatos de España*» [105]

Según el resumen de los diaristas, la *Apología* contiene las siguientes proposiciones:

1.º El autor dice que escribe a instancias de eruditos de Madrid y Valencia contra los maldicientes e ignorantes objetadores de su *Norte Crítico.* Su tono es violento y airado, sin la menor consideración a los diaristas, a los que continuamente tacha de satíricos, fieras mordaces, ignorantes y otra buena cantidad de insultos, machaconamente repetidos a lo largo de toda la obra.

También, por sistema, disiente de todas y de cada una de las objeciones que se le hacen y, volviéndose en acusador, va refutándolas sucesivamente una por una.

2.º Los ataques personales llegan al extremo de criticar la pobreza de los diaristas.

3.º Incluye entre los colaboradores del *Diario* al Padre Sarmiento, a quien considera autor del maligno extracto de su *Norte Crítico.*

4.º Los diaristas aprovechan para atacarle y satirizar la ignorancia del Padre Segura en cuestiones bibliográficas, de cuyo conocimiento él se excusa con la disculpa de la escasez de libros de actualidad en Valencia, disculpa que también usa Mayans a veces.

5.º Feroz ataque a Salafranca y a sus *Memorias Eruditas.*

---

[105] Segura, P. Jacinto, *Apología contra los Diarios de los Literatos de España, sobre los artículos XII, XIII y XIV del tomo II y I del tomo III.* Su Autor, el M. R. P. Fr. —————, examinador Synodal, Lector que fue de Artes y de Theología en el Real Convento de Predicadores de Valencia y Regente de los Estudios en los Conventos de Luchente, y Lombay. Con licencia, en Valencia, por Joseph Lucas.

6.º Defiende obstinadamente el empleo de abundantes citas en latín sin traducir al castellano.

7.º Repite incesantemente el tópico de que el *Diario* está lleno de ofensas a los escritores.

8.º Los diaristas aprovechan cualquier motivo, como por ejemplo el que no conozca la obra de Muratori, para hacer una sangrante burla del Padre Segura.

9.º Entablan una continuada polémica en torno a la utilidad o no utilidad del *Theatro de la vida humana* de Beyerlinck y del diccionario de Calepino, que defiende apasionadamente el Padre Segura con una farragosa enumeración de citas eruditas.

10.º Acusan al Padre Segura de desaliños, impropiedades y barbarismos en el empleo del español.

11.º Protestan continuadamente por el desprecio que les muestra.

12.º Tópico de la inutilidad de los malos libros.

13.º Se les acusa de feijoonistas o acérrimos defensores del Padre Feijoo.

14.º Los diaristas acusan, en cambio, al Padre Segura de ser del bando de Mayans, Mañer, Armesto, Torres y Ustanoz.

15.º Le llaman generalísimo del bando contrario e ilustre *Anti-Diarista*, título *«que, sabemos apreciará S. Rma. sobre todos los demás»*.

16.º Los diaristas declaran ejemplares las *Actas literarias* de París, las *Memorias de Trevoux*, Venecia, Holanda, Ginebra y Lipsick.

17.º Defienden su empleo de la ironía en la reseña del *Norte Crítico* como *«una especie de sal, ò donayre que los Romanos llaman Urbanidad»* y como la forma *«más decente y urbana figura de que puede valerse un cortesano para notar los defectos y descubrir las verdades»*. Llevan su cinismo al extremo de autorizar su ironía con el texto de Horacio:

—*«Ridentem discere verum*
Quid vetat?»

18.º Señalan que, por el contrario, la Apología está llena de vituperios y de oprobios, sin ningún disimulo ni figura.

19.º Le acusan de haberse unido al bando de «*tantos sugetos despreciables en la República Literaria, como se han conjurado para roer los huesos del Diario*».

20.º Niegan haber copiado la introducción al tomo I de la *Historia Crítica de los Jornales, ò Diarios*, compuesta por Mr. Camusat (art. 107 de las *Memorias de Trevoux*, noviembre 1735).

Enormemente indignados por esta acusación de plagiarios, proceden —como en el caso del Abad de Cenicero don Juan Joseph Antonio de Salazar—, a exponer un ejemplar de dichas *Memorias* a pública comprobación en la tienda del librero Juan Gómez.

Leyendo detenidamente la Apología, se perfilan algunos otros matices, hábilmente callados en el *Diario*:

1.º El Padre Segura escribe provocado de antemano por los diaristas y por la necesidad de defender a los escritores contra la ignorancia, mordacidad y falsedad de los diaristas, siguiendo el ejemplo de Mayans y de Cárdenas y Ribera.

2.º Para mayor efectividad mantiene en Madrid una larga cadena de espías, que, cada poco, le informan, aunque no con demasiado conocimiento de causa, de los movimientos del *Diario*.

3.º Niega la imparcialidad de los diaristas, que en efecto —y en ello consistió su mayor desliz— con él y con Mayans pecaron de sumamente arbitrarios y de parcialidad reiteradamente manifiesta.

4.º El 12 de octubre de 1737 un amigo le comunica que, aunque los diaristas tienen acabado el tomo III «*no le han impresso por falta de dinero. N. Les tiene embargada la impression para cobrar el importe de lo que les costó*».

Efectivamente: el tomo III no sale hasta diciembre, con un trimestre de retraso, y en él se rompe la marcha normal del *Diario*.

5.º Contra los testimonios de los diaristas y sus amigos, afirma que se han vendido muy mal los tomos I y II.

6.º Dice que la crítica de los *Anales de Galicia* salió antes de editarse el libro y que la hizo el propio Huerta.

7.º Un amigo de la Corte le informa sobre las falsedades históricas contenidas en los *Anales de Galicia*.

8.º Les acusa de ser faccionarios y admiradores ciegos del Padre Feijoo y del Padre Sarmiento.

9.º Con idénticas facultades que los diaristas, es decir, sin ninguna orden especial para ejercer la censura, se proclama el Padre Segura Juez, y Fiscal de ellos, declarando a Huerta incompetente, a Salafranca plagiario de autores extranjeros en las *Memorias Eruditas*, escritas sin ningún método, y a Puig —según informe de algunos amigos que le tratan—, inferior a los otros dos.

10.º Insiste en los «*jornalistas*» auxiliares o colaboradores, así como en uno que les ayuda económicamente al «*que los noticiosos llaman el Protector de los Diaristas; porque no les ha ocurrido darle el nombre de Theophylo*».

Alaba a Huerta y Vega por haber hecho pocos Extractos, dudando incluso de que haya hecho alguno en el tomo II.

De Puig cree que sólo dio su nombre, inducido por el Protector o «Theophilo».

Atribuye el *Extracto* sobre Torres Villarroel a su peor enemigo, don Francisco Arias Carrillo.

11.º Se extraña de verles metidos en una empresa que sólo produce odios y desprecios, pero ninguna ganancia.

Sobre el *Extracto del Norte Crítico* corren, según el Padre Segura, noticias confusas: unos le han dicho que era autor del mismo el Padre Sarmiento; otros, que Mayans, pero le consta «*por buenos conductos*» ser sus autores don Juan Martínez Salafranca y «*en lo mordaz y picante*» don Juan Iriarte. Finalmente afirma que toda la letra del *Extracto* es, según le han dicho, de una sola mano.

Acusa al autor del mismo —Salafranca a lo que parece— de indocumentación, falsedad y mordacidad inaguantables. De entrar más en detalles mínimos que de ir al fondo de la cuestión, la cual no entiende.

Se propone una *«justa»* vindicación contra estos excesos, contra esta sátira *«serio-jocosa»* en vez de crítica consciente.

12.º Afirma que los diaristas, cuando les conviene *«se tragan camellos»* disimulando errores enormísimos, al hacer Extractos de obras de sus parciales y faccionarios.

13.º Les acusa de maledicencia contra los escritores, bien por envidia o bien por la torpe ganancia que el *Diario* les proporciona como única manera para mantenerse en la Corte.

14.º Les acusa también de tergiversar los textos que extractan y de hacer la crítica no según lo escrito, sino según el escritor de que se trate.

15.º La parcialidad llega, según el Padre Segura, al colmo, cuando intervienen en la polémica existente entre él y Agustín Sales, metiéndose a jueces en el asunto del sagrado cáliz, del cual no entienden absolutamente nada.

16.º Indignación porque los diaristas desvelan los seudónimos —han descubierto el suyo en la *Verdad vindicada...*—.

17.º Nos da varios datos autobiográficos: ha tomado el hábito el 7-XI-1783; se llamaba Joseph Antonio y sus apellidos maternos son Pérez de Benitia, al modo de Castilla, nombre y apellidos que explican el seudónimo usado en la *Verdad vindicada*, de la que regaló 80 libros por su mano y envió 20 a personas de Madrid. Afirma que el *Extracto* de la misma es parcial en sumo grado.

18.º Acusa a los diaristas —no sin razón— de hacer los extractos a base de frases que le hagan *«odioso a los Lectores»*.

19.º Les tacha también de falta de documentación suficiente y de incurrir en frecuentes contradicciones.

20.º Ataca fuertemente a Feijoo y a los diaristas, preguntándose qué privilegio tiene Feijoo —que no tuvo Santo Tomás— para no ser impugnado.

21.º En la República de las Letras hay entera libertad, según costumbre de todos los siglos, para atacar, impugnar y defenderse; pero los diaristas quieren la exclusiva de la crítica para hacer su capricho. Pide, por tanto, que se les castigue severamente por su malignidad.

En un curioso índice alfabético final resume, para mayor facilidad de los lectores, todos sus furiosos ataques contra el *Diario*.

P. JACINTO SEGURA: «*Apología segunda contra los Diarios de los Literatos de España en general y sobre el extracto XI del tomo IV*» (v. nota 35).

Esta obra, que constituirá uno de los más fuertes ataques contra el *Diario* y que apenas tendrá respuesta en el mismo —con fecha de la tasa en 16 de enero de 1739—, no aparece realmente hasta febrero del mismo año.

Empieza haciendo grandes elogios de *Ni Hércules contra tres*.

A continuación ataca ferozmente al *Diario* por haber sacado a luz un solo tomo, el IV, en el año 1738 y hace toda una panorámica de conjeturas sobre la próxima aparición del tomo V, a vista de cuya tardanza en salir él se decide a publicar su *Apología* contra el *Diario*. En el ejemplar de la Biblioteca Nacional (B. N. 3/37236) hay esta curiosa nota manuscrita:

> «*Contra esta Apología salió el opúsculo de Jamuseni que enviste tambien al Dr. Mogunes, Vicario de la Seo, alias Dr. Manuel Gomez i Marco.*
> *Motivos de sus iras ser yo Chronista, p. 203.*
> *Esta Apologia se hizo despues de leer Segura el t. 5 del* Diario *pero no lo toma en boca, pues no pudo responder. Assi disimulò en su Idacio al t. 3 de Cartas de Feijoo.*»

Con idéntica letra que la nota manuscrita aparecen, a lo largo de toda la obra, una serie de interesantes acotaciones, que generalmente llevan la contraria a las afirmaciones del Padre Segura, el cual, en la misma obra viene a dar la razón a la nota preliminar afirmando que ha detenido la encuadernación de su *Apología* hasta el 17 de febrero, por haber recibido una carta de Madrid —fechada el 14 del mismo mes— en la que se le comunicaba que ya había aparecido el V tomo del *Diario* —tasa del 4 del mismo mes— con un «*largo Prólogo muy jactancioso con oposiciones en general à sus contrarios; y respuesta a su Apología I con dicterios insolentes, exhortándome al desprecio de ella*».

El anónimo anotador marginal —posiblemente Agustín Sales, según afirma Gascón Guimbao en unos papeles sueltos, que se conservan en la Casa de Cultura de Teruel— supone falsa esta carta, así como otra anterior, también de Madrid, fechada en 31 de enero, en que, según afirma el Padre Segura, se le confirmaba que no aparecería aún tal tomo del *Diario*, por falta de dinero.

Ya antes —el 13 de enero— le habían avisado sus amigos de Madrid de que el tomo V estaba impreso.

Así, con habilidad y rapidez, haciendo aparecer su *Apología* segunda casi al mismo tiempo que el tomo V del *Diario*, el Padre Segura ganaba tiempo y eficacia en su lucha a muerte contra el *Diario*.

Responde, en caliente, a la sátira contra su primera *Apología* (tomo V, artículo VII), así como contra el Prólogo del mismo tomo V —apasionada defensa de los diaristas en que atacan a todos sus enemigos—, en una famosa *Repulsa a las oposiciones de los Diaristas en el prólogo a su tomo V*, de tono altamente ofensivo, que termina con este feroz ataque:

«... *esta opinión tan indecente, este concepto tan vil han merecido los Diarios, y sus artífices, que dexaron pessimo nombre a la posteridad por sus ignorancias, falacias, y sátyras denigratorias, que solo a ellos deshonestan.*»

Y, tras prometer no volver a ocuparse de asunto tan indigno —puesto que el 13 de marzo de 1739 cumple ya setenta y un años—, afirma que deja «*escrito lo que conviene para que ni yo, ni otros perdamos el tiempo en im-*

pugnar los Diarios, ni hacer caso de sus censuras, Notas y satyras».

Por su parte, el tomo V del *Diario* adopta también un tono feroz de desesperada defensiva, típico de la segunda época y no usual en los tomos anteriores, lo que permite al Padre Segura insistir encarnizadamente en sus embestidas, haciéndose repetidamente eco del famoso *Triunvirato de Roma*, obra en la que, a su vez, se defiende al dominio valenciano.

Insiste en que sus apologías sirven

> *«para que todos puedan formar juicio de la calidad de los* Diarios, *y de sus artífices. En lo que creo hacer no pequeño obsequio a los españoles, y en particular a los Escritores maltratados por ellos».*

Poco después hace referencia a los *«vituperios muy indecentes y de maldicencia intensíssima»* del *Diario*, insistiendo reiteradamente en que el *Diario* corre sin aprecio de los escritores.

Tras atacar el título del *Diario*, pasa a ridiculizar a sus autores por pretender ser *«sabios en todo»*:

> *«Quién no considera à estos dos buenos Clérigos, artifices del Tomo IV en la imposibilidad de satisfacer a su Platónica empresa? La admiran todos los cuerdos, y la celebran con risa, y silvos los Eruditos, que no son de la facción Diarista.»*

Metido en su polémica con Sales, de la que no hay modo de apartarle, el Padre Segura aprovecha esta *Apología segunda* para atacar también a los diaristas por el extracto del libro de Sales *«Segura convencido...»* (artículo XI, tomo IV), en el que el dominico asegura que se han dejado ganar por la adulación de Sales, por haber llamado éste a Feijoo y Sarmiento «Lumbreras de nuestra España».

Alardea de haber tenido el corazón sereno y no apasionado al criticarles, explicando de paso sus antiguas enemistades con el aragonés doctor Sales, con motivo de su doctorado en Valencia, el 30 de abril de 1731, afirmando que no es cierto que no se le haya dejado ser catedrático de dicha Universidad por ser aragonés.

Se propone —debido a lo avanzado de su edad y a los achaques de su salud— no volver a tomar la pluma contra el doctor Sales, aunque nada menos que a los ochenta y dos años, en 1750, rompa con tales propósitos publicando su *Dissertación Histórica I* [106], en la que promete transmitir el sagrado fuego de la polémica a un *antagonista*, diez años más joven que Sales, «capaz y muy hábil para estas cuestiones», que rechazará cualquier nueva embestida contra sus libros.

Pero más aún que atacar al propio Sales, le interesa impugnar al *Diario de los Literatos*, tarea en la que trabaja «*no sólo por el crédito de mis Escritos, sino por el bien público, procurando, que de los Diarios se haga el vil concepto, que ellos merecen*».

Pese a que en la primera *Apología* señalaba varios autores para la crítica de su *Norte Crítico*, dudando incluso de Mayans, ahora señala a Salafranca como autor del *Extracto*.

Remata esta *Apología* segunda con un *índice de las cosas más notables*, abreviado y denso resumen de los principales dicterios contra el *Diario*.

Además de los repetidos ataques a los diaristas, a Sales y al Padre Sarmiento, ataca también al doctor Mogunes y vuelve a su vieja carga contra don Nicolás Antonio, lo que demuestra lo poco que los achaques de salud y lo avanzado de su edad podrían influir en la disminución de su poder polémico.

Acaso convencidos de lo imposible que era mantener batalla contra él, los diaristas —que antes no habían

[106] SEGURA, P. Jacinto, *Dissertación Histórica I que excluye la existencia de monges Benitos en el antiguo venerable Santuario de El Santo Sepulcro de Valencia contra las Notas falsas y nulas del Dr. Agustín Sales en el cap. IV de las Memorias del mismo Santo sepulcro. Compuesta por el M. R. P. Fr. ————, examinador Synodal, Lector que fue, de Artes y de Theología en el Real Convento de Predicadores de Valencia y Regente de los Estudios en los Conventos de Luchente, y Lombay. Con licencia, en Valencia, por la Viuda de Gerónimo Conejos...*

desperdiciado ocasión para atacarle directa o indirectamente— sólo hacen una leve cita a esta violenta *Apología* en el Prólogo al tomo VII, quejándose, únicamente, de que les insulta por ser pobres.

No faltó, sin embargo, quien le respondiera: Agustín Sales escribiría, bajo el seudónimo de Jamuseni, su *Juicio de la Segunda Apología del P. Fr. Jacinto Segura.*

VICENTE VENTURA DE LA FUENTE Y VALDÉS: «EL TRIUNVIRATO DE ROMA NUEVAMENTE APARECIDO EN LOS DOMINIOS DE ESPAÑA» [107].

Con título en que va implícito el tópico del tribunal como los tres jueces del infierno —tan grato a los hombres del XVIII—, Fuente y Valdés se suma a los enemigos del *Diario,* poco antes de la aparición de la *Apología* segunda del Padre Segura, a quien él defiende apasionadamente.

No menos hostil debía ser a los *Diarios* el aprobante de este Triunvirato, R. P. M. Fr. Joseph Cerdán, agustino del convento de San Felipe el Real, que dedica toda la aprobación a alabar a Vicente Ventura de la Fuente y a lanzar andanadas contra los diaristas, a los que acusa de pesadez en sus *Extractos,* de llevar a cabo una ilusoria empresa digna de los Tres Reyes Magos o de los Siete Sabios de Grecia —superior a sus pobres fuerzas—, contradicción en el título, falta de consideración a los Reli-

---

[107] FUENTE Y VALDÉS, Vicente Ventura de la, *El Triunvirato de Roma, nuevamente aparecido en los Dominios de España. Carta Monitoria, Exortatoria y Juridica, sobre la formación de su nuevo Tribunal, juicios ò censuras, que se hacen, y profieren en él, acerca de todas las Obras, que sacan al Publico los Authores Españoles, reduciéndolos a Compendio en los Libros que divulgan, con el nombre de Diario de los literatos, los nuevos Diaristas: El Doctor Don Manuel Francisco Huerta. Don Juan Martinez Salafranca, y Don Leopoldo Geronymo Puig, Remitese dicha Carta de parte de Don ————, Graduado en Sagrados Canones à los referidos Triunvinos Diaristas, repartiendola en tres Avisos, y tres Exortaciones, para la mejor reforma de su Diario, incluyendo particulares advertencias en el Prologo. Con licencia,* Madrid, Imp. Gabriel Ramírez, 1738.

giosos, a quienes atacan como a cualquier otro autor, falta de humildad...

Deja entrever asimismo la profunda rivalidad de órdenes religiosas: acusa a Salafranca de ser amigo del Padre Manuel Antonio de Frías, S. J., y de atacar a Calepino.

Acusa igualmente a los diaristas de dar por autor de la *Historia y Milagros del SSmo. Cristo de Burgos* a Fr. Juan Sierra, siendo, en realidad, la primera parte plagio de la *Vida de San Juan de Sahagún*, publicada en 1669 por el agustino Fr. Simón de Castel-blanco —desde los folios 43 al 57—, y la segunda parte, copia de otro libro de Milagros, asimismo impreso.

Les acusa también de extractar los peores libros o escoria, dejando sin tratar libro tan interesante como el del P. M. Cliquet sobre Moral.

No mejor voluntad hacia el *Diario* refleja el otro aprobante, también agustino, R. P. M. Fr. Juan de Matheo, que censura asimismo los ataques de los diaristas a Calepino.

No menos apasionado es el resto del libro, ya desde el propio Prólogo, en que llama al *Diario* «Ciencia-moto» o como terremoto de todas las ciencias que produjo mucho ruido y sorpresa hasta que los escritores —que no quieren salir a la palestra por no derrotarle con ventaja— se decidieron a escribir contra él.

Tras insistir en la sorpresa y «natural espanto» que provocó en los escritores la aparición del *Diario* ataca su *«falta de jurisdicción para juzgar las obras ajenas y la extraordinaria arrogancia de los diaristas, al querer convertirse en jueces universales de todos los Escritos».*

Se acusa a los diaristas de osados y de meterse en una empresa superior a sus fuerzas, imitada de las memorias de Francia. Se alude asimismo a una gran cantidad de colaboradores ocultos del *Diario*, insistiendo en que cometen una licencia especial y se apela incluso al rey para que las disuelva y se les obligue a quemar sus obras.

Repetidamente se alude a los defectos del *Diario* —ignorancia, sofismas, maledicencia, ironía, poco contenido...— y se les repite una y otra vez cuáles debían ser, en cambio, sus virtudes.

Propone para el *Diario* el título de *Crisolampio* —piedra que ennegrece con las luces y luce con la sombra— y lo califica de Biblioteca por la cantidad de Escritos extractados o mejor de «*Un libro con menudencias de libelo; una volante idea temeraria, y nada tímida; un Tribunal intruso y un Triunvirato de exprofesso; un atentado público, una materia sin formas, y una arrogancia sin tiempo*», además de considerarle un vejamen universal e injurídico...

Como si adivinase las futuras continuaciones del *Diario*, pide que dicho libro sea trasplantado y reservado en el Archivo de las Escuelas, «*para lo que puede ocurrirse en el futuro, pues puede sublevarse otro Triunvirato*».

Acusa a los diaristas de andar a la caza de reparillos gramaticales sin ahondar de verdad en la crítica de los libros y de ser excesivamente partidarios del Padre Feijoo.

Delata la tardanza con que salen los tomos de los diversos trimestres, ya que acaba de aparecer el III, y anuncia que el Padre Segura se llevará buena parte del V.

Cita también a los anti-diaristas Mayans, Cárdenas y Ribera, Armesto y Pedro Nolasco de Ocejo.

La obra debió alcanzar bastante difusión, ya que en la Biblioteca Nacional existe un ejemplar distinto de la misma —B. N. 2/27513— que añade una curiosa «Descripción Métrico-Latina» con motivo de la canonización de San Francisco.

JUAN JOSÉ SALAZAR ONTIVEROS: «DIÁLOGO CONTRA EL DIARIO DE LOS LITERATOS» [108].

Aunque no me ha sido posible encontrar la obra del Abad de Cenicero —como, según los diaristas, le llama-

---

[108] SALAZAR ONTIVEROS, Juan José, *Diálogo contra el Diario de los Literatos*, Madrid, 1738.

ban en la Corte a este autor, que no era Abad—, hay referencias, sin embargo, a los encuentros que tuvo con los diaristas con motivo de su «Impugnación del Chichisveo» (art. XV, tomo IV), en que éstos le habían motejado de plagiario, exponiendo, para general contemplación, un libro del Padre Haro —del cual estaba copiada la obra— en la librería de Juan Gómez. Libro cuya existencia negaba Salazar Ontiveros en su *Diálogo* [109].

No contento con la negación de estos hechos, todavía insistió Salazar Ontiveros, cínicamente, con una nota publicada en la *Gaceta de Madrid* [110], en la que negaba ser el Abad de Cenicero.

Los diaristas, en el Prólogo del tomo V, afirmaron que su «*Diálogo* estaba compuesto» *todo de injurias y oprobios*.

IGNACIO DE LUZÁN: «DISCURSO APOLOGÉTICO DE D. IÑIGO DE LANUZA, DONDE PROCURA SATISFACER LOS REPAROS DE LOS SEÑORES DIARISTAS SOBRE LA POÉTICA DE D. IGNACIO DE LUZÁN» [111].

La crítica de la Poética hecha por el *Diario* (art. I, tomo IV), calificada como «*la más seria entre las pri-*

---

[109] *Los Autores del* Diario *escrivieron, que el Abad de Cenicero, aliàs, Don Juan Joseph Salazar, copió a la letra su* Impugnación del Chichisbeo *de un libro del Padre Haro del mismo assumpto; y habiendo divulgado dicho Salazar en un Dialogo impresso, que es falso hallarse tal Libro, lo han depositado en la Libreria de Juan Gomez para que todos los puedan vèr, y conste la verdad. (Gaceta de Madrid, núm. 37, de 16-IX-1737.)*

[110] *En la Gaceta de Madrid 16 del corriente dixeron los Diaristas ser el Autor de la impugnacion del Chichisbeo, y su Dialogo contra su Critica el Abad de Cenizero, aliàs Don Juan Joseph de Salazar; y no siendolo efectivamente, sino el dicho Abad, se le advierte al Publico para vindicar la conducta del referido Don Juan Joseph. (Gaceta de Madrid, núm. 39, de 30-IX-1737.)*

[111] LUZÁN, Ignacio de, *Discurso Apologético de D. Iñigo de Lanuza, donde procura satisfacer los reparos de los Señores Diaristas sobre la poética de D. Ignacio de Luzán.* Van añadidas algunas notas, sacadas de la carta escrita al autor por Henrico Pio Gilaseca Modenés. Dirigido a don Joseph Ignacio de Col-

meras críticas que se leen acerca de la Poética de Luzán»
por Fernández González [112], no pudo herir excesivamente
a Luzán, que en su *Discurso* va refutando una a una
las acusaciones de los diaristas: sobre Lope de Vega,
Góngora, si se puede escribir comedias en prosa, esencia
de la tragedia, importancia de la sátira en la poesía...
Con una frialdad académica, muy opuesta a la apasionada violencia a que nos tienen acostumbrados los
anti-diaristas anteriormente estudiados, se pone de relieve incluso la corrección de los diaristas en su crítica:

> «*los reparos de los Señores Diaristas sobre la
> Poética de Luzán, aunque como he dicho, no llegan
> a herirla en parte alguna principal, son tales y tan
> adornados de urbanidad y de modestia (circunstan-
> cias que resplandecen singularmente no sólo en esta
> censura, sino en todas las demás del Diario) que
> merecen con justa razón, sea publicado el agradeci-
> miento, como ha sido pública su moderación: yo
> procuraré satisfacerlos apostándome en las leyes que
> he insinuado*».

Idéntico reconocimiento se halla en las *Noticias biográficas y juicios críticos*, que, acerca de su padre, escribió el canónigo de la Santa Iglesia de Segovia don Juan
Ignacio de Luzán [113]:

> «*Los Diaristas de España hicieron luego extracto
> de ella, y la llenaron de elogios; pero también le*

---

menares y Aramburu, del Consejo de su Magestad, y su oydor
en la Cámara de Comptos del Reyno de Navarra. En Pamplona,
por Joseph Joachin Martinez, impressor y Librero.

[112] FERNÁNDEZ GONZÁLEZ, Francisco, *Historia de la Literatura
en España desde Luzán hasta nuestros días, con exclusión de
los autores que aún viven*, por D. ——— y premiada por la
Real Academia Española en el concurso del presente año, Madrid, 1867, págs. 20-22.

[113] LUZÁN, Juan Ignacio de, *D. Ignacio de Luzán. Noticias
biográficas y juicios críticos. Memorias de la vida de D. Ignacio
de Luzán, escritas por su hijo D. ——— Canónigo de la Santa
Iglesia de Segovia*, B.A.E., tomo LXI, págs. 95-111.

pusieron algunos reparos, à que su autor ha satisfecho con modestia y solidez, en un discurso Apologético que trabajó de acuerdo con su grande amigo Don José Ignacio de Colmenares y Aramburu, oidor de la Cámara de Comptos del reino de Navarra, a quien la dedicó, y de quien son las eruditísimas notas que la acompañan con el nombre de Enrico Pio Gilaseca Modenés, anagrama del suyo. Imprimió este discurso en Pamplona, en el año de 41, cuidando de su impresión y corrección el mismo señor Colmenares, encubriendo igualmente el nombre del autor bajo el de D. Iñigo de Lanuza. Extractaron también y elogiaron dicha obra los diaristas de Trévoux, cerca de once años después de publicada.»

Parecidas alabanzas de los diaristas hace Luzán en su conocida Carta Latina de Ignacio Philathetes a los Padres de Trevoux (v. nota 54):

«Sunt etiam nobis litterarum Ephemeridum Scriptores clarissimi D. Joannes Martinesius Salafranca (qui Monumenta Erudita altero opusculo deorsum dedit:) D. Leopoldus Puigius, et D. Francisco Huerta, qui ante hos sex annos utile in primis, quamquam periculosae plenum aliae opus agressi sunt, editis jam septem Ephemeridum voluminibus, quibus egregiam litteris navarunt operam, tametsi nec ipsi obtrectatoribus caruere.»

JOSEPH BERNI: «SATISFACCIÓN A LOS ARTÍCULOS PRIMEROS DEL PRIMERO, Y SÉPTIMO TOMOS DEL DIARIO DE LOS LITERATOS DE ESPAÑA» [114].

En parecida forma académica, pero con mucha más virulencia, el autor intenta, en primer lugar, dejar en

---

[114] BERNI, Joseph, *Satisfacción a los artículos primeros del primero, y séptimo tomos del Diario de los Literatos de España, que da el Doctor..., Abogado de los Reales Consejos. Con las licencias del Real Consejo, y del Ordinario, que paran en poder del Autor*, Valencia, Ofic. de José García, 1742.

ridículo a los diaristas, señalándoles los errores del Prólogo al tomo séptimo.

Es una reclamación, según Derecho, en defensa propia y de su hermano, y ataca los errores más destacados de los diaristas: equivocaciones en la cita de autores, tono satírico que tiende al chiste con notable perjuicio del público, gran cantidad de erratas en el «cuidado» Prólogo del tomo VII —erratas tanto gramaticales como culturales con las que podría hacerse «*un octavo tomo*» del *Diario*—, insultos a la ortografía valenciana, aunque ellos no se sabe qué son, si castellanos, aragoneses, catalanes o valencianos, repetidas faltas de urbanidad, falta de realidad en las críticas, ignorancia total de la jurisprudencia práctica...

Al final hay una carta de su amigo el doctor don Andrés Catalá, fechada en Madrid el 14 de julio de 1742, que le exhorta a no responder a los diaristas y, en caso de hacerlo, que sea «con la mayor seriedad, y sólo excite a que le responden con fundamentos jurídicos; *pues en esta Corte muchos desean saber lo mucho que saben éstos Señores en Materias Jurídicas*».

OTRAS POLÉMICAS

Siguiendo, para mayor facilidad del lector, el orden de aparición en el *Diario*, estudiaré a continuación las polémicas, digamos menores, en que los diaristas intervienen:

Fernando de Cambarros —autor de «La Verdad Ilustrada», artículo IX, tomo II, del *Diario*— es rebatido por fray Marcos de Alcalá en su «Chrónica de la Santa Provincia de San Joseph. Vida de San Pedro de Alcántara», artículo XV, tomo VI, del *Diario*.

Los diaristas, fieles a las leyes «de su instituto», se limitan meramente a notificar su existencia.

En la polémica entre don Luis de Medina y Campión, autor del *Triunfo de la Mejor Doctrina. Carta Apologética contra la Dissertación que escrivió D. Marcelo Igle-*

sias, toman ya franco partido en favor de la regia sociedad médica de Sevilla —cuyas sesiones académicas habían sido ampliamente extractadas en el artículo XIV del
tomo I— frente al autor de este triunfo, a quien tachan
de «*fastidiosa arrogancia*» y de «*indecente ossadía*».

IGNACIO DE ARMESTO Y OSSORIO: «THEATRO ANTI-CRÍTICO
UNIVERSAL» (art. XIX, tomo II).

En este extracto cargan todo su furor contra los autores de impugnaciones y contra el autor de este ataque
al *Teatro Crítico* del Padre Feijoo.

Los diaristas se hallan a estas alturas plenamente in-
mersos en las peligrosas aguas de la polémica literaria,
que en este caso les es relativamente lateral, pero en la
que ponen todo su empeño para defender al representante máximo de la nueva crítica y del nuevo gusto neoclásico contra un autor que, a su vez, también ha escrito
contra el *Diario*.

P. FR. JUAN DE SAN ANTONIO: «ESCUDO PROVINCIAL»
(art. XXI, tomo II).

Acusan al autor, franciscano descalzo, de acrimonia
en su polémica contra la *Crónica de la provincia de San
Joseph* del Padre fray Marcos de Alcalá.

También se inmiscuyeron en las siempre resbaladizas
polémicas entre órdenes religiosas —Religiones de San
Jerónimo, San Benito y San Bernardo— en el Extracto
de la *Verdad triunfante por el honor de un sepulcro*, de
fray Pablo de San Nicolás.

MANUEL GARCÍA PÉREZ

Remite el autor unos reparos al Extracto de su libro
Luz de la verdadera luz, entre las místicas sombras del

Altar (art. II, tomo IV) que los diaristas prometen —prólogo al tomo V— publicar en el tomo VI, aunque después no cumplen la promesa.

El tono de la contestación de los diaristas peca más de irreverente que de correcto.

DON PEDRO JOSEPH MESA BENÍTEZ: «ASCENDENCIA ILUSTRE DE SANTO DOMINGO DE GUZMÁN».

Los diaristas hacen un extenso resumen de esta obra, según acostumbran cuando quieren dejar en evidencia a un autor o una cuestión sin comprometer directamente su juicio, postura nuevamente marcada al dedicar al mismo tema el artículo III del tomo VI.

Tampoco les faltan contradictores orales, como ese R. P. —citado en la entrada del caústico prólogo del tomo VI—, que iba pregonando por la calle: «BENDITO SEA DIOS QUE YA SE ACABARON TALES HOMBRES.»

O aquella otra polémica con un fraile de la orden de San Jerónimo sobre que Salazar es el autor del *Examen Castellano de la Crisis Griega.*

Otros muchos enemigos orales se citan en dicho prólogo, no faltando incluso un anónimo autor, que enseña a todos unas «Notas de queja a un Extracto de los Diaristas», las cuales no publica por falta de medios. Como en el caso de don Manuel García Pérez, se ofrecen a publicarle dichas «Notas», aunque sin cumplir tampoco tal promesa.

Y, como es lógico, se le unen otros enemigos del *Diario*, entre ellos uno que protesta por el tono satírico-jocoso de la «Carta de don Hugo Herrera de Jaspedós» (art. I, tomo V), contra la que levanta la acusación —después frecuentemente repetida— de falta de seriedad en la crítica.

El mismo prólogo del tomo VI arremete violentamente contra don Antonio María Herrero, autor de una *Dissertación sobre la Aurora Septentrional* (criticada anteriormente con excesiva dureza) y fundador del mayor enemigo del *Diario* en el terreno de la prensa, el *Mercurio Literario*[115], igualmente vapuleado sin piedad en el artículo IX del tomo VI, que constituye una lección de ética periodística y de orgullosa erudición de los Diaristas, los cuales afirman que el manuscrito tan vilmente maltratado por el *Mercurio* es nada menos que del Marqués de Mondéjar.

Como tantas veces, toman aquí parte en una polémica ajena, inclinándose a favor del señor don Domingo de Vergara contra el *Mercurio*, al que tachan de falta de seriedad crítica y de descuidos imperdonables en la reproducción de un manuscrito.

Tan violentos golpes vienen en parte justificados por la previa y todavía reciente provocación del *Mercurio Literario*, que, desde las primeras líneas, en una «Prefacción, y proyecto de esta obra», se declara abiertamente competidor, ya que anuncia que se recogerán en él *todas las novedades que ocurriessen en el vasto florido Imperio de Minerva*, y se advierte —metiéndose descaradamente en el terreno del *Diario*— que *se hará Extracto de los Libros que se han publicado en España desde el principio de este año*, prometiendo, además, extremada puntualidad en los resúmenes —punto flojo del *Diario*— y declarándose enemigo de la nueva crítica:

> «*Adviertese al Público que no se hará crisi de ningún escrito; antes bien, dexando al Lector toda la libertad de juzgarle, evitaremos el tono magistral y estilo decisivo, y no usaremos de expresión alguna que tenga la más disimulada condición de crítica.*»

El apartado III de la Prefacción promete imprimir cualquier manuscrito *como no traten de assumptos ga-*

---

[115] HERRERO, Antonio María, y ARENAS, Joseph Lorenzo de, *Mercurio Literario o Memorias sobre todo género de Ciencias, y Artes. Colección de Piezas eruditas, y curiosos fragmentos de Literatura, para la utilidad, y diversión de los Estudios*. Tomo I, por el Doctor D. Antonio María Herrero y el Licenciado D. Joseph Lorenzo de Arenas. Con licencia, en Madrid, en la Imprenta del Reyno [fe de erratas: el 1 de agosto de 1739].

lantes —el *Diario* había tratado ampliamente el asunto del chichisveo— *ni de otros que puedan aunque remotamente corromper las costumbres.*

El apartado IV promete abrir un consultorio para eruditos, con el fin de que puedan resolver fácilmente los escollos que surjan en la composición de sus obras. La oposición a la naciente crítica literaria periodística y al *Diario* —que tan amargamente detractó las *Apologías*— lleva al *Mercurio* —apartado V de la Prefacción— a ofrecer la publicación de «*las Apologías de los que se hallassen maltratados de los Críticos, con tal que sus Autores no salgan de los términos de la debida moderación»*, lo que equivale a levantar una trinchera frente al *Diario.*

Por si todavía era poco, el capítulo I del tomo I está dedicado al tomo V del *Diario de los Literatos.* Tras hacer un minucioso análisis de su índice y prólogo, se pasa, inmediatamente —rompiendo con las anteriores promesas de no hacer crisis de ningún escrito—, a atacar violentamente a los Diaristas por «*la libertad y poca moderación que usaban en sus censuras, por sobreser por su insuficiencia incapaces de desempeñar tan difícil empresa».*

Ciérrase este primer tomo con una *Apología contra los autores del Diario,* a cargo de don Mariano Hayen Terrero, seudónimo de don Antonio María Herrero, en la que, además del cargo de incompetencia, se acusa a los diaristas de parcialidad:

> «*se echará de ver, que quando la pasión gobierna las plumas de los Censores, no hai ignorancia a que no les precipite».*

El tomo III empieza con un famoso *Romance al Mercurio Literario en aplauso de la Quaresma poética* en que se vuelve a aludir a la superioridad del *Mercurio* sobre el *Diario:*

> «*Mercurio, en fin, que sin ser*
> *El Trimigisto, nos dàs*

Luz de quanto sale à luz
En qualquiera Facultad.»

Poco después aparecerán en la bandería del *Mercurio* los enemigos del *Diario:* don Vicente Ventura de la Fuente Valdés publicará en el tomo IV —págs. 31-36— su *Verídica Epiphonema o Aclaracion, y Exclamación debida en amigable obsequio a los autores de la nueva Obra del Mercurio Literario,* en que, tras hacerse interminables panegíricos del *Mercurio* («una Biblioteca Nacional, un Libro de Plutarco, un Universal Pentateuco, un General Thesoro y un célebre Archetypo, de donde pueden los estudiosos copiar para todo varias especies, noticias y assumptos»), termina con el inevitable ataque al *Diario:*

«*Los Diaristas hacen crisis de lo bueno y malo de las Obras, reduciéndolas a compendio, y dando juiciosamente a cada Obra su merecido; y aquí nuestros Authores hacen un Compendio, y un Promptuario de las Obras, por Fragmentos, y Piezas Eruditas, sin rozarse en lo que no es de su inspección, que es la crisis*» (tomo IV, págs. 34-35).

Por su feroz oposición a toda la doctrina del *Diario,* por ser sus autores titulados universitarios, por editarse también en la Imprenta del Reino, por servir de cuartel general a los escritores contra los críticos y por haber aparecido en 1739 —momento de notable crisis del *Diario*— es posible que el *Mercurio Literario* haya sido también uno de los principales causantes de la impopularidad y de la inevitable desaparición del *Diario de los Literatos.*

F*rancisco* X*avier de* G*arma y* S*alcedo:* «T*heatro* U*niversal de* E*spaña*» (art. VII, tomo VI).

El sostener la opinión de que Tarsis es primer poblador de España le vale la inclusión en una vieja polémica de los Diaristas (defensores de Túbal como primer poblador) contra varios escritores. Se incluye también en la polémica la engorrosa temática de la lengua primitiva y diversas cuestiones toponímicas.

* * *

Andrés Garcia de Narvaxa: «Advertencias acerca del Extracto de la Regalía del Aposentamiento, sobre un papel que contra ella envió D. ....»
(art. VIII, tomo VI).

Un don Andrés García de Narvaxa publicó uno de aquellos tan frecuentes papeles titulado «*Carta, papel, representación o lo que se quisiere,* en que se ponen diferentes dudas sobre el Libro intitulado *Regalía del Aposentamiento de Corte,* y se pide satisfacción de ellas à su autor...» (véase tomo VI, art. VIII).

Los diaristas —con una hipersensibilidad casi irritante— toman por su mano nuevamente la defensa del autor, atacando a García de Narvaxa, cuya «*falta de legalidad nos descompone a los que hemos interesado nuestro juicio»,* creyéndose obligados a «*hacer pública la verdadera inteligencia de las noticias, y autoridades que hemos aprobado en el Libro del Sr. Bermudez».*

Tampoco pudo escapar a su crítica, con la consecuente toma de partido, la polémica entre los Rmo. P. Pedro Polo, autor de unas *Mansiones Morales,* y el Rmo. P. Villarroèl, en ese momento ya difunto, razón por la que se encargan de su defensa los diaristas, atacando violenta e irónicamente al Rmo. Polo.

El doctor don Francisco Fernández Navarrete dirige a los diaristas una carta, llena de protestas de admiración por la importante labor del *Diario,* en la que señala, en cambio, lo quimérico que resulta llevar a la realidad tan delicioso sueño literario, al mismo tiempo que destaca algunos excesos de acrimonia en los últimos tomos (art. VIII, tomo VII) y les pide que den a conocer al público la *ley o decálogo por el que se rigen para enjuiciar las obras ajenas*, con el fin de que, conocida la ley, se pueda prevenir el pecar contra ella. Los diaristas (art. IX, tomo VII), tras reconocer su «*hypocondria*» —que Navarrete les diagnostica «*como tan gran Médico*»—, responden con una pesimista visión de los escritores del siglo, que demuestran ya claramente el grado de justo abatimiento a que habían llegado los incesantemente combatidos autores del *Diario*.

JOSÉ SALVADOR MAÑER (MONSIEUR LE-MARGNE): «MERCURIO HISTÓRICO, Y POLÍTICO» (VII, XII).

Que Mañer, como enemigo de Feijoo, no contaba con las simpatías del *Diario* es cuestión que ya ha quedado manifiesta en las polémicas anteriores.

El hecho de dedicarse al periodismo erudito tampoco debió favorecer las relaciones con el mismo. En varias ocasiones critican agriamente su *Mercurio histórico, y Político* —del que, andando el tiempo, llegaría a ser director Leopoldo Gerónimo Puig.

Sea cual fuere la causa de su enfrentamiento, lo cierto es que los diaristas arremetieron también ferozmente contra el *Mercurio histórico, y Político*, en el artículo XII de su polémico tomo VII.

Los tiros van dirigidos fundamentalmente —como en el caso del *Mercurio Literario*— a su falta de honradez con el público, ante quien se pretende, por todos los medios, desprestigiar al *Mercurio histórico, y Político*, del que se critican, especialmente, inexactitudes e irregularidades de traducción del original francés.

El tono de la polémica es de lo más amargo del *Diario*, especialmente teniendo en cuenta que Mañer —además de otras referencias— había sido atacado también en el artículo II de este mismo tomo VII a través de la *Carta a los Autores del Diario* del Rmo. P. Fr. Jacinto Loaysa, toda ella dedicada a demostrar que Mañer ha plagiado al pie de la letra el *Compendio Chronológico de la Historia de este siglo* del *Suplemento de la Clef ou Journal Historique...*

Con inusitada complacencia añaden los diaristas a la Carta del Rmo. P. Loaysa otros plagios de Mañer como su *Tratado de la Repartición de la Monarquía de España,* que, según ellos, está tomada de la «*Historia de Guillermo III, Rey de la Gran Bretaña,* impressa en idioma Francés, en *Amsterdàm,* por Pedro Brunel, año 1703 en 8.°»

Intervienen asimismo en la polémica entre el P. Joseph Torrubia, autor de las *Siestas de San Gil* —extractado en el art. XIII del tomo VII—, el cual había atacado violentamente la *Chronica* del Rmo. P. Alcalá, a pesar de que con anterioridad la había alabado como poeta en un epigrama latino.

La repugnancia que siempre manifiestan por las polémicas entre eruditos les hace meterse a mediadores, aunque esta vez tomando también partido a favor del P. Marcos de Alcalá.

Según Cayetano de la Barrera se infiere de la Carta de don Hugo Herrera de Jaspedós (VII, XV) que el autor de el *Rasgo Epico,* escrito bajo el nombre de don Joachin Casses y Xalo, y satirizado por don Hugo en dicho artículo, debió ser el autor de la también criticada *Vida de San Antonio Abad* (art. XVI, tomo IV), que, a su vez, fue ridiculizada igualmente por don Hugo Herrera de Jaspedós en su primera *Carta a los Autores del Diario* (V, I).

De ser cierto, nada tiene de extraño que Pedro Nolasco de Ocejo figure también entre los encarnizados enemigos del *Diario,* como autor de un famoso libro ya citado: *Los impresores, y Plumistas de la Corte, en busca del Diario Apologético de las murmuraciones...*

Por si el ambiente estaba poco tenso, el *Diario* inserta en su último tomo la corrosiva carta de don Hugo Herrera de Jaspedós y la famosa *Sátira contra los malos escritores de este siglo,* de Jorge Pitillas.

La sentencia estaba echada: de las prometedoras sugerencias del tomo I se había venido a dar en las batidas aguas de la polémica y la sátira.

Nada de extraño tiene toda aquella larga enumeración de enemigos del *Diario* con que los diaristas llenan los prólogos de los tomos V y VI de su obra.

V

SEMBLANZA DE LOS DIARISTAS

Pocas y confusas noticias se tienen de los autores del *Diario de los Literatos.*

De Huerta y Vega, alcalaíno que no figura en las Historias de Alcalá, la noticia biográfica más amplia y documentada que he podido hallar es la que figura en la *Enciclopedia ilustrada europeo-americana* [116]:

Sobre Salafranca, las noticias más amplias se hallan en las *Bibliotecas* antiguas y nuevas de escritores aragoneses de Latassa [117] y en el artículo de Jerónimo Rubio Pérez-Caballero publicado en la revista *Teruel* en 1960 (v. nota 96).

Las diversas afirmaciones de Domingo Gascón Guimbao y otros eruditos interesados en esclarecer su relevante figura han ido acompañadas de auténtica mala suerte, pese a que Gascón Guimbao, por ejemplo, no enfilaba mal los dardos de sus investigaciones apuntando hacia las Bibliotecas de la Real Academia de la Historia y del Real Monasterio de San Carlos —donde acaso, en épocas anteriores, hubo más documentos de los que ahora se conservan.

Cuando a principios de siglo —1901— don Victoriano Tiró acude al secretario de la Academia de la Historia

---

[116] *Enciclopedia ilustrada europeo-americana*, Hijos de Espasa Calpe, Barcelona, 1925, tomo XXVIII, págs. 564-565.

[117] LATASSA Y ORTÍN, Félix de, *Biblioteca nueva de los autores aragoneses*, Pamplona, 1801, tomo V, págs. 173-180.

en anhelante súplica de datos sobre «*el ilustre Baron Juan Martinez Salafranca*», pese a que en la misma Academia existen los interesantes datos que yo puedo ahora exhumar, obtiene una desesperanzada respuesta en la que se le informa de no haber «*otro dato que el de haber sido uno de los fundadores de este cuerpo literario*» [118].

De don Leopoldo Jerónimo Puig, las noticias más amplias —bien cortas por cierto— son asimismo las de la reseña biográfica de la *Enciclopedia ilustrada europeo-americana* [119] y las que da Torres Amat [120].

Ni qué decir tiene que unas más precisas noticias —incluso una monografía sobre Salafranca, principal promotor del *Diario*— ampliarían el por ahora todavía oscuro marco de su desenvolvimiento.

Sólo como primera aportación recopilo aquí algunas referencias documentales, que he podido encontrar a lo largo de mi investigación sobre el *Diario*:

Don Francisco Xavier Manuel de la Huerta y Vega

Nace en Alcalá de Henares en 1697 [121].

Sigue sus estudios en la Universidad de Alcalá, en la que llegará a ser profesor de la Facultad de Cánones.

En el Archivo Histórico Nacional consta su recepción del grado de bachiller en Cánones, tomado en la Universidad de Alcalá el 20 de abril de 1713 [122].

---

[118] Expediente personal de Salafranca, Secretaría de la R.A.H., legajo 99, carpeta 11, sección 11 ts.

[119] *Enciclopedia ilustrada europeo-americana*, Hijos de Espasa Calpe, Barcelona, 1925, tomo XLVIII, págs. 427-428.

[120] TORRES AMAT, Félix, *Memorias para ayudar a formar un diccionario crítico de los escritores catalanes y dar alguna idea de la antigua y moderna literatura de Cataluña*, Barcelona, Imprenta de J. Verdaguer, con licencia, 1836, pág. 507.

[121] Me ha sido imposible localizar la partida de nacimiento, por lo que —dada la veracidad de sus datos en los que he podido documentar— hemos de dar crédito de momento a la reseña biográfica que figura en la *Enciclopedia ilustrada europeo-americana* citada (v. nota 116).

[122] A.H.N., Consejo de Universidades, Actos y grados de 1704-1720, libro 406 F, folio 196 v.º

Aparece asimismo su grado de licenciado en Cánones, recibido el 1 de julio de 1716 [123], con «*dispensa de los Señores del Consejo de 10 meses que faltaban al cumplimiento de los cuatro años*» de rigor.

En dicha dispensa se nos presenta a don Francisco de la Huerta «natural y vezino de Alcalá» como bachiller por su Universidad y estudiante de cinco cursos en la Facultad de Sagrados Cánones, que después ha *exercido en dicha Universidad diferentes actos literarios como havian sido explicar de extraordinario harguir en los actos siempre que se le avia dado argumento, y substituido diferentes catedra de Instituto y Cánones...*» [124].

Consta asimismo su grado de doctor en Cánones (in Sacro Iure Canonico), obtenido el día 10 de abril del año 1717, a las diez de la mañana, con el solemne ritual de rigor [125].

El mismo año 1717 aparece ya como asistente al Claustro General de la Universidad de Alcalá, el 2 de noviembre de 1717. Seguirá asistiendo a los claustros los cinco años siguientes.

Desde 1718 [126] asiste ya, como profesor, a los claustros de la Facultad de Cánones de la Universidad de Alcalá [127], aunque deja de asistir a los claustros durante el año 1723 para volver a asistir esporádicamente, el 25-IV, 28-V y 2-VII de 1724 [128].

El 15 de octubre de 1721 fue nombrado consiliario de la Facultad de Sagrados Cánones en el claustro general, cargo que ostenta durante un curso, figurando

---

[123] Id., Id., folio 213 v.º
[124] A.H.N., Consejo de Universidades, leg. 469, fol. 160.
[125] A.H.N., Consejo de Universidades, Actos y grados 1704-1720, libro 406 F, folio 219.
[126] A.H.N., libro 425 F: Libro de Claustros de la Facultad de Cánones. Asiste por primera vez al Claustro del 2 de mayo de 1718.
[127] Sigue asistiendo habitualmente a los claustros —salvo el 6-XII-1718— hasta el 7 de febrero de 1719, fecha en que deja de asistir hasta el 18 de abril de 1720, en que asiste de nuevo a los claustros de forma habitual hasta el 24 de septiembre de 1722.
[128] A.H.N., libro 426 F: Libro de Claustros de la Facultad de Cánones.

como tal en la reunión de los consiliarios con el rector, celebrada el 2 de marzo de 1722. El 16 de octubre de dicho año es sustituido en dicho cargo por don Francisco de Campuzano [129].

Según la referida reseña biográfica (v. nota 116):

> «*Ordenado de Tonsura y menores en Toledo, obtuvo la tenencia de vicaría general de Alcalá, —con posterioridad a su doctoramiento en Cánones:1717—, desempeñando dicho cargo hasta 1723, en que se trasladó a Santiago, y nombrado cura párroco de San Félix de Solovio y Santa M.ª Salomé de dicha ciudad, recibió en la misma órdenes mayores en 1724, sirviéndole de título de ordenación aquel beneficio.*»

La primera prueba documental que he hallado de su estancia en Galicia la constituye el acta del Claustro celebrado en la Universidad de Santiago en julio de 1723 [130].

---

[129] A.H.N., libro 1134 F: Libro de Claustros de la Universidad de Alcalá, Claustro del 16 de octubre de 1722.

[130] «D. Pedro Antonio López Rey bedel de la Universidad de esta ciudad, llamé Claustro para mañana [fechado el 3] sábado a las cuatro de la tarde para tratar de negocios de haciendas según constitución e incorporarse el Doctor D. Francisco de la Huerta en esta Universidad, en el grado de Doctoramiento en Cánones, con que se halla por la Universidad mayor de Alcalá y habiéndose leído el Claustro pasado se aprobó todo lo en él acordado y en virtud de la cédula de llamamiento se ha visto y reconocido el título del Doctor D. Francisco Huerta de la Vega del grado de Doctor en la Facultad de Cánones, que obtuvo en la Universidad de Alcalá el día 10 de abril del año pasado de mil setecientos y diecisiete, sellado y refrendado al parecer del Secretario de dicha Universidad de Alcalá, en cuya atención se le admitió de placet dicha incorporación conforme a su antiguedad y habiendo entrado en este Claustro con la ceremonia acostumbrada y hecho el juramento de Constitución tomó el asiento correspondiente en antiguedad y grado» (Universidad de Santiago, Libro de Claustros, tomo 77. A. 130, fol. 72-72 v.º Claustro del 3-7-1723). Aparece asimismo —con la defectuosa ortografía del bedel que no he respetado en la transcripción—: «Don Francisco Guerta» como asistente al claustro del

Paralelamente, su primera firma como párroco aparece en el Libro de Difuntos de la parroquia de San Félix de Solovio y Santa M.ª Salomé en un acta de defunción, fechada el 12 de marzo de 1724 [131]. Poco después aparece como cura párroco de la parroquia de San Félix de Solovio y Santa M.ª Salomé, en el Libro de Bautizados [132], notándose en el mismo y en los otros dos sospechosas ausencias —también coincidentes con la falta de asistencia a los claustros de la Universidad— entre los años 1725 y 1727.

Según la reseña a que vengo haciendo referencia fue asimismo juez eclesiástico y analista del reino de Galicia, habiendo sido nombrado presidente juez del Sínodo Diocesano y representante del clero para dicho Sínodo entre 1730 y 1731.

En 1731, el obispo de Mondoñedo, don Francisco Alejandro Sarmiento Sotomayor, con motivo de irregularidades cometidas en cuanto a la fecha de celebración de las oposiciones a una prebenda doctoral de dicho obispado, encarceló a Huerta y Vega, juntamente con el presidente del Tribunal y al secretario del Cabildo [133].

---

4 de septiembre de 1723 (Id., id., folio 77 v.º) y en el de 5 de octubre del mismo año (Id., id., folio 80).

Poco después, en el claustro del 6 de septiembre de 1724, convocado para tratar sobre provisión de cátedras, aparece opinando en la materia: «... y dicho Don Francisco de la Huerta añadió que en la Universidad de Alcalá había cátedras, oficios y beneficios y que aunque el Consejo había abocado la provisión de las cátedras no lo había hecho de oficios y beneficios y por eso se podía tener por incierta la noticia y que no habiendo sido citada la Universidad excusaba dar su poder pues siempre quedaría este recurso» (Id., id., fol. 127).

[131] Parroquia de San Félix de Solovio y Santa María Salomé, Libro de Difuntos, núm. 4, fol. 31.

[132] «Yo licenciado Manuel Caluelo, vicario cura que soy de esta parroquia, nombrado por el señor párroco doctor D. Francisco de la Huerta y Vega, cura proprio de las Parroquiales de S. Félis de Solovio y Santa M.ª de Salomé, bauticé un niño...» (Libro de Bautizados núm. 4, folio 4.)

[133] Debo a la amabilidad del actual archivero de la Santa Iglesia Catedral de Mondoñedo —y al extraordinario interés del

No debió durar mucho la prisión de Huerta y Vega, por quien se interesaban el arzobispo y la Universidad de

ilustre alcalaíno D. Cruz Saborit, canónigo de dicha Iglesia Catedral— estos interesantes datos:
«El Cabildo había pedido al Sr. Obispo que convocase la oposición a la Doctoralía, y fijaba como término del plazo los primeros días de enero de 1731. Esta fecha no le pareció conveniente al Sr. Obispo, por hallarse en el rigor del invierno, por lo que no podrían concurrir opositores. Nuevamente el Cabildo expone la necesidad de convocar las oposiciones y señalando la misma fecha. Nueva negativa del Prelado. No obstante, el Cabildo convocó por su cuenta las oposiciones, fijando como término, el 16 de enero.

En agosto de 1731 se convocó nuevamente la oposición, a la que no se presentó el Sr. Huerta.

Esta fue la marcha de los acontecimientos:
«Que se responda a la carta que se recibió del Señor Arzobispo de Santiago, en la que pide al Cabildo tenga presente al Dr. D. Francisco Manuel de la Huerta para la provisión de la Prebenda Doctoral, cuando suceda la oposición.» (Cabildo de 22 de noviembre de 1730, Actas Capitulares, pág. 156 v.)

El Secretario del Cabildo manifiesta que: «el Dr. Don Francisco Manuel de la Huerta y Vega me entregó en este día una petición, declarándose opositor de la Doctoralía» (Cabildo del 12 de enero de 1731, Actas Capitulares).

«El Obispo —cuando le presentaron la solicitud— dijo que era inadmisible, por no haber mandado despachar los edictos». «No obstante de esta respuesta, se determinó admitir dicha petición» (Cabildo de 13 de enero de 1731).

«Del Arzobispado de Santiago se recibió una súplica para que no se retrasasen las oposiciones del Sr. Huerta y, puesto que se terminó el plazo, den comienzo las oposiciones [el plazo había terminado el día 16 de enero]». El Cabildo envía una carta al Sr. Obispo, Fr. Alejandro Sarmiento de Sotomayor, pidiéndole se digne indicar la fecha de comienzo de oposiciones. El Sr. Obispo no contestó. El Cabildo envía una segunda carta, a la que tampoco contestó el Prelado. En vista de lo cual, el Cabildo decide iniciar las oposiciones, comenzando por compulsar los méritos del opositor. De los documentos presentados resulta que: «tenía 33 años, poco más o menos; era Presbítero y Doctor en Sagrados Cánones por la Universidad de Alcalá». Se hicieron tres piques en el libro de las Decretales, a fin de dar al día siguiente la primera lección. (Cabildo del 19 de enero de 1731, Actas Capitulares, págs. 158 y 159).

«Hallándose el Cabildo noticioso de la resolución que el Sr. Obispo ha tomado, mandando poner presos a los Sres. Don José de Vivero y Don José Jacinto de Luaces, Secretario Capitular y Don Francisco Manuel de la Huerta, opositor declarado,

Santiago [134], ya que una semana después aparece firmando las actas de defunción: encarcelado el 19 o el 20, el 27 ya se hallaba nuevamente en Santiago [135].

En 1733 publicó en Santiago el tomo I de los *Anales del Reyno de Galicia* —el II aparecerá en 1736—, que le valieron una serie de ayudas y honores —entre ellos el

y, según voz pública, a todos tres por haber asistido a principiar el concurso a la Prebenda Doctoral, vacante, y dado punto a dicho opositor, se acordó que los Sres. nombrados para Diputación confieran la mejor forma con que se pueda acudir al remedio de estos gravísimos perjuicios...» (Cabildo de 20 de enero de 1731, Actas Capitulares, pág. 160.)

[134] «Tratóse en este claustro de que con ocasión de haberse pasado el Doctor D. Francisco Manuel de la Huerta y Vega del gremio de esta Universidad como incorporado en ella en el grado de Doctor en Cánones que recibió en la de Alcalá a oposición de la prebenda doctoral de la Santa Iglesia de Mondoñedo el Señor Obispo de ella le había "arrastrado" [arrestado] y puesto en la cárcel común con rigurosas prisiones lo que sería en desautoridad de la Universidad y privilegios de que gozan sus graduados incorporados. Acordóse que en orden a esto se escriba al Señor Obispo para que reforme la prisión con todas aquellas representaciones que corresponda, que la carta la forme el Rvmo. P. María Candela y con la formalidad que se estila se la encamine con propio y la mayor brevedad posible» (Universidad de Santiago, Libro de Claustros, tomo 77 A-130, fol. 401 v.°, Claustro de 23-I-1731).

En el mismo libro figura a continuación una «Copia de la Carta al Señor Obispo de Mondoñedo sobre la prisión del Doctor Don Francisco Manuel de la Huerta y Vega».

En ella se destaca y se hace presente al Señor Obispo «el singular dolor con que da de ver a un individuo suyo [de la Universidad] en la cárcel en que se halla detenido con rigurosas prisiones como igualmente es notorio, y siendo siempre inviolablemente observado, por los Señores Arzobispos de esta ciudad el privilegio de que gozan sus graduados para que no puedan por ninguna causa ser detenidos y presos en la cárcel pública estando a este fin destinado el Colegio de San Gerónimo de esta Universidad para su Carcelería no podemos excusar de causar a V. Ilma. con esta sirviéndose V. Ilma. tener a bien en atender nuestros privilegios y continuar en favorecernos disponer que nuestro Graduado logre en todo la distinción que vuestra Ilma. le dispensare aquella que se merezca por su condecoración en que todo este Claustro tendrá mucho motivo de reconocimiento a los preceptos de vuestra Ilma...» (Id., id., folio 402 v.°-403.)

[135] Parroquia de San Félix Solovio y Santa María Salomé, Libro de Difuntos, núm. 4, fol. 43.

— 115 —

nombramiento de cronista de la ciudad—, de que hay amplia constancia en el Libro de Consistorios y en el Libro de Actas Capitulares de la catedral de Santiago [136].

Pese a las noticias confusas del Libro de Actas de la Real Academia Española, en que se habla de que Huerta y Vega asistía a pocas sesiones por ser del reino de Galicia y no hallarse domiciliado en Madrid, es de suponer que Huerta y Vega abandone Santiago en 1736 [137].

---

[136] Por acuerdo de 21-II-1731 se decide, además de dar las gracias a Don Francisco Manuel de la Huerta y Vega, «se permita darse a la estampa obra tan Verídica, e ymportante al reino» y que «la ziudad pueda costear su ympresion» (Libro de Consistorios del Ayuntamiento de la ciudad de Santiago de Compostela, fol. 187 v.º, acta de 21 de febrero de 1733).

El 24 de febrero de 1733 se celebra una nueva reunión del Consejo para que dicha obra se dé a la estampa (Id., fol. 189, acta del 24 de febrero de 1733).

En el acta de 24 de marzo de 1733 consta el nombramiento de Huerta y Vega como cronista de la ciudad de Santiago, además del acuerdo de imprimir su obra en la que «se reconoze su grande erudición, y el sumo desvelo con que se ha aplicado a dar a luz publica la grandeza y de este Reino, de cuias noticias carecia hasta ahora la estudiosa curiosidad de tantos hijos que aviendo intentado lo mismo no pudieron conseguirlo con ygual suerte y con tantta calidad» (Id., fol. 274 v.º, acta de 24 de marzo de 1733).

El 28 de marzo de 1733 se informa sobre el precio que alcanzaría una tirada de 1.500 ejemplares del tomo I de los *Anales del Reyno de Galicia* (Id., fol. 325 v.º, acta del 28 de marzo de 1733).

En el libro de actas capitulares de la catedral de Santiago consta (4-II-1734) el recibo de una carta del «Dr. Dn. Francisco Manuel de la Huerta y Bega con que remite un libro que escrivio intitulado Anales del Reino de Galicia» (Santa Iglesia Catedral de Santiago de Compostela, Libro de Actas Capitulares, número 509: enero de 1734-diciembre de 1739, acta de 4 de febrero de 1734).

En el mismo libro (6-II-1734) se hace constar la entrega al autor de «Doscientos ducados de gratificación» (Id. íd., acta de 6 de febrero de 1734).

[137] En el libro de bautizados núm. 4 de la parroquia de San Félix de Solovio y Santa M.ª Salomé sigue apareciendo su firma, con algunas ausencias, desde el 26-IX-1725 al 25-IX-1727, que firman otros, en su nombre, hasta el 3 de julio de 1736, última vez que el cura firmante, don Domingo Antonio Bolaños lo hace en nombre de Don Francisco Manuel de la Huerta y Vega.

Poco después aparece ya en Madrid, ingresando en la tertulia de Hermosilla, en la que debió entrar el 8 de octubre de 1736 y en la que, sólo una semana después de su ingreso —el 15 del mismo mes—, es nombrado revisor de diversos trabajos de la tertulia, en compañía de Salafranca y Montiano.

¿Nació de aquí la amistad con Salafranca, con el que muy poco después fundaría el *Diario de los Literatos?* ¿Fue Huerta y Vega el protector económico del *Diario* durante su *etapa de triunvirato*, que finalizaría en 1737?

Varios asuntos del *Diario* están íntimamente relacionados con su gestión:

a) Al obrero que deja filtrarse los originales de los *Orígenes de la Lengua Española*, de Mayans, se le llama la atención precisamente «en el quarto» de Huerta y Vega.

b) En el tomo III, último en que aparece su firma, el *Diario* cambia su agresivo escudo por otro menos belicoso, ya que el anterior había sido objeto de los feroces ataques de Mayans en su *Conversación*.

c) Con su abandono desaparecen del *Diario*, «por falta de espacio», las «Ephemerides Barometrico-Médicas Matritenses», del doctor Fernández Navarrete, posiblemente amigo de Huerta y Vega, a quien la Real Academia Española comisionaría en su día para felicitar a la Academia Médico-Matritense por su reciente nombramiento como real, aunque en el tomo IV todavía se extractan «*resumidas*».

Tal vez a esta amistad se deba la famosa carta de Fernández Navarrete (VII-VIII), en la que, bajo el velo de unas continuadas protestas de amistad, se pone a los diaristas en el aprieto de que den a conocer al público,

---

En el Libro de Difuntos de dicha parroquia aparece por última vez su nombre el 11 de abril de 1736 (fol. 72) firmando ya el del 1 de julio D. Domingo Antonio Bolaños.

En el Libro de Casados firma en su nombre por última vez Don Domingo Antonio Bolaños el acta del 15 de junio de 1736.

En el tomo 78 (A. 131, fol. 233) del libro de Claustros de la Universidad de Santiago todavía le encontramos asistiendo al Claustro en el acta del 2 de septiembre de 1736.

para su conocimiento y observancia, el *Código* o *Decálogo crítico*, por el que se rigen para sus censuras.

d) Al retirarse él, se hunde económicamente el *Diario*, hasta el punto de aparecer enormemente distanciados sus diversos tomos, pese a la «*Ayuda de costas por una sola vez*» que les concede el ministro Campillo.

e) Su deserción del *Diario* es acogida clamorosamente no sólo por el P. Segura, sino también por el gran enemigo de los diaristas, el *Mercurio Literario*, en el que colabora activamente, siendo objeto de uno de los más violentos ataques de sus antiguos compañeros, que le acusan de adulterar —con supresiones interesadas— un valioso manuscrito del Marqués de Mondéjar (*Diario*, VI, IX, págs. 336 y ss.).

f) Puesto en la alternativa de escoger entre el *Diario* o la Real Academia de la Historia, Huerta y Vega abandona a su suerte —cada vez peor desde entonces— a los otros dos compañeros de aventura crítica, posiblemente en el último trimestre de 1737, cuando ya estaba en prensa el tomo III del *Diario*, en el cual figura su nombre y en el que —contra lo que se ha dicho— consta su participación, no sólo en las cartas del P. Segura y en una nota del núm. 2, pág. 117, del *Mercurio Literario*, sino también en el prólogo al tomo V del propio *Diario*.

Como académico de la Real Academia de la Historia [138], figura como numerario, con antigüedad de 8 de octubre de 1736 y como fallecido —con evidente error— el 16 de marzo de 1752.

Se encuentran en dicho expediente algunas cartas cruzadas entre don Juan Antonio de Roda, que le pide algunos papeles para la publicación de los Fastos de la Academia, y don Francisco Javier de la Huerta y Vega, que se excusa de no tener a punto algunos trabajos pedidos. Son tres cartas firmadas en 1740. Hay también un papel con varias preguntas de Historia de España, nota de disculpa de Huerta y Vega por no poder asistir a las sesiones de la Academia, y una significativa nota

---

[138] Secretaría de la Real Academia de la Historia, Expediente personal de D. Francisco Manuel de la Huerta y Vega, legajo 97, carpeta 23, sección 11.

de contestación a Roda —que le había pedido le enviase unos libros suyos que necesitaba— en que, aplazando el envío de los libros y otros encargos, le confiesa sus cortas luces y que «*su cabeza no está para más*».

En los *Fastos de la Real Academia Española de la Historia* es Huerta y Vega el único de los tres diaristas que permanece como académico —«de ambas Academias»— a la hora de inaugurarse oficialmente dicha institución.

Fue designado, con don Lope Hurtado de Mendoza, para comunicar el éxito del decreto de aprobación de la Academia de la Historia a la Real Academia Española, y fue asimismo nombrado revisor, juntamente con don Antonio Bonete y don Francisco Fernández Navarrete, tomando posesión de dicho cargo el 6 de julio de 1738 [139].

En marzo de 1739 fue comisionado por la Real Academia de la Historia, en compañía de don Juan Antonio de la Roda, para revisar algunos de los manuscritos de la Biblioteca del Escorial [140].

En 1741 se despide de la Junta con motivo de su viaje a Alemania:

«*Don Francisco Xavier de la Huerta, à quien principalmente estaba encargada la Cronología desde la creación hasta la entrada de los Anales, se despidió de la Junta para ir a Alemania, con el Conde de Montijo nombrado Embajador de S. M. à los Príncipes del Imperio, y Dieta que se celebraba por muerte de Carlos VI para elegir Emperador. Era el motivo de su viage que el Conde se valiese de su Literatura en los casos ocurrentes del Real Servicio. Quanto tenía adelantado y leído en dicho asunto quedó en poder de una señora hermana suya, que se negó a entregarlo sin su orden, por lo qual, y porque se ignoraba quanto duraría la ausencia, se dispuso escribirle nuevamente, haciendo este en-*

---

[139] B. R. A. H., Ms. 9-21-4-3988.
[140] *Memorias de la Academia de la Historia*, Sancha, Madrid 1796.

cargo Don Martín de Ulloa, adherido hasta entonces a la Geografía antigua.»

En 1747, en vista de lo adelantada que tenía esta materia, se le encargó la Cronología que debía preceder a la formación de las cédulas para el *Diccionario Histórico:*

«*Pero las correcciones y adiciones propuestas por los Revisores desazonaron à su autor...»* [141].

Entre sus discursos en dicha Institución figuran el leído por el secretario —durante dos horas— en la segunda sesión pública de la Academia de la Historia —el 10 de febrero de 1740—, «*Sobre si la Mytologia es parte de la Historia y, como deba entrar en ella*» [142], y otro «*Sobre qual de los Reyes Godos fuè, y debe contarse, primero de los de su nación en España*» [143], temática en la que los académicos Luzán y Ulloa discrepaban profundamente de Huerta y Vega, «*que había emprendido demostrar que el fundador de la Monarquía de estos conquistadores de España había sido, no Ataulfo, como generalmente está recibido, sino Teodorico II; o Eurico su hermano...*», tema sobre el que, además, aparecería un interesante libro de don Luis Joseph Vázquez [144], ampliamente criticado, en el núm. XX, tomo III, de la *Aduana Crítica.*

Como académico de la Española consta su admisión, en calidad de supernumerario [145] —por no haber vacantes de numerarios en ese momento—, con fecha *14 de marzo de 1737,* y no 18 de junio de 1737 como, por error,

---

[141] *Memorias de la Academia de la Historia,* pág. XXVII.
[142] B. N., 2/67179.
[143] *Memorias de la Academia de la Historia,* tomo I, páginas 225-242.
[144] VÁZQUEZ, Joseph, *Congeturas sobre las Medallas de los Reyes Godos y Suevos de España.* En Málaga, en la oficina de Francisco Martínez Aguilar, año 1759.
[145] Libros de Acuerdos de la Real Academia Española, libro 5, acta de 14 de marzo de 1737.

señalan las *Memorias* [146]. Dio las gracias «*por medio de una oración mui discreta y erudita*» que se le pidió «*consignara por escrito para que se guarde en la Secretaría entre los papeles de este Cabildo*».

El 13 de agosto de 1737 presenta a la Academia los papeles de las *Ephemerides de la Academia Médico-Matritense* y se le encarga dar las gracias a dicha Academia, haciéndose votos por la buena correspondencia entre las dos instituciones. El 7 de agosto de 1738 la Academia le comisiona, juntamente con el padre fray Antonio Ventura de Prado —uno de los aprobantes de la *España Primitiva* y seguramente amigo suyo— para que «*cumplimentaran y diesen la enhorabuena a la Academia Médico-Matritense, por el reciente nombramiento real*».

El 20 de abril de 1738 solicita permiso para poder usar el título de académico en la *España Primitiva*, y la Academia somete el libro al examen de los señores don Manuel de Villegas Piñateli y don Manuel de Villegas y Oyarbide.

El 1 de mayo queda aprobada por sus censores en la Academia «en quanto al estilo» la *España Primitiva*.

El 28 de agosto, en el reparto de trabajos, le corresponde a Huerta y Vega «la nueva recopilación de Castilla y India, el vocabulario de Hugo Celio, las obras del presidente Covarrubias, la política de Solórzano y con el Sr. D. Lope lo que está respectivo de Lope de Vega».

El 2 de diciembre se le encarga la Botánica y Chímica y la Náutica con el P. Prado.

El 11 de diciembre, en junta presidida por el reverendo padre Casiri, se presentaron en la Real Academia Española, como comisarios de la Real Academia de la Historia, don Juan Antonio de la Roda y don Joseph Lindoso, hablando el primero en nombre de la Academia de la Historia largamente en defensa de la *España Primitiva*, retenida por el juez de imprentas, y solicitando la unión de la Academia Española para la defensa de su «Alumno». Después, tras oír a todos los miembros

---

[146] *Memorias de la Academia Española*, año I, tomo I, Madrid, Imprenta Rivadeneira, 1870, pág. 92.

y proceder a la votación, se propuso nombrar comisario que con don Juan Antonio de la Roda visitase al juez de imprentas, aunque se acordó consultar antes al señor Marqués de Villena.

El 14 de diciembre se abre un largo debate en torno a la *España Primitiva*.

El 16 de diciembre se da cuenta a la Academia Española de la actividad de los comisarios en torno a la aprobación de la *España Primitiva*[147].

El 3 de enero de 1741, Huerta y Vega da cuenta de su viaje a Alemania en compañía del excelentísimo señor conde de Montijo y pide licencia para ausentarse.

El 10 de marzo de 1744 aparece ya nuevamente asistiendo a las juntas de la Academia, aunque el asiduo asistente de los primeros años, por el que la Academia había batido palmas en defensa de la después denigrada *España Primitiva*, asiste ahora muy de tarde en tarde a las sesiones (v. libro 6 de los Libros de Acuerdos de la Real Academia Española).

El 14 de abril de 1746 es admitido como académico de número, por fallecimiento de don Manuel de Villegas y Oyarbide[148], y vuelve a ser asiduo asistente a las sesiones de la Academia, a las que no había faltado desde el 31 de marzo de 1744.

Parece claro que Huerta y Vega permaneció en Madrid desde 1736 hasta su muerte, con su estancia de tres años —1741-1744 en Alemania—. Sin embargo, acaso haciéndose eco de esta irregular asistencia a las sesio-

---

[147] D. Diego Suárez de Figueroa y el R. P. Carlos de la Rivera, nombrados comisarios de la Academia para esta cuestión, han visitado al Director de la Academia de la Historia, quien se ha incorporado a la causa de Huerta y Vega con el mismo fervor, nombrando a D. Juan Antonio de la Roda para unirse a la comisión, aunque con el encargo de que antes viese al Excmo. Sr. Marqués de Villena.

Finalmente, D. Diego Suárez de Figueroa da cuenta de haber ido, en compañía de D. Antonio de la Roda, a visitar al juez de imprentas, que *«los recibió con mucha Urbanidad ofreciendo concurrir con la maior brevedad al logro que se solicita».*

[148] Libros de Acuerdos de la Real Academia Española, libro 7, fol. 22 v.°, acta del 14 de abril de 1746.

nes —irregularidad que aumenta desde el 3 de junio de 1749 hasta el punto de perder los gajes el 23 de diciembre de 1750—, las *Memorias de la Real Academia Española* suelen achacar estas ausencias a sus cargos en Galicia [149]. La ausencia de su huella en Galicia con posterioridad a 1736 en los documentos que ya he citado, así como los evidentes errores de estas *Memorias*, que hacen gallego al alcalaíno Huerta y Vega, además de equivocar la fecha de su nombramiento como supernumerario (14 de marzo y no 18 de junio de 1737), junto con los testimonios de la Academia de la Historia que hablan de una señora hermana suya residente en Madrid en 1741..., me hacen suponer que las faltas de asistencia a las juntas de la Academia son más bien debidas a otras causas.

Su asistencia desde el 14 de abril de 1743 al 3 de junio de 1749 es casi continuada [150].

El 22 de diciembre de 1750, visto que ha faltado a las juntas los seis meses últimos sin pedir permiso ni dar excusa alguna *«y constando assimismo no ha tenido el impedimento de enfermedad»* pierde los gajes.

---

[149] «Prebendado en Galicia, hijo y cronista de aquel Reino. Pudo por esta causa asistir poco, y aunque ganó los gajes los perdió por ausencia» (*Memorias de la Real Academia Española*, año I, tomo I, Madrid, Imprenta de Rivadeneira, 1870, pág. 92).

[150] En mayo de 1747 se hace ya constar, a efectos de cobros de gajes vacantes, que *«se hallaba residente de asiento en Madrid y asistente a las juntas el Señor D. Francisco de la Huerta»* quien debe gozarlos desde el 1.º de septiembre de 1747 (Libro de Acuerdos de la Real Academia Española, libro 7, fol. 109 vº).

El 14 de enero de 1749, al tiempo que se excusa de no asistir a las juntas por hallarse enfermo, envía su discurso sobre los celtismos del español, en que *«pretende probar... tenemos muchas voces que bien examinadas se conocen son Celtas, y no de otras Lenguas, o Idiomas a quienes hasta ahora se han atribuído»* (Libro de Acuerdos de la Real Academia Española, libro 7).

El 23 de diciembre de 1749, en vista de que no asiste desde el 3 de junio de dicho año y, teniendo en cuenta que *«ha estado enfermo todo este tiempo»*, se le previene que la falta de asistencia motivada debe ser advertida y se le abonan los gajes.

El 31 de mayo de 1752, en junta celebrada al día siguiente de su muerte, la Real Academia acuerda «*se digan por su alma las 50 Misas, que es costumbre dándose a este fin la correspondiente orden a los Señores Thesoreros*» [151].

Consta asimismo que se encargó un elogio fúnebre al señor don Fernando Magalló y el nombramiento del duque de Medinasidonia para sucederle como académico de número.

El *Anuario* [152] y las *Memorias de la Real Academia Española* [153] señalan como fecha de su fallecimiento el 30 de mayo de 1752.

Figura también en el *Catálogo de Autoridades*, como «Uno de los tres autores del *Diario de los Literatos*», y se citan como obras suyas los *Anales de Galicia* y la *España Primitiva* [154].

OBRAS

Junto a sus discursos en la Academia de la Historia «*Sobre si la Mitología es parte de la Historia*» y sobre el debatido asunto de *cual es el primero de los reyes godos* —a que ya hice referencia—, los encargos ya citados en la Real Academia, su *discurso de agradecimiento* por su nombramiento, su *discurso sobre los celtismos del español*, y su colaboración —se ignora en qué grado— en el *Diario de los Literatos*, es autor Huerta y Vega de algunas otras obras, de las que paso a ocuparme con mayor detenimiento.

En primer lugar, Benito Varela Jácome, que encaja a Huerta y Vega dentro de la producción literaria gallega —«*aunque según Ribóo nació en Alcalá*»—, por ser «*oriundo de Orense, párroco de Santa María Salomé de*

[151] Libros de Acuerdos de la Real Academia Española, libro 8, Junta del 31 de mayo de 1752.

[152] *Anuario de la Real Academia Española*, 1967.

[153] *Memorias de la Real Academia Española*, pág. 92.

[154] Academia Española, *Catálogo de Autoridades*, Madrid. Imprenta de Pedro Alienzo, 1874, pág. 45.

Santiago...» y haber estado «*preso en Mondoñedo por orden del obispo sin que se sepan los motivos*», afirma que Ribóo le atribuye un «*Informe jurídico en nombre del clero secular del arzobispado*»[155].

Es también autor de *La Cruzada de España*, en 88 folios, cuyo manuscrito se conserva en la Biblioteca Nacional. Dicho manuscrito lleva al margen una nota que alude a que el autor ha fallecido en 1752 «dejando imperfecta esta obra».

Pero sin duda sus dos obras más conocidas son los *Anales del Reino de Galicia* —tan ampliamente patrocinados por el Ayuntamiento y Cabildo de Santiago de Compostela— y la *España Primitiva*, obra que provocó grandes polémicas y, a la larga, el desprestigio del autor.

El tomo I de los *Anales del Reyno de Galicia*, impreso en 1733, en Santiago, en la imprenta de don Andrés Frayz, impresor de la Santa Inquisición, está dedicado «A el Hijo del Trueno, Patrón de las Españas, Santiago de Zebedeo».

Lleva una censura del reverendo padre fray Pablo de San Nicolás, cronista general de la Orden de San Jerónimo, en que se ensalza la cronología y conocimientos geográficos del autor, así como el huir de los Dextros y «*demás chimeras históricas*». «*El estilo es dulce, y en las proposiciones acre; y de tal modo deleyta con lo que habla, que parece que fuerza.*»

Se habla asimismo de que el autor disiente a veces de «*mis Siglos Geronymianos, Historia Eclesiastica y Monástica*», pero con gran «*sal de discreción*».

La censura del doctor don Diego Diez Coronel alaba asimismo la ponderación y veracidad de la obra, así como el ingenio del autor: «*siempre le hallé tan amante del recogimiento, como infatigable en su Estudio, sin perdonar à la noche las precisas horas del descanso. Pero como à tan nobles partidas acompaña la desconfianza de su trabajo, y poca satisfacción de si propio, estuve persuadido (como la experiencia lo ha dicho) que solo*

---

[155] VARELA JÁCOME, Benito, «La Literatura del siglo XVIII en Galicia», en *Historia general de las Literaturas Hispánicas*, pág. 470.

viendose del empeño de su honradez precisado, franque-
ría tan riquissimo Thesoro».

Lleva también un «Elogio del Doctor D. Gregorio
Possa de Soto, Consultor del Santo Oficio de la Inquisición de este Reyno y Visitador General del Arzobispado
de Santiago», que ensalza los *Anales*, «*tan arreglados à
la Chronologia, à la verdad, y à la razón, que sin enca-
recerlos, se puede decir es la primera, y unica Historia
de Galicia».* Se alaba también el estilo «agradable», la
omisión de disertaciones «impropias para Anales» y la
brevedad «que pide esta clase de obras».

Por si todo esto fuera poco, hay una introducción
al lector, en que el autor, tras desatarse violentamente
contra los falsos Cronicones, declara su imparcialidad:
«*Libre, pues, de estas Novelas, te ofrezco lo que seguramente nos dexaron entre los antiguos de este Reyno;
y en la narración de cada sucesso sigo, ò à los Coetaneos,
ò à los Inmediatos, sin fiarme de los afanes agenos;...*»

«*En todo proceso libre de passion, ò sea de la lisonja, ò de la esperanza; sin dar parte à el odio, ò à la
amistad.*»

El tomo II está dedicado al Reyno de Galicia, impreso en Santiago por el impresor del Reino de Galicia
Ignacio Guerra, con la tasa fechada el 10 de febrero
de 1736, y censura del muy reverendo padre fray Pablo
de San Nicolás, del Monasterio de San Jerónimo de Madrid.

En la introducción, el autor, «Juez eclesiástico de la
Ciudad, y Arzobispo de Santiago, su Visitador General
y Juez Subcolector por la Reverenda Camara Apostólica
y Chronista General del Reyno de Galicia, etc.», ataca
violentamente los falsos Cronicones, «*pues mi assumpto
fuè, y es escribir con verdad, y pureza la Historia de
Galicia, y limpia de aquellas quimeras*».

En la Biblioteca de la Real Academia de la Historia
se conservan parte de los manuscritos de los *Anales del
Reino de Galicia* [156].

Hay, entre los mismos, junto a algunas cartas intras-

---

[156] B. R. A. H., Ms. 11-1-5-8037.

cendentes, algunos reparos de don Antonio Ribóo, firmados en Cabanes en septiembre y noviembre de 1731, así como respuestas a los 20 reparos y otros papeles con datos históricos y con 51 puntos de oposición que sin duda son fundamentales para el estudio de esta obra. Hay también dos cartas de don Andrés Xuárez. Todo ello de indudable interés para los especialistas en la materia.

Vicente Ventura de la Fuente y Valdés llena varias páginas de su *Triunvirato* con reparos a los *Anales de Galicia*, «*cuyas noticias dexó tan defectuosas, que no le debe ninguna claridad el Reyno, antes bien un total olvido de las muchas cosas principales, y una confusión en todas sus congeturas; bien se conoce, que anduvo por la posta su discurso, y que no tuvo presente la realidad, que debe observar un Analista*», y critica la cronología de Orense incluyendo una «*carta del Párroco de Santa Coloma de San Torquato*» en que se ataca a los *Anales* de Huerta y Vega.

Idéntica disconformidad muestra, en su *Ni Hércules contra tres*, Cárdenes y Ribera, que coloca al autor de los *Anales del Reino de Galicia* entre los «*émulos de los Chronicones*».

La otra obra importante es su *España primitiva, Historia de sus Reyes y Monarcas, desde su población hasta Christo*, cuyo tomo I apareció en Madrid en 1738 [157].

Lleva una dedicatoria dirigida al Monarca porque «*siendo Historia de Reyes, sólo puede consagrarse à un Monarca Heroe*» esta obra «*aunque pequeña por mi pluma, grande por su contenido*» en que se ensalza a Felipe V como protector de los eruditos, ya concediéndoles «*con sus desvelos el ocio dulce, que necesita el*

[157] HUERTA Y VEGA, Francisco Xavier Manuel de la, *España Primitiva, Historia de sus Reyes y Monarcas, desde su población hasta Christo que consagra al Rey N. S. Don Phelipe V el animoso por mano del Emmo. Señor Don Fray Gaspar de Molina, y Oviedo, Obispo de Málaga, Comisario General de la Santa Cruzada, Governador del Real Consejo de Castilla y Cardenal de la Santa Iglesia de Roma...*, tomo I, en Madrid, con las licencias, año 1738.

manejo de los Libros; yà defendiendole con su sombra de los ardientes rayos de la envidia».

Parecido tono panegírico lleva la dedicatoria «Al Emmo. Sr. Don Fray Gaspar de Molina, y Oviedo», decidido protector de la obra de Huerta y Vega.

Tras el rechazo de las censuras de Mayans y del P. Sarmiento y con los hábiles manejos de ambas Academias —a los que ya he hecho referencia—, la obra salió con dos censuras:

La primera del R. P. M. fray Antonio Ventura de Prado, catedrático de Teología de la Universidad de Sevilla. Es prácticamente un panegírico a la materia y estilo de la obra, con la salvedad de «intentar hacernos verdad la *Isla Atlántica* de Platón», y termina pidiendo excusas por lo extenso de la censura, por haber tenido un «especial mandato para estender aqueste mi juicio». Va fechada en Madrid a 30 de octubre de 1738.

La segunda, fechada en Madrid el 26 de octubre de 1738, va firmada, como las de los dos tomos de los *Anales de Galicia,* por el Rmo. P. M. Fr. Pablo de San Nicolás. Alude a los *Anales,* a la brevedad de los dos tomos, a la erudición del autor y a los posibles contradictores:

> «*porque ya es moda que se estila, que apenas sale un libro, por mas erudito que sea, y bien apoyado, que tenga un Zoylo que le contradiga, pero no tema el Autor, y prosiga su obra, que no se derriba con libelos lo bien fundado*».

En el prólogo, el autor se excusa de emprender tan difícil empresa con la razón patriótica, ya que

> «*no ay apenas Corona [europea]..., que no tenga de España, ò su Poblacion, ò su linea Real, ò a lo menos la sangre de sus Monarcas enlazada a la de sus propios y naturales*».

Entre líneas se lee, sin embargo, los fundados temores del autor, con quien Mayans se había mostrado implacable en su censura.

Como si preveyese la posterior reacción de la Academia de la Historia, que había de declararle entre los inventores de falsos Cronicones, el sinuoso prólogo se vuelve, como los de los *Anales del Reyno de Galicia*, todo protestas contra los inventores de falsas historias. El tomo II, editado en Madrid en 1740, con sendas dedicatorias al rey y al excelentísimo señor marqués de Villarias, del Consejo de Estado de su majestad y secretario del Despacho Universal, tiene la fe de erratas fechada el 4 de octubre de 1740.

En el *Mercurio Literario* [158] puede apreciarse una crítica del primer tomo de la *España Primitiva*, en que, a la vez que se atacan defectos de la misma, se dan datos acerca de su agitado proceso de publicación:

«*Este es el primer libro que se vè aprobado por las Academias Reales de la Lengua y de la Historia. Después de haverse impresso con las acostumbradas Licencias, se detuvo su publicación por ciertas censuras; pero salió finalmente à pesar de las excepciones que se le opusieron.*»

En las *Cartas de varios sujetos al P. Andrés Buriel* [159] cuenta Mayans y Síscar las persecuciones y sátiras que hubo de sufrir a causa de su censura, así como su indignación (fol. 117) por las maquinaciones de ambas Academias [160].

En su censura de la *España Primitiva* [161] arremete violentamente contra la obra de Huerta y Vega tachándola de «*España imaginaria*» y de llevar hasta el título

---

[158] *Mercurio Literario*, tomo I, artículo II, págs. 8-17.
[159] B. R. A. H., *Cartas de varios sujetos al P. Andrés Buriel*, Ms. 9-27-4-5218, fol. 117.
[160] *Id., íd.*, fol. 119, Carta de Mayans fechada en Oliva el 4 de abril de 1743.
[161] MAYANS Y SISCAR, Gregorio, *Correspondencia Literaria de D. ...., con el Ilustrísimo Señor Don Blas Jover Alcázar, del Consejo y Camara de Castilla: y sus dictamenes sobre varios asuntos publicados en el Semanario Erudito por D. Antonio Valladares de Sotomayor*, Madrid, 1757. Censura de D. ...... por Comisión del Real Consejo de Castilla, B. N., 2/25614.

9

copiado de Pellicer. Califica asimismo a la obra de «*fábula indecorosa y opuesta a las verdaderas glorias de España*» para rematar su censura con este agresivo párrafo: «*soy de parecer, que sin ofensa de la verdad, del bien público, y de la propia conciencia no se puede permitir que este libro llegue a divulgarse; y añado que vuestra Alteza debe cautelar que debaxo de otros títulos no se introduzcan tan perjudiciales novedades*».

En la correspondencia de Mayans con don Fernando de Velasco [162] puede seguirse con detalle el envío del manuscrito original de la censura de *La España Primitiva* de Huerta y Vega, efectuado el 23 de agosto de 1762, con el ruego de que se le devuelva una vez leído. En vista de la tardanza en su devolución, Mayans insiste en pedirlo el 27 de octubre y en carta del 1 de noviembre, y puesto que don Fernando de Velasco ha «*empezado a leerle*», Mayans se explaya diciendo que «*lo más notable de ella es una especie de noticias raras, que hacen una estraña, i agradable junta. Pero lo malo es, que mientras yo viva ésta, i otras piezas no puedan vèr la luz publica*». (V. Cartas de 27-X-1762 y 1-XI-1762.)

El 8 de noviembre, temeroso de perder el original de su querida censura, Mayans vuelve a la carga:

«*Mui Sr. mio: No será V. S. egecutado por la restitución de esa Censura. I assi si quiere mandar sacar alguna copia, bien puede. Solo advierto, que el original* [163] *deve bolber a mi, por medio de D. Manuel Martinez; porque se ha de conservar en mi libreria para que algun dia vea la luz publica.*»

El 15 de noviembre vuelve a hablar de su censura, y el 25 de julio de 1763 hace esta interesante referencia a Huerta y Vega:

---

[162] MAYANS Y SISCAR, Gregorio, *Correspondencia con D. Fernando de Velasco*, B. N., Ms. 1941-1944.
[163] MAYANS Y SISCAR, Gregorio, *Censura de la España primitiva*, B. N., Ms. 2291.

«*Me viene a la memoria que quando me opuse a la publicacion de la España Primitiva (que usurpó Huerta) las dos Academias de la Lengua Española, i de la Historia aunque tenazmente procuraron facilitarme su publicacion; ocultaron despues, por la infame nota que se les podria seguir, las Aprovaciones que dieron a dicha obra, las quales en el tomo que yo censurè, i que guardo mui bien, se hallan al fin del primer tomo, que fue el que entonces se imprimio. Esta circunstancia es digna de que U.S. la sepa para que procure tener un egemplar donde esten las dos aprobaciones.*»

En 1750 escribía Mayans a Cevallos:

«*porque publicamente soy el maior alavador que tiene Vm. y lo verà quando yo publique mis Criticas; y entre ellas saldrà mi juizio de la España Primitiva, y entonces lo verà Vm. con otras mil cosas*» [164].

Mayans advertía a don Joseph Nebot:

«*En el capítulo II sigue Sotelo à Pellicer contando cuarenta Reyes de España en serie sucesiva: delirio que mentó Pellicer, quando fingió el falso Chronicon de Pedro Cesaraugustano; cuya falsedad descubrí y probé, reprobando la España Primitiva del Dr. D. Francisco Xavier de la Huerta y Vega*» [165].

Desdevises du Dezert, al mismo tiempo que reprocha a la Academia su debilidad por haber aprobado tal libro,

---

[164] MARTÍNEZ SALAFRANCA, Juan, *Cartas* (v. nota 79), Carta de Mayans a Cevallos, Oliva, 31-3-1750, fol. 99 v°.

[165] MAYANS Y SISCAR, Gregorio, *Colección de cartas eruditas escritas por D. .... a D. Joseph Nebot y Sans.* Publicadas por D. Joseph Villarroya del Consejo de S. M. y Alcalde Honorario de Casa y Corte, con superior permiso, en Valencia y oficina de D. Benito Monfort. MDCCLXXXXI, tomo I, carta XIV, pág. 84.

califica a la *España Primitiva* como «*un recueil d'absurdités et de fables grossières*» [166].

No menos violento era el juicio del P. Segura:

> «*Al primero que se expresa, Don Francisco Manuel de Huerta, Castellano, yà conocido por el Artículo IX del tomo I del Diario, le doy por inhábil; porque... le faltan las partidas de ingenuo en el Diario, de moderado en la censura, de Erudito, y de juizioso para discernir, y calificar noticias en tanta variedad de materias, como en los Extractos se ofrece, y aun en las historias*» [167].

José Godoy Alcántara, en su *Historia de los falsos cronicones*, trata a Huerta y Vega de «*escritor novelesco, poseido de falso patriotismo, seducción de Pellicer, cuyo admirador era, y de quien rebuscaba y devoraba hasta los menores apuntes y borrones*», añadiendo que se apuró a edificar sobre el cronicón de Pellicer conservado en la Biblioteca Nacional

> «*una historia à que dio titulo de* España Primitiva, *titulo también inspirado de Pellicer. Imprimio el primer tomo en 1738, con dedicatorias al Rey y al cardenal gobernador, aprobaciones gerundianas de frailes calificados y licencia del Consejo, prometiendo cinco volumenes mas, de los cuales el ultimo contendria el desconocido cronicon, cuyo origen ocultaba, preparando una leyenda a su descubrimiento. Saludado el libro à su aparicion con dura y burlesca crítica, el Consejo mandó secuestrar la edición; mas habiendo gestionado en su favor las Academias Española y de la Historia, de las que el Autor era individuo, à pesar de haber informado en contra Mayans y Sarmiento, se le levantó el embargo. La Academia de la Historia había cumplido con uno de los más nobles deberes de su instituto*

---

[166] DESDEVISES DU DEZERT, v. nota 37, pág. 239.

[167] SEGURA, P. Jacinto de, *Apología contra los Diarios de los Literatos de España*, pág. 19.

protegiendo la libertad de escribir sobre materias opinables. Huerta no publicó mas que el segundo tomo de los seis de que habia de constar la obra» [168].

Hasta sus propios compañeros del *Diario* renegarían de la obra, antaño alabada por ellos mismos, calificándola, en el artículo VII del tomo VII, como *«cierta novela moderna»* (VII, VII, pág 146).

JUAN MARTÍNEZ SALAFRANCA

La mejor biografía sobre Salafranca se debe a Latassa (v. nota 117).

Según ella, Martínez Salafranca, de pila Miguel, Juan, Domingo, Estanislao Martínez Calvete, hijo de don Juan Martínez Nieto y de Juana Ana Calvete, nació en Teruel, y fue bautizado el 9 de mayo de 1697 [169], en la parroquia de San Pedro Apóstol, en la que la familia Calvete tenía el patronato de la capilla del Rosario.

Entre las numerosas obras que cita Latassa tiene especial interés la *Regulae separatae rectae dicendi...*, obra de juventud en la que el autor todavía firmaba con su apellido materno, trocado más adelante —ignoro por qué extrañas causas, al parecer de agradecimiento— en el apellido Salafranca.

A lo largo de la *Miscelánea Turolense* de Domingo Gascón Guimbao, aparece asimismo repetidas veces el nombre de Salafranca y de sus obras [170].

---

[168] GODOY ALCÁNTARA, José, *Historia de los falsos cronicones*, Madrid, Ribadeneira, 1868, págs. 305-311.

[169] A Gascón Guimbao se debe el hallazgo de la partida de bautismo de D. Juan Martínez Calvete —posteriormente Salafranca— libro de bautizos de la Parroquia de San Pedro Apostol, folio 60 vº del tomo V —publicada en la *Revista Contemporanea* en 1887— en que se da como fecha de su nacimiento el 9 de mayo de 1697. Coincide también la partida con los cuatro nombres que cita Latassa.

[170] En el n.º 8 (30-I-1892), con motivo del monumento que en Francia se va a levantar al periodista Teofrasto Renaudot se hace una apología del olvidado Don Juan Martínez Salafranca

En su *Historia de Teruel,* Cosme Blanco alaba la modestia de Salafranca, que «*nunca quiso salir de su*

«primer periodista español» el que «*hasta ahora nadie se ha ocupado de honrar su memoria y mucho menos de erigirle ninguna estatua».*

El artículo tiene también una patética apelación a la ciudad de Alcañiz para que recuerde al ilustre periodista Nipho.

El n.º 15 (25 de abril de 1894), al referirse al decreto de creación de la Real Academia de la Historia, dice que «*sus iniciadores nombraron Presidente a Don Juan Martínez Salafranca, natural de Teruel, quien presidió hasta la definitiva organización oficial de la Real Academia».*

El n.º 13 (15 de agosto de 1898) bajo el título de Preguntas y respuestas aparece, firmada por G. M. una curiosa interpelación sobre Salafranca: «Es sabido que tan ilustre turolense nació en 1697, pero no se tiene noticia alguna concreta de su vida hasta que en 1735 figura en Madrid entre los fundadores de la Academia de la Historia, y asimismo desde que en 1742 terminó la publicación del *Diario de los Literatos* no vuelve a saberse nada de Salafranca hasta su fallecimiento, ocurrido en Villel en el año de 1772. Entre los aficionados a esta clase de investigaciones ¿no habrá alguno que pueda aclarar, aunque sea poco, estos oscuros periodos de la vida de nuestro primer periodista?»

La respuesta a este angustioso interrogante la da Antonio G. Miramón en el n.º 14 (1-I-1894), quien, tras alabar los conocimientos en torno a Salafranca de G. M., indica que pone el dedo en la llaga y añade que Salafranca, ya racionero de San Pedro de Teruel, donde había sido bautizado, marchó a Madrid antes —según cree— de 1730. Añade los datos de que le concedieron sucesivamente las Capellanías de Nuestra Señora del Buen Consejo y de San Isidro, que en 1736 era famoso en Madrid por su erudición, que, terminado el Diario, cayó en la oscuridad nuevamente, que en 1740 —«según consta por documentos de la época»— «*sufrió un ataque de apoplejía que dejó bastante quebrantada su salud, razón por la cual se trasladó a Villel en busca del reposo que tan necesario le era»,* que en 1769 rechazó una Canonjía en Huesca, ofrecida por el Rey, a causa de la edad y la falta de salud, y que murió en 1772». En el n.º 17 (20 febrero 1895), en la sección «Efemerides turolenses», se dice: «Mes de Mayo. Día 9 —año 1697—. Nace en Teruel el virtuoso sacerdote, distinguido escritor y fundador del periodismo español, Don Juan Martínez Salafranca, cofundador y primer presidente de la Real Academia de la Historia.»

Y en el nº 23 (15-I-1901) en la misma sección: «*Dia 29 ((IX)) año 1772 muere en Villel el insigne turolense Don Juan Martínez Salafranca».*

modesta posición de presbitero», y, tras aludir a la fundación del *Diario* y a su condición de cofundador de la Academia de la Historia, alaba sus *«dotes de escritor de primer orden, pues además de estar muy versado en los idiomas de latín, griego, hebreo, francés e italiano, era grandísima su erudición en ciencias eclesiásticas, historia y bellas artes, y su estilo puro, correcto y de una sencillez elegante»* [171].

Mucho más esclarecedora resulta la hasta ahora inédita carta de Salafranca a Cevallos [172] escrita en Villel en febrero de 1750:

«Pregunta Vm. mi nacimiento, vida y estudios, a lo que yo no devia responder, por no decir una cosa que para nada puede servir; mas si Vm. me lo manda, Vm. savrà para que puede servir la noticia de vida tan inutil. Nacì el dia de San Stanislao, en el mes de mayo del año 1697, entre diez y once de la mañana, en casa que tenía mi abuelo en el Mercado, junto a la de la Ciudad grande, rica y mui bien alhajada. A mi Padre que era natural de Albarracin no le conoci, porque murió mui joven, y de echizos que le diò una criada que le queria para fines desonestos, y siendo despreciada le diò

---

[171] BLANCO, Cosme, *Historia de Teruel*, págs. 97-98.

[172] Gracias a la insatisfecha curiosidad del inquieto clérigo Don Joseph Cevallos, que se escribía con casi todos los ingenios de la época —Feijóo, Mayans, Salafranca, Puig, Piquer...— puedo esclarecer algunos puntos de la biografía de Salafranca que tanto en su biógrafo Latassa, como en Gascón Guimbao y otros autores, han permanecido hasta ahora en absoluta oscuridad.
Lástima no encontrar el abundante epistolario de este inquieto personaje a quien Mayans —que se cuidaba de alabarlo en sus cartas— describía en carta a Bermúdez escrita en 23 de octubre de 1745 como *«un sacerdote sevillano, de 27 años, muy aplicado, muy curioso, preguntador incorregible, muy inclinado a corresponder con todo el mundo, creyendo que todos están tan desocupados como él...»* (201) (V. MOREL FATIO, «Un érudit espagnol au XVIIIᵉ siècle. D. Gregorio Mayans y Siscar», *Separata del Bulletin Hispanique*, tomo XVII, 1955, nº 33, año 1915, pág. 54).

en pago del desprecio la muerte. *Estuvo veinte y tres meses en cama trayendo cirujanos de todos los Reynos de España, con que comenzó a perderse la Hacienda. Declarados los echizos fueron a Valencia corriendo donde estava la echizera, pero hallaron que sus Hermanos la acavavan de matar por ôtras tales fechorias, temiendose de ellas âlguna afrenta en su linage. Pocos años despues murio mi abuelo que era un hombre mui honrado, y respetable por sus procedimientos y padezió muchos trabajos por afecto â Phelipe Quinto. Quedè solo con mi madre, con mi livertad, y sin tener quien me aconsejára, ni corrigiera, con lo que no ay que estrañar mis costumbres.*

Aborrecì siempre los Naipes, y la Pelota, y tube por entretenimiento con otro amigo, la milizia del barro primero: esto es, que el uno tenia el partido de Carlos, y el otro el de Phelipe, y cada uno su Armada, sus fortalezas, y Ciudades en que consumimos mucho dinero, y muebles de nuestras casas; pero con tanta propiedad que no faltaba pieza alguna de quantas se ven en un exercito: de que se siguió que algunos soldados, nos costeavan la Polvora, para lograr ver la funcion de un sitio, ô batalla. Echaronnos los exercitos por la ventana y lloramos esta perdida amargamente, pero nos aplicamos âl dibujo, y a la Pintura; y sin ver otro organo, ni secreto de el, hizimos uno de un Cavallero principal.

A este tiempo estudiavamos la Gran noticia latina. Muriò mi amigo de un artazgo de chocolate crudo, y quede solo, y entregado desde entonces â la leccion de toda especie de Libros buenos, y malos de prosa, y verso, y a todas horas. Estudie la Grammatica en las Escuelas publicas de la Ciudad con dos Clerigos Hermanos, Antonio y Phelipe Valero, hombres doctos, respetables, y virtuosos. Al primero engañava yo con la humildad; pero vajandome al lugar de los azotes, quando hacia porquè, por el buen Exemplo, me perdonava la Zurra. Al segundo porquè era pusilanime, engañava con los gritos; pues por no sentirme me dejava libre de pena.

Estudie la Philosophia, y tres años de Theologia en el Colegio de Padres Dominicos de esta Ciudad: despues me fui à Zaragoza y tomè Materias en el Colegio de San Vicente, y en la Universidad dos años. Volvi a mi Patria, y estuve esperando las Ordenes seis años, ô el tiempo preziso. Logradas estas, y comenzada la Carrera de las oposiciones, fui a la Corte, y entrè en ella el año 23, el dia 27 de Marzo, con el fin de cultivarme un poco; porque renta y hacienda tenia bastante entonzes. Estudie la Medicina primero con el Dr. Babia, clerigo y Medico de profesion. Despues con los Padres Jesuitas las otras Mathematicas, y los Idiomas Griego, y Hebreo, y otros en mi Quarto. Todo esto sin faltar mañana, ni tarde, (y sin pretender cosa alguna) à la Libreria del Rey.

Restituime en fin, à esta villa, enfermo, con poca renta, y mucho deseo de la soledad para el descanso de innumerables enfados, y fatigas que tenia en la Corte. Ningun ofizio tengo, ni obligazion, ni una Misa que celebrar, ni los frayles dejan alguna. Esto es lo que puedo decir con brevedad porque del mal lo menos. En otras cartas lo andaremos.»

La carta, que ha empezado con la habitual narración de las miserias de Villel, las cuales le han impedido contestar antes a Cevallos, tiene antes de estas interesantes declaraciones un punto luminoso en el habitual cuadro negro de los achaques de Salafranca en esta época: «*Ya gracias a Dios, se acabò la enfermedad de este Pueblo, que era como una especie de pestes, y el rigor del frio se ha templado...*»

Termina asimismo con una posdata curiosa en que da a Cevallos una serie de instrucciones para el envío de simientes de flores para su jardín, que le había pedido en cartas anteriores. Le ruega que se las envíe por correo o «*por su amigo de la Capilla de San Isidro Santo Díaz, sirviente, o a D. Leopoldo Puig, administrador del Hos-*

pitalito de los franceses, y Capellán de la Real Capilla de San Isidro: vive en el mismo Hospitalito...».

Y remata con esta significativa alusión íntima: «*Tengo aquí Parientes, aunque vivo separado de ellos, y me hago Casa nueva. Tengo un ama gran cocinera; pero no ay que guisar, que es lo mismo que titulo sin renta. Todo a la disposición de Vm»* [173].

En el Libro de Cuentas Generales del Archivo de Racioneros de Teruel [174] figuran, en efecto, entre los asistentes a las juntas, los profesores que cita Salafranca en su carta: El Dr. Felipe Valero, como representante de la iglesia de San Andrés, en los años 1717, 1718 y 1719.

En la lista de coofundadores de la Academia que firmaron las constituciones, presentadas por Montiano, el 23 de mayo de 1735, figura don Juan Martínez Salafranca.

En cuanto a su cargo como Presidente de la naciente Real Academia de la Historia, aclara el manuscrito de la B. R. A. H. [175]:

> «*Con ésto acabó el año 1737 en que presidieron los señores Zábila y Torrepalma. Sucesivamente fueron elegidos D. Agustín de Montiano, Don Julian de Hermosilla, y por no haber admitido este, Don Juan Martínez Salafranca, Don Leopoldo de los Ríos, Don Lope Hurtado de Mendoza, y segunda vez Don Juan Martinez, que siendolo por octubre de 1737, parece fue el ultimo que presidio con este nombre.»*

---

[173] MARTÍNEZ SALAFRANCA, Juan, *Cartas literarias...*, Carta de Salafranca a Cevallos, fechada en Villel en febrero de 1750.
Con motivo del segundo centenario de su fallecimiento (29-IX-1772), la «Tertulia Mudéjar», de Teruel, ha celebrado una misa por su eterno descanso en la parroquia de Villel. Entre otros actos, como una exposición bibliográfica y una conferencia sobre Salafranca, se han descubierto sendas lápidas en su casa natal —Teruel capital: plaza de Carlos Castel, esquina a la calle del Salvador— y en la casa en que vivió y murió en Villel.
[174] Archivo de Racioneros de Teruel, Libro de cuentas generales, libro n° 51, estante 4°, tabla 3ª, años 1686 a 1735.
[175] B.R.A.H., Ms. 9-21-4-3988.

El mismo manuscrito nos le presenta elegido Revisor, juntamente con Montiano y Huerta y Vega el 15 de octubre de 1736. El 28 de abril de 1737 figura entre los diversos Académicos que han iniciado sus investigaciones con miras a la realización de una propuesta Biblioteca Histórica de España [176]. Consta asimismo su ya referida expulsión de la Academia de la Historia y su readmisión en el seno de la misma, por acuerdo tomado en junio de 1748, dato que nos confirma también una carta del propio Salafranca [177]

---

[176] «Encargóse al señor Salafranca la formación de una lista de ellos [autores clásicos], con noticia de las ediciones, más convenientes y acreditadas; y aunque no se pueda asegurar si llegó el caso de hacerla, consta que casi todos los Individuos tomaron con mucha eficacia esta lectura, pues en la junta siguiente dieron cuenta los señores Salafranca, Puig, Hurtado, Navarrete, Villegas y Bonete de haber leído *el Dares Phrigio*, la Obra intitulada *Sententiae Theonidis Megarensis*, *el Hermes Trimigisto*, *el Quinto Calabro*, *y el Philotato* sin haber hallado cosa alguna perteneciente a España.»

[177] «*Mui Sr. Mio: la Persona con que me remitiò el Pliego el Correo de Teruel, se la dexò olvidado en su casa i se partiò à lugar distante à trabajar cosas de su Oficio, hasta pocos dias há que con el motivo de venir a las Fiestas de Nª Sª y Patrona de esta Villa, me le há entregado; de que hé recibido tanto disgusto, como plazer de las singularissimas honras que la Real Academia se dignò hazerme, i a que quedo tan obligado, como honrado i contento. Rehuyo toda especie de ponderacion, aunque qualquiera pudiera creerseme, porque es mui natural tener la inclinacion i afecto, donde se ha empleado alguna especial fatiga, ni la aprueba la Fortuna; i no fue tan corta la que tuve, que no pudiera fixar en mi coraçon el amor de Fundador o Cofundador à lo menos: Pero no quiero acordar méritos antiguos, ni justificarlos relatando la violenta conducta de algun Individuo de la Real Academia yà difunto, sino suplicar à V.Sª se sirva favorecerme en dar repetidas gracias de mi parte à la Real Academia; a cuya obediencia estarè siempre agradecido, i quisiera no haver envegecido ni enfermado tan aceleradamente, para manifestar el desseo que tengo de servir i agradecer el gran concepto que la Real Academia ha hecho de mi aplicacion: mas de solo el tiempo que me ha quedado libre podrà disponer la Real Academia; aunque las honras que se ha dignado hazerme son tan grandes que necessito de todo el para el agradecimiento de ellas; de suerte que yà no podrè llamarle libre sino mui proprio de la generosidad de la Real Academia. En orden al juramento i voto sanguinario, yà le hize*

conservada entre la documentación de su expediente personal.

Domingo Gascón Guimbao, en su artículo *El Fundador del Periodismo español* [178], tras extrañarse de no ver en las referencias de las historias del periodismo, a Salafranca como introductor de la prensa en España, pasa a demostrar que el turolense es el verdadero fundador de nuestro periodismo. Basa su demostración en varios artículos del *Diario de los Literatos*, que prácticamente volverá a repetir Gascón de Gotor en la revista contemporánea en 1904.

Sin ignorar los manuscritos del XVI y XVII, ni las *Gacetas*, Gascón Guimbao, cree —opinión hoy totalmente rechazada— que eso no son periódicos todavía y que el primer periódico español es el *Diario de los Literatos*, del cual hace a Salafranca el principal autor, ya que es el promotor de la idea del mismo y el más importante entre sus colaboradores. En su artículo «D. Juan Martínez Salafranca y la *Historia de las ideas estéticas de España*, de D. Marcelino Menéndez y Pelayo [179], apoya la tesis del ilustre santanderino, según la cual Huerta y Vega sólo colaboró en el tomo I, acaparando así para Salafranca solo todos los elogios que Menéndez Pelayo dirige al conjunto de los diaristas, negando a Puig todo valor: «*No sé que dejara escrito alguno de merito bastante para suponerle redactor efectivo.*» Supone además que tanto Puig como Huerta y Vega contribuyeron al *Diario* con sus bienes: «*Si Huerta y Puig no eran buenos escritores tendrían en cambio medios de fortuna.*»

---

en la Academia; pero vuelvo â ratificarle; i para todo lo expressado en el Estatuto IX juro guardar i observar todo lo justo i necessario, que es la intencion de la Real Academia. Tambien doi gracias a V. Sª por sus finas expressiones, i quedo con igual afecto desseando sus ordenes i que NºSr. prospere su vida con ms. felicidades por dilatados años.»

[178] GASCÓN GUIMBAO, Domingo, «El fundador del periodismo español», *El Progreso*, Madrid, 25 de noviembre de 1885.

[179] GASCÓN GUIMBAO, Domingo, «Don Juan Martinez Salafranca y la *Historia de las ideas estéticas de España*, de D. Marcelino Menéndez y Pelayo», *Revista Contemporánea*, Julio, Agosto, Septiembre de 1887.

Por su parte, Juan Pérez de Guzmán en el también discutible artículo «Cuándo y quién fue el fundador del periodismo en España. Andrés Almansa de Mendoza»[180], atribuye la introducción del periodismo en nuestra patria a Andrés Almansa.

Gascón de Gotor, que tampoco se cansó de repetir una y otra vez que Salafranca fue el fundador del periodismo español, vuelve a la carga[181], basando su argumentación en el siguiente párrafo del *Diario de los Literatos:*

«*En nuestra España emprendió* Don Juan Martínez de Salafranca *la idèa de estos Jornales, con el título de* Memorias Eruditas para la Crìtica de Artes, y Ciencias, *en el año 1736 y segùn nos consta de lo que ha comunicado à sus amigos, fue su intencion proponer lo mas Selecto de todos los Jornales (que han llegado à* España) *para mostrar à nuestros Patricios los progresos de la Literatura Estrangera, y utilizar la novedad de sus producciones: y aunque comenzò con la coleccion de algunas noticias Miscelaneas, y de particulares Autores, fue su animo ganar la atención con esta especie de leccion Miscelanea, conocida,* en España, *para introducirse en la clase de Jornalistas, desconocida enteramente en nuestro Idioma Español.*»

El párrafo tiene un sentido muy distinto en el *Diario,* ya que el contexto está referido únicamente al periodismo erudito en relación con la crítica literaria, y no al periodismo noticiero.

El propio *Diario* lo confirma, sin lugar a duda, en el artículo VIII del tomo III, en que los diaristas se de-

[180] PÉREZ DE GUZMÁN, Juan, «Cuándo y quién fue el fundador del periodismo en España. Andrés Almansa de Mendoza», *España moderna,* Madrid, abril de 1902, año 14, núm. 160, páginas 109-127.
[181] GASCÓN DE GOTOR, P., «Orígenes y desarrollo del periodismo», *Revista Contemporánea,* año XXX, tomo CXXVIII, enero a junio de 1904, págs. 407-433.

claran jornalistas, «pero críticos», es decir, «creadores de la crítica literaria periodística».

Antonio Papel [182] afirma de Salafranca, con acierto, que «más que periodista es un humanista», «un sabio, un ensayista; no un periodista precisamente».

Con incomprensible y evidente error —ya que las Memorias eruditas son una obra de Salafranca— afirma a continuación que

> «Su estudio, aparecido en el Diario, que lleva por título Memorias eruditas para la crítica de las Artes y Ciencias, merece elogio como ensayo, pero no como crítica periodística. Así son la mayoría de sus escritos».

Finalmente señala, con acierto, que

> «Salafranca debe ser considerado como uno de los promotores de las publicaciones periódicas orientadas hacia la cultura: es decir de la revista literaria.»

Justamente así lo considera Jerónimo Rubio Pérez Caballero en su artículo, ya citado, «Juan Martínez Salafranca. El Origen de la revista literaria».

Entre otros testimonios de contemporáneos que no dejan lugar alguno a dudas sobre la cuestión puede verse el del Mercurio Literario:

> «Sin embargo de ser tan notorias las ventajas, que por medio de una recta crítica había de conseguir la Literatura Española, y siendo libre a qualquiera hacerse Crítico, no menos que el hacerse Autor, no hubo quien entendiese tan gloriosa empresa hasta el año 1737 en que D. Francisco Xavier de la Huerta y Vega, D. Juan Martinez Salafranca y D. Leopoldo Geronimo Puig, quisieron emplear

---

[182] PAPEL, Antonio, La prosa literaria del neoclasicismo al romanticismo (v. nota 8), págs. 76-77.

su erudición, y Literatura en el examen de los Escritos de los Españoles».

Lo que en el terreno meramente periodístico es cierto, salvados los breves antecedentes críticos del *Diario* a que ya he hecho alusión.

Sempere y Guarinos insiste asimismo en esta idea, que también aparece repetidamente en los continuadores del *Diario*.

García Boiza considera a Martínez Salafranca, juntamente con Torres Villarroel, Feijoo y el P. Isla como *«la falange de atrevidos reformadores tan necesarios en el abatido siglo XVIII»* [183].

El autor de *Ni Hércules contra tres* ataca a Salafranca diciendo que «es publico, que D. Juan de Sala-Franca toma la limosna de la Missa en la Sacristía, de la Capilla de Nuestra Señora del Buen-Consejo, de donde es Prefecto el R. P. M. Manuel Antonio de Frías», autor criticado, «favorablemente», en el artículo XVI del tomo I del *Diario*.

Ignoramos el momento en que Salafranca abandona, desilusionado, la Corte.

Frente a la opinión de Antonio G. Miramón, que asegura *«constar por documentos de la época»* el retiro de Salafranca a Villel en 1740 —achacado de apoplejía—, creo que, a la vista de los siguientes documentos que se conservan en el Archivo General de Simancas —Gracia y Justicia, leg. 605—, debe retrasarse en varios años su salida de Madrid:

a) Memorial, sin firma ni fecha, en que solicita se le concedan seis meses de permiso, con el correspondiente goce de las rentas, *«por estar enfermo imposibilitado para servir en dcha Rl. Capilla»...*, *«respecto de la grave necesidad de curarse de una enfermedad casi incurable y de no tener más carga en dha Rl. Capilla que la simple asistencia al coro»*, así como *«para... asistir y socorrer a su Madre, gravemente enferma».*

---

[183] GARCÍA BOIZA, Antonio, *Don Diego de Torres Villarroel*, Madrid, Editora Nacional, 1959.

b) Traslado de dicho memorial, por el Marqués de Villerías al confesor de S. M., Hmo. P. Jaime Antonio Fevre: 20-8-1745.

c) Informe favorable del Tte. Capellán Mayor, don Luis Moscoso —26-8-1745— en que afirma «*es muy cierto padece una fatal hipocondría, siendo enteramente entregado a sus estudios y sus medios muy cortos, buen eclesiástico y de mérito para mayores pudiendo servirle de mucho alivio el mudar de aires...*».

d) Concesión de dicho permiso —2-9-1745.

e) Cabildo, presidido por D. Luis Moscoso —3-12-1746: «*el Sr. D. Juan Martínez de Salafranca no concurrió por estar ausente*».

f) Nómina del 4-V-1744: figura en doceavo lugar, tras D. Leopoldo Jerónimo Puig y sin haberes a cobrar, lo que hace suponer que seguía en Villel.

g) Renuncia a su capellanía, con petición de una pensión de 100 ducados para su manutención.

i) Concedida la renuncia y la pensión, D. Manuel Pardo solicita la capellanía vacante por enfermedad de Salafranca, si bien se conceden —30-V-1748— «*por defunción de D. Juan Martínez Salafranca*». El destino jugaría su baza y el muerto antes de tomar posesión de tal capellanía sería D. Manuel Pardo, por lo que se le concederá —18-VII-1748— a D. Agustín Sánchez. Salafranca vivirá todavía hasta 1772.

j) Inexplicablemente, tal vez azuzado por los amigos, se le propone nuevamente para «*otra capellanía con 500 ducados de vellón al año*». Pero no se le nombra.

Otras razones a favor de su más tardía salida de la Corte pudieran ser la aparición del VII tomo del *Diario* —1742— y el fallecimiento —con el consecuente derrumbamiento de toda esperanza de mayor protección real—, del ministro Campillo —11-IV-1743.

En 1748, la Academia de la Historia le envía a Villel su readmisión.

Sólo a mediados de siglo, a través de su correspondencia con Cevallos, se abren algunos puntos luminosos en su largo retiro de la Corte, allá en la solitaria Villel, donde reside, totalmente olvidado, los veintitantos últimos años de su vida:

> «*Es verdad que tuve el atrevimiento de pretender la instruccion de la juventud; pero fue por considerar que los habiles y obligados se estavan mano sobre mano, contentos con los aplausos de sus vulgares empresas.*»

A veces recuerda sañudas persecuciones:

> «*Quando yo comencé el Diario quantas âmenazas, y persecuciones tuve. Pero ahora que falto, quanto suspirar por el.*»

Otras veces comunica curiosos detalles humanos, como el largo retraso con que llega a Villel el correo [184], así como su marcha al campo, debida al gran número de «infectos» «de una especie de pestes» —que durarían, al parecer, hasta febrero de 1750 [185]—. En la misma carta vuelve a lamentar las perdidas fuerzas «*porque en la juventud gastamos las fuerzas, y la paciencia a vulto...*» y añora los tiempos madrileños:

> «*Bien desconocido estava yo en la Corte, y en poco tiempo todos me conocieron; y los mismos enemigos, ô callaron, ô vinieron a reconciliarse.*»

El final de la carta no es menos conmovedor: el Salafranca amante del jardín y del campo, que incluso había hecho experimentos sobre la reanimación vital de las flores, pide a Cevallos que, para la primavera, le mande algunas simientes de orquideas, si las hay buenas en su ciudad.

En marzo de 1750, en sucesivas cartas a Cevallos (8-V-1750: B. N. Ms. 10579, fol. 17 vº; 5-VI-1750: Id. íd., fol. 18; 31-VII-1751: Id. íd., fol. 21...), Salafranca se de-

---

[184] Carta de Salafranca a Cevallos, Villel, 26-IX-1749.
[185] Id., íd., fol. 11.

bate entre volver a Madrid o permanecer en su retiro de Villel, del cual no quiere salir a no ser «con orden de S. M. y buena renta», en cuyo caso podría desde Madrid escribirle más frecuentemente, «especialmente si la renta prestase para un escribiente» [186].

Otras veces ponen de relieve sus gustos personales: como Puig, prefiere entre los predicadores de su época al doctor Gallo, Prefecto de la Congregación del Salvador de Madrid [187]; ha leído las obras de Amont, del que aprecia especialmente el *Arte Crítico,* las de Muratori —«*cuyos escritos tengo en mi librería, menos la colección de los Chronicones e Historias de Italia que vi en la del Rey*»—, las *Cartas* y algunos opúsculos del Cheminée, «que fue también famoso Orador»; no tiene a Bossuet y Mavillon [188].

En cuanto a su ocupación literaria, confiesa que empieza a traducir, por encargo del Rmo. P. Panel, dos tomos de *Sermones Franceses* «*de estilo acomodado à aprovechar al espiritu y no à deleitar con las flores de la eloquencia*» [189].

Curiosa asimismo —y acaso puede oscuramente relacionarse con el lejano odio de Forner al *Diario*— es la que nos dice del doctor Piquer:

«*no tengo amistad ninguna ni jamas me ha escrito, ni le he escrito; pero he hablado bien de el en la Corte, y aun haora le he propuesto â ella en secreto; pero el no sabe esta buena ausencia*» [190].

No menos significativa es su postura aislada e independiente:

«*Tampoco conozco al Marne, ni obra ninguna suia, ni aun quiero conocella.*»

---

[186] Carta de Salafranca a Cevallos, Villel, 25-III-1750.
[187] ID., fol. 15.
[188] Carta de Salafranca a Cevallos, Villel, 8-V-1750.
[189] Carta de Salafranca a Cevallos, Villel, 25-III-1750.
[190] Carta de Salafranca a Cevallos, Villel, 8-V-1750.

«La amistad con Nasarre nunca la he perdido, y jamás la he tenido con Mayans con que no tengo que reconciliar» [191].

A veces da noticias bibliográficas, de Muratori o de la impresión, hecha por suscripción, de la *Bibliotheca* de don Nicolás Antonio [192].
Otras veces se queja amargamente:

«tan desgraciado he sido, aunque soy un ridículo estudiante que un maldito frayle... tomó de mis Memorias eruditas *el fin de un parrafo y el principio de otro, con que formó una proposicion que no la proferiria yo ni aun borracho; y con ella, y otras marchó al Santo Tribunal. Que se consientan tales maldades? Si esto no le ha sucedido, ô cosa semejante a Muratori, no tardarà en sucederle.»*

En carta de 16 de octubre de 1750 se muestra enfermo, incapaz de recordar el autor del *Sygalión* —que cree es del Marqués de Mondéjar o de don Luis de Salazar— y con un *«asma o dificultad de respirar que algunos dias no me ha dejado concluir el rezo, y he tenido que salir a media noche a buscar aire que respirar en la calle...»*, amén de la consecuente depresión de ánimo. Da también noticias indirectas acerca de quién era don Hugo Herrera de Jaspedós, colaborador del *Diario*. En ellas, entre otros documentos, se basa el jesuita P. Uriarte, para afirmar que don Hugo Herrera de Jaspedós era el conocido jesuita P. Luis Losada.
Confiesa también su extraordinaria admiración por Feijoo: *«Para escrivir contra Feijoo, es menester otro Feijoo, y de estos entran mui pocos en libra.»*
En el final, francamente triste, Salafranca ha perdido la fe en regresar a la Corte y en la ayuda real. Se considera un hombre injustamente olvidado y aban-

---

[191] Carta de Salafranca a Cevallos, Villel, 31-VII-1750, fol. 20.
[192] Id., íd.

donado en su retiro, sin más misión que prepararse a bien morir.

La carta siguiente —escrita el 20-X-1751—revela una larga crisis físico-moral. Empieza previniendo a Cevallos para que no trabaje con exceso: «*Si Vm. quiere hazer el valiente como yo, caerá también como yo caì, sin poder levantar.*» Ha abandonado los estudios y no puede entrar siquiera en su biblioteca

> «*porque desde fines del mes pasado estoy enfermo del pecho, de una constipacion, junta con un hartazgo de hablar con dos* Rdos. Jesuitas *que vinieron a verme y a honrarme. Son hombres de Armas: las tomamos y se hablò de lo que no se puede hablar en cartas...*».

Termina pidiéndole obras impresas por la Real Academia Arcádica.

En la siguiente, escrita el 21 de marzo de 1752, a diez años de la muerte del *Diario*, Salafranca se nos muestra ya como un hombre que ha perdido toda la esperanza: «*y todo se reduze a que yo soy un pobre viejo, enfermo, con mucho travajo, y sin renta para mantener un amanuense*».

Siguen algunos consejos literarios, con los que, por desgracia, se corta esta reveladora correspondencia.

Ningún otro dato poseemos, hasta su muerte, salvo la circunstancia de haberse negado, en 1769, en razón de sus achaques y edad, a ocupar una canonjía en Huesca.

Muere, según Latassa y Gascón Guimbao, el 29 de septiembre de 1772, a los setenta y seis años de edad.

En un famoso artículo de la *Revista Contemporánea* (v. nota 181) Gascón Guimbao pone, «traducido al castellano», el epitafio que, según él, hizo colocar en su sepultura (situada en un lateral del altar mayor de la iglesia parroquial de Villel) un apasionado:

«Juan Martinez Salafranca Capellán de S. M. en las Capillas de NªSª del Buen Suceso y de S. Isidro de Madrid, Academico fundador de la Historia, y de las letras mayor ornamento. Canónigo electo de la Catedral de Huesca. De mayor mérito que fortuna, con las costumbres de los verdaderos hombres de ciencia y de piedad insigne. Murió en Villel en 1772 a la edad de 76 años. Los elogios de sus obras serán eternos.» Actualmente no se conserva dicha tumba y se ignora el paradero de sus restos.

CONSIDERACIONES SOBRE ALGUNAS DE SUS OBRAS

No considero oportuno repetir aquí la larga lista de obras inéditas que citan Latassa y Rubio Pérez Caballero, ya perdidas en su mayoría, y me referiré únicamente a algunas de ellas.

En primer lugar, el *Extracto de los Orígenes de Mayans*, publicado en el *Diario de los Literatos*, artículo sobre el que se da amplia referencia en cuanto a su composición en la refutación a la *Conversación* de Mayans. (*Diario de los Literatos*, III-VIII.)

El propio Salafranca se confiesa autor de otra obra de la que hasta ahora no se tiene noticia:

«*Fuera del* Diario, *y de las* Memorias *imprimi también una* Descripción de Nápoles *con el nombre* de Bernave Lepida *y otros muchos papeles de que no quiero acordarme*» [193].

En el manuscrito 9-21-4-3988 de la Biblioteca de la Real Academia de la Historia aparecen las siguientes actuaciones académicas de Salafranca:

Dissertacion acerca del destino que daba la Teologia de los Gentiles a las almas de los Difuntos: «... leída el 7 de Marzo de 1735».

Dissertacion Histórico-geografico [sic] *del Lugar donde los Historiadores Griegos, y Latinos dicen que Alexandro Magno vencio a Dario, ultimo Rey de los Persas...;* leída el 28 de diciembre de 1735.

---

[193] ID., *íd.*, Carta de Salafranca a Cevallos, Villel, 16-X-1750.

Ocupan lugar principal en su bibliografía las *Memorias Eruditas para la Crítica de Artes y Ciencias*, publicadas en 1736 [194].

El tomo I va dedicado al señor don Francisco Miguel Goyenche. En la Dedicatoria el autor se confiesa «*sin titulo en las Escuelas y sin oficio en mi Estado; solitario y sin amigos para el estudio*». El M. R. P. Pedro Fresuela, de la C. de J., Maestro de Matemáticas en el Colegio Imperial de la Villa de Madrid, califica a la obra, en su Aprobación, de «*dulce entretenimiento para la voluntad*» y de compendio de muchos volúmenes.

Más expresivo en sus elogios es el otro aprobante, don Juan de Iriarte, Bibliotecario de S. M., que afirma que esta obra «*no es más que una muestra de la larga preciosa tela, que está texendo muchos años la estudiosa minerva del Author; bien manifiesta la notable utilidad y general importancia de esta especie de escrito*».

En el Prólogo, Salafranca justifica este género enciclopédico, a imitación de los extranjeros en sus *Actas o Memorias*. El género resulta necesario, dada la escasez de libros y las dificultades de su adquisición, especialmente de los libros extranjeros. Manifiesta, además, su deseo de «*ser en algún modo util en la Republica en que ha nacido*».

El tomo II está dedicado a la Real Academia Española, editado en la Imprenta de Juan de Zúñiga, año de 1736 —«*Se hallara en la Libreria de Juan Pérez, frente*

---

[194] MARTÍNEZ SALAFRANCA, Juan, *Memorias eruditas para la crítica de Artes y Ciencias extrahídas de las Actas, Bibliothecas, Observaciones, Ephemerides, Miscelaneas, Historias, Dissertaciones de todas las Academias de la Europa, y de los Authores de mayor fama entre los Eruditos*. Escritas por D. —————, Presbytero, Racionero de San Pedro de Teruel, y Capellan de la Real Capilla de nuestra Señora del Buen Consejo. Dedicadas al Señor Don Francisco Miguel Goyenche, Cavallero del Auto de Sant-Iago, Señor de las Villas de Illana, y Sacada de Trasierra, y Thesorero de la Reyna nuestra Señora. Con licencia, en Madrid, por Antonio Sanz,, año 1736. El tomo II van «Dedicadas a la Real Academia Española».

de San Felipe el Real»—. La licencia es de 14 de mayo y la fe de erratas de 20 de agosto de 1736.

En la contraportada del ejemplar existente en la Biblioteca Nacional (2/65234) hay una nota manuscrita que dice: «*Expurgado conforme al edicto del Santo Oficio de 18 de marzo de 1738.*»

Las aprobaciones son del M. R. P. Antonio de Goyenche, C. de J., y de don Agustín Montiano y Luyando, que se muestra admirador del autor más que su censor, elogiando «las aclamaciones que logró el primer ensayo de esta obra» y, tras declararse enemigo de las polémicas entre escritores en una España que «*aclama lo ajeno y pone reparo a lo propio*» declara francamente su amistad hacia el autor: «*Tal vez el amor que professo al Artífice, tendrá mucha parte en el hechizo que encuentro en la obra.*»

Se conserva asimismo la licencia del tomo III, que fue remitido a la censura de don Juan de Iriarte el 20 de febrero de 1737 [195].

Latassa cita como inéditos los tomos III y IV, añadiendo que este último trata de las «Fuentes maravillosas».

Maffei, en su *Bibliografía mineral hispanoamericana* [196], tras hacer una referencia bibliográfica de los cuatro tomos de las *Memorias eruditas* —III y IV inéditos— hace un despectivo juicio de las mismas:

> «*El recopilador tomó de autores antiguos y de publicaciones de su tiempo, cuantas fábulas y patrañas podían alimentar las preocupaciones y la curiosidad del vulgo. ¡Que diferencia entre el humilde monge de Samos y su contemporaneo el electo canónigo de Huesca!*»

---

[195] A. H. N., Consejo de Privilegios, Licencias y Tasas, leg. 50.634.

[196] MAFFEI, Eugenio, y RUA FIGUEROA, Ramón, *Bibliografía Universal hispanoamericana. Apuntes para una Biblioteca de Libros, folletos y artículos manuscritos relativos al conocimiento y explotación de las riquezas mineras y a las ciencias auxiliares,* Madrid, Imprenta de Modesto Lafuente, 1871, pág. 452.

Vicente Ventura de la Fuente y Valdés ataca también furiosamente a dicha obra en su *Triunvirato de Roma:*

> «*No es menester mas impugnación, que decir abiertamente, son unas nuevas transformaciones de Ovidio, en cuyo espacio imaginario se pasèa la fantasìa, como Dama Duende; y el discurso, Galán Fantasma, ideando un Mundo nuevo, otra mas moderna Filosophia de el Atomismo, otra Chimica singular, y un Theatro en fin de mutaciones, en cuyo ambito ò sala franca, lee la Cathedra Renacentista, à lo vegetable, ò Doctora de invenciones, la Gran* Palingenesia, *pues defiende ser posible la regeneración de las flores, y de otros entes, despues de morir su especie.*»

En su *Apología contra los Diarios de los Literatos de España,* el P. Segura, además de declarar —con mala intención— que al tomo II de dichas *Memorias* le han sido canceladas 8 hojas —págs. 261-276— por Edicto del Santo Tribunal de la Inquisición, publicado en Valencia a 3 de junio de 1738, hace del autor este despectivo juicio:

> «*Es el segundo D. Juan Martinez Salafranca, Aragonés, del que tengo a la vista los dos tomos de* Memorias *eruditas para la Critica de Artes y Ciencias. Título, que excitó la curiosidad à comprar los libros, y se encuentra ser ellos el* huevo de Juanelo. *Contiene relaciones miscelaneas de Autores, donde ay muchas fabulosas...*».

Le acusa también de «*transcrivir, y dar sin orden ni ingenio*» noticias, sacadas de otros autores y de alabar continuamente su insignificante obra en el *Diario de los Literatos.*

Mayans, en carta a Nebot (v. Carta XV, págs. 90-91) afirma que

> «*Salafranca se gloria de haber sido el primero que ha observado, que Josefo no dixo que Thubal po-*

blase España, y que Rufino le traduxo mal; pero Juan Gómez Bravo en las Advertencias à la Historia de Merida, *impresa año 1638 fol. I, pág. 2 dixo que no sabia donde dixese Josefo tal cosa».*

Fueron atacadas asimismo por José Gerardo de Hervás en su *Sátira contra los malos escritores de este siglo,* aunque, como se sabe, rectificó dicho ataque cambiando toda una estrofa, en vista de que la *Sátira* iba a ser publicada en el *Diario.*

Forner las califica de «*cuerpecillos de noticias copiadas tumultuariamente*».

Un desconocido, G. y M. [197], las defiende apasionadamente en la *Miscelánea turolense* diciendo que:

> «*No es fácil comprender como algunos que ponen por las nubes el valor del Diario, dejan rastreando por tierra las Memorias*».

Entre las numerosas obras inéditas, sólo he podido hallar, en la sección de manuscristos de la Biblioteca del Real Seminario de San Carlos (Zaragoza), las siguientes:

1. *Dissertacion Historico-Geográfica sobre las Antiguedades de la Imperial Villa de Madrid* [198].

La obra, llena de erudiciones históricas que en su momento habrá que contrastar con las frecuentes digresiones históricas del *Diario de los Literatos,* viene a ser en realidad un conjunto de tres tratados, ya que, además de las antigüedades de Madrid, se ocupa también de «*antigüedades de Madrid i otros pueblos de la Capitanía o Reyno de Toledo*» y de las «*antigüedades de Madrid, Toledo, Alcalá i otros pueblos de España*».

Interesante por demás sería un estudio estilístico y

---

[197] G. y M., «Bibliografía turolense», en *Miscelanea turolense,* núm. 12, de 25 de diciembre de 1892.

[198] MARTÍNEZ SALAFRANCA, Juan, *Dissertacion Historico-Geografica sobre las Antigüedades de la Imperial Villa de Madrid.* Su autor, D. ————, capellan de Su Magestad en la Real Capilla de San Isidoro. Biblioteca del Real Seminario de San Carlos (Zaragoza), signatura A-4-26.

de fuentes de esta obra, para la posible localización de artículos enteros del *Diario* debidos a la pluma de Salafranca, ya que una mera lectura deja un claro regusto de muchas de las cuestiones largamente debatidas en el mismo [199].

2. *Examen general de las Historias antiguas griegas y latinas, de los Poetas antiguos y latinos, de los Poetas antiguos, y de los Historiadores de las Antiguedades de España* [200].

Es un grueso tomo manuscrito de más de 1.658 páginas con un Proemio, muy del autor, dividido en cinco libros, cuyos capítulos —ya desde su enunciado— recuerdan cuestiones machaconamente repetidas en el *Diario de los Literatos.*

LEOPOLDO JERÓNIMO PUIG

Pocas noticias se tienen del tercero de los diaristas, Leopoldo Jerónimo Puig, autor, según Torres Amat, de

[199] He aquí su significativo índice:
I. Quando començaron la navegación y transmigración de los Griegos.
II. Del principio de la navegación i militares hazañas de los Griegos.
III. Describe el Estado de la Grecia, según Thucydides antes de la Guerra Troyana.
IV. Si Diomedes vino a fundar en España?
V. Si Amphiloco vino a España?
VI. Si Menelao vino a fundar en España?
VII. Si el Príncipe Ochno Bianor vino a fundar Mantua en España?
VIII. Varias opiniones de los Italianos sobre la fundación de Mantua en Lombardía.
IX. Proponense las varias opiniones de los Historiadores antiguos sobre la transmigración i domicilio ó residencia de Mantho, y casamiento con Tyberino...
[200] MARTÍNEZ SALAFRANCA, Juan, *Examen general de las Historias antiguas griegas y latinas, de los Poetas antiguos latinos, de los Poetas antiguos, y de los Historiadores de las Antigüedades de España*. Su autor, D. ———, natural de Teruel. Signatura B-4-10. Dentro se añade: «——— Capellán de S. Magd. en la Real Capilla de San Isidro de Madrid.»

la *Carta al autor del Día Grande de Navarra,* de la *Censura de la Biblioteca Matritense de Iriarte,* de la *Aprobación del Estudiante preguntón* y de un famoso *Soneto* publicado en el *Antiteatro Crítico* de don Salvador Mañer. Sólo vagas referencias de que era catalán, beneficiado de la parroquia de Santa María del Pino, constancia de su profesión de bibliotecario y algunas alusiones a su labor de censor, además de que, según Cejador, «*andaba apandillado con los emulos del P. Feijoo, sobre todo con Salvador Joseph Mañer*», de cuyo *Mercurio Histórico y político* llegaría a ser el tercer director.

Interesantes documentos conservados en el manuscrito 18.662 de la Biblioteca Nacional, manuscritos 9-21-4-3988 de la Biblioteca de la Real Academia de la Historia, Libros de Acuerdos de la Real Academia Española y especialmente el bien ordenado archivo de la Rectoral de San Luis de los Franceses, cuya consulta debo a la extraordinaria amabilidad de su Rector, me permiten trazar una silueta algo más amplia del desconocido diarista.

En contestación a una carta del incansable curioso don José Cevallos, afirma Puig haber nacido no en Navarra, «*sino en la ciudad de Barcelona*» «*en donde nací â 12 de octubre de 1703 y desde la edad de veinte y dos meses, y algunos dias vivo en Madrid, por haver trasladado mis Padres su residencia â esta Corte en seguimiento de nuestro difunto Monarcha el señor Phelipe Quinto. Sacrifico al buen afecto de Vm. esta inutil notizia por llenarme de confusion el vazio que reconozco en los años que he vivido*» [201].

En el Archivo de Personal del Palacio de Oriente [202] no he podido encontrar ningún dato de interés, ya que en una nota se remite a don Juan de Santander —que fue su albacea, según datos de los Libros de Acuerdos de la Real Academia Española—, en cuyo expediente [203] no se

---

[201] MARTÍNEZ SALAFRANCA, Juan, *Cartas literarias.* Carta de Puig a Joseph Cevallos, fechada en Madrid el 6 de enero de 1750, fol 9 v°.
[202] Palacio de Oriente, Archivo de Personal, C.ª 856/25.
[203] Palacio de Oriente, Archivo de Personal. C.ª 975/54.

encuentra nada de importancia, salvo unas listas generales de «Individuos de la Real Biblioteca de S. M.» [204].

En las *Memorias de la Academia de la Historia* [205], figuran juntos, entre los fundadores de tan ilustre Institución, don Juan Martínez Salafranca, Capellán de la Real Capilla de San Isidro, y don Leopoldo Gerónimo Puig, «Capellán de la misma y *Bibliotecario de S. M., autores ambos del Diario de los Literatos de España»*, admitido en 1735.

En el Archivo General de Simancas (Gracia y Justicia, leg. 605) se conserva su nombramiento como Capellán del número tercero de la Real Capilla de San Isidro de Madrid, con fecha 19 de abril de 1742 y su ascenso a la de número segundo, con fecha 29 de diciembre de 1745.

Por carta de Salafranca a Cevallos [206] sabemos que entre el 20 de octubre de 1751 y el 21 de marzo de 1752 sufrió un grave accidente al caerse de su mula en la *«calle de la Nunziatura»* y ser atropellado *«por un coche de suerte que cayó en el suelo, y le pasó una rueda por cima de la cara».*

En las Memorias de la Real Academia Española [207] aparece con los nombres de don Leopoldo Fernando Puig y don Jerónimo Puig, admitido como honorario el 9 de febrero de 1751; de número en 23 de mayo de 1756, fallecido el 14 de julio de 1763, ocupando la silla M_3.

En el Libro de Acuerdos de la Academia Española, consta el ingreso de don Leopoldo Gerónimo Puig *«Presbytero y Capellan de S.Mg. en su Real Capilla de San Isidro de Madrid»* como supernumerario, en acuerdo to-

---

[204] Una, de 26 de junio de 1770, en que se citan los Bibliotecarios nombrados por establecimiento de S. M. el 11 de Noviembre de 1761: D. Leopoldo Geronimo Puig figura en uno de los ejemplares de dicha lista y en el otro no. Figura asimismo en otra lista de 1762, siendo Bibliotecario Mayor D. Juan de Santander, a la cola de la lista, tras D. Joseph (Fernández) Gutierrez, D. Juan de Iriarte, y D. Manuel Martinez Pingarrión.

[205] *Memorias de la Academia de la Historia,* tomo I, VII-VIII.

[206] Carta de Salafranca a Cevallos, fechada en Villel el 21-III-1750.

[207] *Memorias de la Real Academia Española,* año I, tomo I.

mado el 27 de julio de 1751. Tomó posesión de dicho cargo el 10 de agosto del mismo año y leyó su oración de acción de gracias [208].

En la junta del 8 de febrero de 1752 alza su voz para pedir se autorice para la confección del Suplemento al Diccionario, además del *Diccionario de Nebrixa* y *Covarrubias* hasta entonces únicamente autorizados, las voces castellanas contenidas en el *Diccionario de Rodrigo Santaella*.

La Academia, teniendo presente el autor y la antigüedad del mismo, y lo avanzado que va el Suplemento, decide admitir los voces del Santaella, así como las del *Diccionario de Alonso de Palencia*, moderando así «el rigor de las reglas» dadas en un principio [209].

El 8 de marzo del mismo año aparece como Censor por la Academia, en compañía de don Fernando Magallón, dando su aprobación para que puedan poner el título de Académicos los autores de la traducción castellana de la tragedia francesa «intitulada el Britanico».

El «6 de mayo» [210] de 1757 se le encarga la compra en las Librerías o Puestos de tomos sueltos del *Diccionario*, especialmente de los tomos 1.º, 2.º y 3.º que faltan para completar muchos juegos.

El 14 de junio notifica haber comprado un tomo del *Diccionario* y se ordena al tesorero satisfaga su importe, 27 reales de vellón.

El 2 de abril de 1754 es elegido Contador con la siguiente aclaración: «*Murió en 14 de julio de 1763. El 19 del misma mes y año se suspendió la provision de este cargo, habilitando como interino à don Iuan Trigueros, que lo desempeñó así hasta el 10 de agosto de 1775, en que fue electo secretario*» [211].

Su asistencia, en contraste con la del otro diarista,

---

[208] Libros de Acuerdos de la Real Academia Española, libro 8.
[209] Libros de Acuerdos de la Real Academia Española, libro 8.
[210] Acaso sea error, tal vez deba decir 6 de junio, dado que van anteriormente las actas del resto del mes incluso la del 31 de mayo.
[211] Libros de Acuerdos de la Real Academia Española, libro 9, Junta del 2 de abril de 1754.

es permanente, salvo raros casos de «indisposición»: 31 julio a 25 agosto de 1754. A veces llega a extremos casi pintorescos, como la junta del jueves 15 de mayo de 1755, que no pudo celebrarse por ser insuficiente el número de Académicos: Iriarte, Puig, Trigueros y Fernando Agulló solamente.

El 3 de diciembre de 1754 se le nombra censor, con otros dos, del discurso de don Tiburcio Aguirre —leído ese mismo día— sobre la Pintura, la Escultura y la Arquitectura, que fue aprobado en la junta del 10 de diciembre.

El 18 de diciembre de 1755 figura, con otros, como censor para el elogio de don Joseph de Carbajal compuesto por don Joseph de Roda.

El 23 de mayo de 1756 es elegido Académico de número.

El 2 de diciembre de 1756 se le emplaza a pronunciar su correspondiente discurso, ya que debido a su tardanza se habían interrumpido los discursos mensuales desde marzo de 1754 en que leyó su discurso mensual don Juan de Chindurra. Se le deja a elegir un tema libre o un tema de sintaxis.

El discurso, que versó sobre *el uso del artículo en castellano*, no se leyó, por enfermedad de Puig, hasta el 27 de septiembre de 1757.

El 10 de marzo de 1756 en la distribución del *Diccionario* para su corrección le correspondieron las páginas 361-420 y se le entregaron 162 cédulas.

El 5 de junio [212], dado que en el primer semestre del 57 sólo ha asistido a cuatro juntas, se le advierte para que asista en el futuro y remita cuentas de don Ignacio de Luzán.

El 7 de julio pide permiso para faltar a más juntas por estar todavía enfermo y convaleciente. Remite las cuentas a Luzán.

En diversas sesiones, desde el 23 de octubre de 1760

---

[212] Debería decir: julio.

al 2 de abril de 1761, dio lectura a sus cédulas de corrección al *Diccionario* [213].

El 13 de enero de 1761 regaló a la Academia dos medallas, una en oro y otra en plata, hechas de Orden del Emperador para celebrar el matrimonio de su hijo Felipe con la princesa doña Isabel. Se le dieron las gracias y se ordenó guardarlas en la Secretaría de la Academia.

En 1762 falta bastante a las juntas, especialmente en los meses de junio, julio y septiembre.

En 1763 asiste casi con regularidad, menos el mes de abril y junio [214]. El 7 de julio asiste por última vez; el 14 —día de su fallecimiento— se acuerda en la Academia se digan por él las 50 Misas de costumbre.

El 19 se declara como sucesor en la vacante al señor Marqués de Medinasidonia y se encarga a don Juan de Santander «*como testamentario del Sr. Puig*» entregue a la Academia las «*Cuentas, Libros, Papeles y Cédulas de voces pertenecientes a la Academia*».

El 30 de agosto se recibe en la Academia un papel de don Juan de Santander y los papeles pertenecientes a Puig.

Ocupó en la Academia la silla M_3.

Figura en el *Catálogo de Autoridades* con una sola obra, «*el Diario de los Literatos*».

En la lista de Rectores de San Luis de los Franceses [215] figura Leopoldo Gerónimo Puig como «intérimaire, puis en 1741 titulaire» ejerciendo tal cargo desde 1739 a 1761, sucesor de Charles Gibon (1739) y seguido por Jean-Louis Monserié, 1761-1770. Tal fecha es errónea, si no cesó en su cargo antes de la muerte, ya que don Leopoldo no muere el 20 de julio de 1761— como quiere el historiador de San Luis de los Franceses, el abad Frédéric Humphry [216]—,

---

[213] Libros de Acuerdos de la Real Academia Española, libro 10.

[214] Libros de Acuerdos de la Real Academia Española, libro 11.

[215] Rectoral de San Luis de los Franceses: *Saint-Louis-des-Français. Liste des Recteurs de Saint-Louis depuis sa fondation*.

[216] HUMPHRY, Frédéric, *Histoire de Saint-Louis-des-Français*. A Madrid, par l'Abbé ————, Directeur de Saint-Louis-des-

sino el 14 de julio de 1763, como nos consta, entre otros documentos que luego citaré, por el Libro de Difuntos, conservado todavía en el archivo —extraordinariamente ordenado y con un libro índice ejemplar—, de San Luis de los Franceses [217]. Dicha acta de defunción nos da toda clase de detalles, incluso sobre el lugar de su enterramiento:

> *«En 14 de julio murió Don Leopoldo Jeronimo Puig, Presbitero y administrador del Real Hospital de S. Luis de la nación francesa de esta Corte, Bibliotecario y Academico de la Real Academia de S. M. y yo el infrascrito, en virtud de la licencia que el Señor Juez de la Real Capilla me dio, le di sepultura en la Iglesia de este Hospital el día 15 en secreto bajo de la segunda grada del Altar Mayor, en medio de lo que hace dicho altar Mayor.»*

Había sucedido, según el abate Humphry, a Antoine Lenzano el 14 de febrero de 1739, aunque sólo dirigía los negocios a título de Rector interino.

El 29 de abril de 1739 vino a tomar posesión de su cargo de Administrador el Rector Charles Gibon, que, abatido por la nostalgia, obtuvo permiso para volver a su tierra. Entonces fue nombrado Leopoldo Puig Rector titular.

En los diversos documentos conservados está viva aún la figura de don Leopoldo Gerónimo Puig —posiblemente todavía enterrado bajo el Altar Mayor de San Luis de los Franceses.

Allí se conserva su palpitante huella, desde un curioso *«Libro de Gastos diarios, de San Luis Rey de Francia»* —que abarca desde el 1.º de enero de 1746 al 30 de septiembre de 1753— en que aparece su firma de administrador al final de cada mes, hasta la curiosa acta notarial de bendición de la nueva iglesia del hospital de San Luis de

---

-Français, Aumônier honoraire de S. M. l'Empereur, Chamoine honoraire de Tulle, Bordeaux, Durand, 1854.

[217] Rectoral de San Luis de los Franceses, Archivo, libro de Difuntos F-4.

los Franceses, levantada el 24 de agosto de 1743 por el notario, público y apostólico, Manuel Fernández de Roxas. Acta que con el detalle de una película nos presenta a don Leopoldo en la ceremonia de bendecir la nueva iglesia con «*la entrada principal por la calle de Jacometrezo*», indicando minuciosamente el recorrido seguido en la bendición —iniciado en la antigua iglesia de la calle Tres Cruces—, así como en el oficio de la Santa Misa también celebrada por Puig.

De extraordinario interés para los estudios madrileños pueden ser asimismo los documentos conservados en torno a la construcción de la nueva iglesia: licencia de la Villa para su construcción, documento con descripción detallada —incluso un plano a lápiz seguramente hecho por un lector del mismo—, documento sobre el coste y demás requisitos económicos...

OBRAS

Para forjarnos una idea clara de sus gustos literarios y de su labor de escritor no es suficiente el escaso número de sus obras publicadas, por lo que tengo que recurrir a su labor como censor, así como al abundante epistolario, conservado en gran parte.

Como censor —nombrado por el Consejo el 19 de julio de 1756 [218]— suele ser bastante implacable, especialmente cuando se trata de traducciones del francés al castellano, sección que con preferencia se le encarga.

De la *Gramática española y francesa* de don Pedro Contautt, a pesar de aprobar su edición, hace este duro juicio:

> «*Solo sí he advertido en ella un lenguaje muy viciado en la traducción castellana, particularmente, que hace de sus cartas escritas en francés, para exercitar en este idioma a sus discipulos y enriquecerlos de frases de esta lengua. Pero si se atiende*

---

[218] A. H. N., Consejo de Impresiones, leg. 5.528, fol. 17.

al vicio ordinario de las traducciones que cada día se publican, puede merezer el Autor alguna indulgencia. V. A. podra si gustase darle la licencia que pide para imprimirla.—Madrid 8-I-1761» [219].

Su aversión a don Diego de Torres Villarroel —de la que se encuentra prueba en 1760 con motivo de «una censura de varios» a su tratado sobre un eclipse— queda manifiesta en la censura del *Pronostico y Diario de quartos de luna para el año que biene de 1762 intitulado el Campillo de Manuela,* firmada en Madrid el 18 de septiembre de 1761 [220].

Su disconformidad con los astrólogos vuelve a manifestarse en la censura del *Pronostico y Diario de quarto de Luna para el año que viene intitulado Los Saludadores,* original del doctor don Isidoro Ortiz Gallardo, firmada el 18 de septiembre de 1761 [221].

Entre otras censuras suyas de menor interés figuran también la censura de la obra de Pedro Antonio de Zenzano y Sotomayor, traducción del francés del Reverendo Pedro Francisco Lapitán, obispo de Listeron, ti-

---

[219] A. H. N., Consejo de Privilegios, Licencias y Tasas de libros, leg. 50.657.

[220] «En este Piscator de Don Diego de Torres se reconoce el mismo ingenio, el mismo humor libre y desenfadado que en los otros que ha producido en tantos años de exercicio en la vana profesion de adivinar aplaudido de la necia credulidad del Vulgo, y celebrado de la inutil aprobación de ociosos y ignorantes. Casi tiene ya legitimo titulo para imprimir este por la regla de no contener cosa alguna contra nuestra Santa fe y Regalias de S. M. pero suplico a V. A. le mande enmendar en el parrafo de las fiestas moviles el enorme error de poner el dia de Corpus en 6 de junio, que es Domingo de la Santisima Trinidad, debiendo poner en once. Tambien me parece se le debe mandar substituir otro refran y otra copla en lugar de la que pone en la lunacion del 21 de enero, por ser el refran indecoroso al estado eclesiastico y la copla indecente y de mal exemplo». A.H.N., Consejo de Privilegias, Licencias y Tasas de libros, leg. 50.657.)

[221] «... su autor es ingenuo, pues no es Astrologo caprichudo que porfia en que los lectores le crean lo que el conoce que ignora. Divierte a los ociosos, y no atemoriza a los credulos...» (A. H. N., Consejo de Privilegios, Licencias y Tasas de libros, leg. 50.657.)

tulada *Retiro de algunos días para una persona de mundo,* firmada en Madrid el 8 de junio de 1761 [222]; la del *Diccionario General de los dos idiomas francesa y española,* de Nicolás González de Mendoza, firmada en Madrid el 3 de mayo de 1762 [223]; la del *Observador Holandés,* de Mariano Novada, firmada en Madrid el 13 de marzo de 1762 [224]; la del libro *Conducta theologica politica legal del abogado,* de Francisco Manuel de Soldevilla, firmada en Madrid el 27 de agosto de 1762 [225], última censura suya que he podido encontrar.

Nombrados por Curiel para dictaminar si se pueden imprimir por Antonio Sanz 16 papeles de Manuel Martín, fallecen sin dejar dictamen, dos de los tres censores, don Miguel Pérez Pastor y don Leopoldo Puig, «ambos de las Reales Academias de la lengua y de la historia» [226].

Entre su abundante correspondencia figura la conocida carta que le dirige el capellán Vicente Amil y Feijoo —firmada en Cádiz en 16 de abril de 1759— en la que además de indicarle que le remite el importe de dos cajones de libros que le había vendido se hace alusión al cansancio de Puig por su «*fatiga de confesionario de Cuaresma, que la contemplo muy grande*», así como al envío de el Martene que «*me ha gustado mucho y es obra digna de este grande hombre*», además de un comentario sobre la oratoria sagrada, tema muy del agrado de Puig:

«*El otro papelete u obrilla de la locura y sabiduria en el púlpito de las monjas, da razón de ella el Fray Gerundio, y yo pienso que su Autor es el padre Panel, jesuita. Lo que me parece mas bien que todo, es la respuesta de la Priora, con el dictamen que expone de la conversa*» [227].

---

[222] A. H. N. Consejo de Privilegios, Licencias y Tasas de libros, leg. 50.657.
[223] A. H. N., Consejo de Privilegios, Licencias y Tasas de libros, leg. 50.658.
[224] A. H. N. Id., íd.
[225] A. H. N. Id., íd.
[226] A. H. N., Consejo de Impresiones, leg. 5.529.
[227] AMIL Y FEIJOO, Vicente, Carta de ———— a D. Leopoldo Jerónimo Puig. *Colección de Cartas de Españoles ilustres, anti-*

Entre las cartas conservadas en el manuscrito 18.662 [228] de la Biblioteca Nacional hay una de don Jayme de Ubach por la que tenemos referencias de que mantuvo sin éxito un litigio contra el Consejo de Crosas en 1744. En carta a don Joseph Cevallos, escrita en respuesta a su típica consulta sobre un sermón, predicado en la Quaresma de 1749, tras quejarse de su quebrantada salud y confesar su falta de dotes oratorias, entra de lleno en la palpitante cuestión de la oratoria sagrada —temática que le ocupará incluso la carta siguiente— con gran cantidad de citas eruditas y un expresivo párrafo pesimista, de cuyo estilo parece haber abundantes resonancias en el propio *Diario:*

> «*Nada deseo tanto como el ver que la palabra divina, se predique con la magestad, energia, y decencia que mereze, ni ai cosa que mas convenga para adelantamiento de nuestros proximos en la perfeccion christiana, pero a vista de como se predica comunmente, estoy persuadido que los abusos que en esto se cometen son efectos de la colera divina que nos castiga âtrozmente permitiendo que los Ministros de su santa palabra se desvien de la verdad por donde devian caminar para predicar con fruto*» [229].

La carta siguiente [230] está íntegramente dedicada a la oratoria sagrada, y en ella, además de indicar su predilección por el P. Nicolás Gallo —orador al que siente no poder haber oído predicar en el convento de Loeches—, se habla de las recién publicadas obras del P. Juan Atavillón, así como un libro del P. Antonio Codorníu, que

---

guos y modernos, carta LXXVIII, B. A. E., vol. 62, Madrid, 1870, páginas 201-202.

[228] UBACH, Jaime, Carta de D. ——————— a D. Leopoldo Jeronimo Puig, fechada en Barcelona el 2 de mayo de 1744. B. N., Ms. 18662-12.

[229] MARTÍNEZ SALAFRANCA, Juan, Cartas literarias. Carta de D. Leopoldo Jeronimo Puig a D. Joseph Cevallos: 21-X-1749.

[230] Id., Carta de D. Leopoldo Jerónimo Puig a D. Joseph Cevallos: Madrid, 25-XI-1749, fol. 6-8.

cree se titule *El Orador Cristiano*, que ha leído «con mucho gusto».

Cuando Cevallos recurre al P. Codorníu, residente en Gerona, en petición de tal libro, éste le contesta:

> «*Siento que mi buen amigo Don Leopoldo haya tenido el mal gusto de proponer a Vm. un libro, que me pesa haver dado a luz; no por la doctrina, sino porque en linea de obra no es más que un mero embrion... Sin duda que dicho Cavallero consultó esta vez con su Cariño, sin acordarse de que fue Diarista...*»[231].

En el ya citado manuscrito de la Biblioteca Nacional, Ms. 18.662, entre otros documentos —como un sermón de don Fernando de la Cerda[232] o el libro de los derechos que los comediantes han de pagar a los hospitales[233]— se conserva una carta suya, escrita en francés, dirigida al P. Luis Botterel, Preste et Secrétaire de l'Oratoire, rue St. Honoré —París—, fechada en Madrid a 6 de julio de 1739, en que Puig agradece los honores que se le hacen y promete poner todo su celo en el cuidado del Hospital, al mismo tiempo que pide permiso para atenderlo mejor, con lo que podrá hacer mayores favores a la congregación y al P. Gibon.

Se conservan también[234] algunas cartas intercambiadas entre Puig y el P. Gibon y otras personas, entre las que destaca una del P. Gibon de 17-VIII-1740 dirigida al «Reverend Père Leopold Jerôme Puig, Prêtre de l'Oratoire et administrateur de l'hôpital de St. Louis des François» y otra de don Leopoldo, firmada en Madrid el 26 de abril de 1745, en la que se hace alusión a la muerte de su madre —acaecida el 15 de junio de 1742— y de su gran amigo don Joseph Herbas.

Además de otras interesantes noticias de su gestión

---

[231] *Id.* Carta del P. Antonio Codorniú a D. Joseph Cevallos, fechada en Gerona el 23-I-1750, fol. 10.
[232] B. N., Ms. 18662-14.
[233] B. N., Ms. 18662-9.
[234] B. N., Ms. 18662-7.

como administrador del Hospital, hay en la misma referencias a don Joseph Bermúdez —«que ya lleva dos años en Valladolid»—, a don Juan de Iriarte, a don Vicente el de Pamplona, a don Blas Antonio Nassarre, a quien aprecia mucho; al P. General y al P. Botterel y otros religiosos, sin olvidar tampoco a la Thomasa que «se acuerda mucho de V. R.» y que, «*proclamada con un honrado labrador, se casa la próxima semana*». No faltan tampoco alusiones a la inauguración de la nueva Iglesia del Hospital de San Luis de los Franceses, celebrada con solemne procesión, el 24 de agosto de 1743, ni la noticia del incendio de un almacén de maderas —producido a las tres de la mañana del domingo, 1 de julio de 1742— «*que había en la calle Valverde a espaldas de la casa tahona que tiene este Hospital en la calle del Barco*». Interesante asimismo, para mejor conocimiento del carácter de Puig, es el dato de que la reparación del Hospital «*de cimiento a tejado*» ha sido llevada a cabo con su «*industria*» y «*con los bienes que heredé de mi difunta madre*», así como la declaración expresa de que siente repugnancia por las donaciones.

Muy interesante y conocida es asimismo la famosa *Carta de Don Leopoldo Jeronimo Puig... a un Navarro Amigo suyo, residente, y vecino de la ciudad de Pamplona* [235].

Es una carta en defensa de la obra del P. Isla titulada *Triunfo del Amor y de la Libertad. Dia grande de Navarra, en la festiva, pronta, gloriosa aclamación del Serenissimo Catholico Rey Don Fernando.*

A pesar de que Puig sostiene que el escrito del P. Isla es un elogio al monarca, hay quienes opinan lo contrario, como Alcalá Galiano, que sostiene que el «*Dia grande de Navarra es una bufonada muy leida admirada y de-*

---

[235] Puig, Leopoldo Jerónimo de, Carta de D. ————, Capellán del Rey en su Real Capilla de San Isidro de Madrid, administrador del hospital real de Franceses y antiguo diarista de España, a un navarro amigo suyo, residente y vecino de la ciudad de Pamplona. B. A. E., tomo XV: *Obras escogidas del P. José Francisco de Isla*, págs. 21-26. Existe también un ejemplar independiente, B. N., V/C^a 2517-75.

cantada sobre todo entre los navarros. Es dudoso si su
autor quiso hacer de los navarros burla o elogio» [236].

En las obras del P. Isla figura el *Día grande de Na-*
varra con una introducción titulada «Dos palabritas del
Impresor, y leanse», en las que se destaca el interés
general despertado por dicho papel en *«todas las pro-*
vincias y rincones de España» y las razones que tuvo
para entrecruzar con él la carta *«del erudito, sabio y*
juiciosísimo crítico Don Leopoldo Geronimo Puig, bien
conocido entre los literatos de España, con el motivo de
la deshecha borrasca que se levantó contra este papel
en la ciudad de Pamplona, y por recudimiento en mu-
chos pueblos de Navarra», así como *«otra carta que en*
acción de gracias embio el autor del papel al mismo Don
Leopoldo. En esta segunda carta se halla inserto un me-
morial que el autor presentó a la diputación de este
Reino, tan nervioso, tan elocuente, y tan enerjico, que
segun me han asegurado sugetos que tienen voto, vale
este memorial tanto ò mas que el mismo papel».

Suponiendo el impresor que el P. Isla no guste de la
publicación de esa carta a don Leopoldo y del memorial,
dice que ha de tener paciencia, *«porque si à D. Leopoldo*
le pusieron de molde su primera carta sin consultarle
su gusto, ¿qué razón habrá para que D. Leopoldo con-
sulte el del Reverendisimo para hacer que se estampe en
respuesta? Y mas cuando el derecho de represalia es
permitido en toda buena guerra...».

En la carta de don Leopoldo se ataca las hablillas
y murmuraciones contra el P. Isla.

En la de acción de gracias del P. Isla se le trata de
«buen amigo mio» y *«mejor crítico»* que, como tal, *«hizo*
justicia á la obra, vindicándola de la injusta nota de
satírica con que la calificaron los que oyen las voces
sin entender los significados».

Se añade que su autorizado voto ha tenido gran parte

---

[236] ALCALÁ GALIANO, Antonio, *Historia de la literatura espa-*
ñola, francesa, inglesa e italiana en el siglo XVIII. Lecciones
pronunciadas en el Ateneo de Madrid, Imprenta de la Sociedad
Literaria y Tipográfica, Madrid, 1845, pág. 118.

«*para que estos señores —de la Diputacion de Navarra— se confirmasen en su primer dictamen*».

Obra suya, que habitualmente no se cita, es la titulada *Noticias de la vida de San Luis Rey de Francia, Puestas en forma de Novena* [237]. Lleva una aprobación del P.D. Nicolás Gallo, Presbítero del Oratorio del Salvador del Mundo, fechada en Madrid, a 13 de agosto de 1744, y la censura de don Juan de Arabaca, Presbítero de esta Corte, fechada en Madrid el 14 de agosto de 1744 [238].

No pasa de ser uno de tantos manuales de devoción, de aquellos contra los que el *Diario* y el mismo Puig habían desatado más de una vez su propia crítica. En los manuscritos conservados consta, asimismo, que el autor la escribió con cierta desgana.

Entre dichos manuscritos aparece también un borrador titulado *Las fatigas de la fama y noticias de Europa*, que ignoro si es de alguno de los Diaristas, acaso del propio Puig [239].

Según Morel-Fatio, tuvo también Puig proyectada una Historia del gran Duque de Alba. Historia que el Duque de Huéscar había encargado en primer término a Mayans, el cual había trabajado varios años en la misma. En 1746, el Duque de Huéscar, embajador en Francia, abandona a Mayans y la encarga de repente a Leopoldo Jerónimo Puig, según consta en una carta en la que éste da cuenta de sus actividades sobre dicha temática [240]. El Duque acabaría, finalmente, encargando la obra a un

---

[237] (PUIG, Leopoldo Jerónimo de): *Noticias de la vida de San Luis Rey de Francia, puestas en forma de Novena, con reflexiones correspondientes à sus virtudes, de orden de su Alteza la Señora Doña Luisa Isabèl, Primogenita de Francia.* Por el Administrador del Real Hospital de la Nación Francesa. Con licencia, en Madrid, por Juan de Zúñiga. El Manuscrito de la obra se conserva: B. N., Ms. 18662-21.

[238] Entre los papeles de Puig (B. N., Ms. 18662) se conservan ambos manuscritos.

[239] B. N., Ms. 18662-23.

[240] MOREL FATIO, A., *Un érudit espagnol au XVIIIᵉ siècle*, *op. cit.* La carta de Puig va fechada en Madrid el 19-XII-1746 (Documentos de la Casa de Alba, pág. 515).

tercer autor, don Joseph Vicente Rustand, que la publicaría en 1751.

Habrá que someter a revisión la obra del autor, que en general parece venir a confirmar, en parte, aquel juicio negativo del P. Segura:

«Al tercero D. Leopoldo Geronimo Puig, (aliàs Puche), Catalan, conozco por la aprobación que ay suya... en el Tomo II de los Discursos espirituales del P. Juan Croiset, impreso en el año 1731... No quiero decir que los Beneficios simples excluyan la erudición, sino que por aquel Titulo no puedo hacer concepto de las letras de este Diarista. Ha sido examinado por sugeto habilissimo, que ha conferido con èl en la Libreria Real muchas vezes; y por otro en casa de Erudito, donde ha concurrido largo tiempo. Ambos informan ser este Jornalista de inferior literatura en todo à los primeros y segundo. Personas son los informantes de perspicacia, y gran comprehension, de qualidad en lo veridico, que no cabe la presumpcion, me hayan querido engañar. Y nada mas es necesario para que este Jornalista quede tambien excluido de Censor, y de Complice en el Diario»[241].

[241] SEGURA, P. Jacinto, Apología contra el Diario de los Literatos, pág. 23 y ss.

VI

EL PROBLEMA DE LOS COLABORADORES: COLABORADORES DECLARADOS Y COLABORACIONES EN RESERVA

Raro es el impugnador que no achaca varios ayudantes a los diaristas. Extraña resulta asimismo la constancia con que los diaristas se defienden de tal acusación, llegando incluso Salafranca a jurar por la verdad de los Evangelios que no reciben ayuda ajena. La espinosa cuestión necesita ante todo, para su resolución científica, detalladas monografías de fuentes del *Diario* y hondos estudios estilísticos de la obra de cada uno de los diaristas que nos permitan determinar lo que corresponde a cada uno de los autores del mismo, especialmente a Salafranca, a quien, sin duda, pertenecen la mayor parte de los artículos.

No niega el propio Salafranca que puedan tener alguna comunicación con sus amistades, pues *«no han hecho voto de vivir sin comunicación alguna como el Mar Caspio»*; pero insiste en no haber tenido ayudas ajenas en la elaboración del *Diario*.

En primer lugar hay que suponer que la colaboración de Huerta y Vega y de Puig ha sido mayor de la que habitualmente se les concede. Los datos de su biografía parecen inclinar la balanza para atribuirles ciertas temáticas, relacionadas con su peculiar especialización y sus publicaciones, además de su modo personal de escribir. Pero sólo un estudio previo de fuentes puede

librarnos de conclusiones resbaladizas, especialmente teniendo en cuenta que en algunos casos, como en el *Extracto de la Conversación* de Mayans, parece que los
tres diaristas trabajaron en equipo y todos aportaron
materiales que sufrieron —posiblemente— una refundi-
ción en manos de Salafranca.

Desde luego hay que empezar negando la colaboración de Mayans —enemigo de Salafranca ya antes de
salir el *Diario*.

Otros muchos colaboradores han sido asimismo atri-
buidos al *Diario*, ya citándolos por su nombre, ya englo-
bándoles bajo la denominación común de «*Diaristas
ocultos*».

El propio Mayans y Siscar sostiene que las críticas
a Sotelo las hizo «*un tal Cobos que es harto inteligente*»[242].

La misma sátira de Jorge Pitillas ha sido atribuida
a muy diversos autores, reinando antiguamente una notable confusión en torno a José Gerardo de Hervás y
Hugo Herrera de Jaspedós.

Opinión muy extendida —Cejador y Frauca, Alberto
de la Barrera, Gallardo, Menéndez Pelayo, Eugenio Hart-
zenbuch... y otros muchos— es que fue fundamental
colaborador y alma del *Diario* don Juan de Iriarte. Para
Cotarelo y Mori[243] no hay duda ninguna.

1. Don Hugo Herrera de Jaspedós

En orden cronológico es el primer *colaborador con-
fesado* por los diaristas, y aparece precisamente en el
momento álgido y de iniciación de la decadencia del
Diario, en el artículo I del tomo V, como una especie de
contrapartida al prólogo y como una demostración de
que los diaristas también tienen sus amigos y defensores.

No resulta extraño este enfrentamiento de ambos ban-

---

[242] Mayans y Siscar, Gregorio, *Colección de Cartas eruditas,*
carta XIV, pág. 86.
[243] Cotarelo y Mori, Emilio, *Iriarte y su época.* Imprenta
de la Real Casa, Madrid, 1897, págs. 5 y ss.

dos rivales, especialmente si, como quiere el P. Uriarte [244], don Hugo Herrera de Jaspedós es el jesuita P. Luis Losada, hombre de indudable talento satírico, implicado en la cuestión de la nobleza de linaje de Santo Domingo de Guzmán, a través de su famosa «Carta al cura de Morille», a quien el mismo P. Segura había levantado el embozo del seudónimo.

La carta de don Hugo Herrera de Jaspedós a los autores del *Diario* va precedida de una breve nota de los diaristas en que explican cómo cumplen su promesa de publicar cualquier manuscrito que se les remita.

Tras indicar que no hay rincón de la Península —«*y aun creo que allende*»— que no haya alborotado el *Diario*, el autor pasa a una aparente defensa de los malos escritores, que raya a la altura de la conocida sátira de Jorge Pitillas.

Una de las más graciosas «*defensas*» es la del poetastro don Pedro Nolasco de Ozejo, en que el autor dejó ir toda su chispa y toda su crueldad satírica contra un digno representante de la poesía postgongorina.

En el artículo XV del tomo VII vuelve don Hugo Herrera de Jaspedós con otra nueva carta, que los diaristas publican precedida de alabanzas a aquel estilo satírico-jocoso que tan lealmente habían defendido en el prólogo del tomo VI. Hasta qué punto Salafranca gustaba de la prosa de este colaborador, lo deja ver bien claro en su carta a José Cevallos, fechada en Villel el 16 de octubre de 1750: «*Ya havrá reparado Vm. que descubre el misterio que observé en el Diario para que permaneciera oculto nuestro famoso correspondiente D. Hugo de Herrera, cuya crítica por su gran delicadeza y por la festividad de las cartas en que supo disfrazar sana apostura, y bien seguida ironía, se hizo preciso que la conservaramos oculta por entonces para que la envidia, y la ignorancia no tubiesen objeto en que cevarse: fuera de que Don Hugo, no quiso tampoco exponer su*

---

[244] URIARTE, P. José Eugenio, «¿Quién era D. Hugo Herrera de Jaspedós?», revista *Razón y Fe*, I, 1901, págs. 316-326.

persona a los insultos que nosotros padeciamos, ni era justo hacerlo, en atención a su caracter, è instituto.»

Carta de Salafranca en que —juntamente con otros documentos— basa su argumentación a favor del P. Luis Losada el erudito jesuita P. Uriarte, que en su entusiasmo considera ambas colaboraciones

> *«comparables en su género con la valiente* Satira contra los malos escritores..., *y tan dignas como ella, si ya no más, a nuestro juicio, de que se hiciera una información exacta y detenida averiguación de su legítima procedencia».*

Ni el estilo de dichas cartas, ni las entrañables relaciones de Salafranca con la Compañía de Jesús —había estudiado con los jesuitas y era capellán de la Capilla del Buen Consejo— parece oponerse a que el autor de la célebre «Carta al cura de Morille» fuese el mismo don Hugo Herrera de Jaspedós.

2. R. P. Fr. Jacinto Loaysa

El segundo colaborador declarado de los diaristas aparece en el tomo VII, artículo II.

Es el R. P. Fr. Jacinto Loaysa —ignoro si es seudónimo o se trata de un personaje real—, que dedica su larga carta, toda llena de mala fe, a demostrar que el *Compendio Chronologico de Mañer* está tomado al pie de la letra de una obra francesa publicada en 1713.

Los diaristas, por su parte, arriman también el hombro para añadir algunos plagios que se le habían escapado al P. Loaysa.

Toda la colaboración es un violento ataque personal contra Mañer en el tono, cada vez más acre, de los últimos tomos del *Diario.*

3. Don Francisco Fernández Navarrete

Siguiendo la campaña de defensores y amigos del *Diario* —iniciada ya en el tomo V— incluyen también en este VII tomo —al que los diaristas asoman ya sin rebozo a varios colaboradores— una carta del conocido doctor don Francisco Fernández Navarrete. La carta, bajo un aparente y continuado panegírico del *Diario* (cuya labor de purga crítica se considera trascendente para el bien de la nación y la instrucción de la juventud, así como fundamental como lección para los siglos futuros), pone a los diaristas en el grave aprieto de declarar en público el código o decálogo por el que se rigen en sus juicios contra los escritores.

Termina aconsejándoles no se desanimen en su importante labor y dediquen a los buenos autores el tiempo y el espacio que no merece la pena pierdan con los malos.

En su contestación, los diaristas, que empiezan por reconocer su creciente «hypocondria» en los últimos tomos —notablemente aumentada a partir del tomo V—, lejos de retractarse, se ratifican en el tópico de los malos escritores del siglo, extendiendo su pésima visión crítica incluso a muchos de los clásicos. Es una feroz visión negativa del siglo XVIII, que sólo tiene paralelo en la ya citada novela satírico-picaresca *D. Guindo de la Ojarasca* o en la *Sátira contra los malos escritores de este siglo*, de Jorge Pitillas.

4. Don José Gerardo de Hervás, «Jorge Pitillas»

Sigue en el orden de colaboradores la conocida *Sátira contra los malos escritores de este siglo*, de Jorge Pitillas.

Va precedida de un prólogo o presentación de los diaristas en que, tras mantener las razones para conservar su autor el anonimato y el seudónimo —aunque dejan entrever que no es de Barcelona—, elogian la sátira como medio de cultivar el buen gusto. Por estar ellos mismos —muy lejos de los optimistas propósitos de la introducción del tomo I— ya muy metidos en el tópico de los malos escritores del siglo, la publican *«con gusto, assi por la inmediata conexión que tiene con nuestro instituto, como porque estamos bastantemente persuadidos à que recibiràn una no comun satisfaccion los inteligentes en este genero de escritos».*

En efecto, no fallaba el instinto periodístico de los diaristas. La sátira de Jorge Pitillas es uno de los mayores éxitos literarios del siglo XVIII.

Independientemente de que esté influida sólo por los autores latinos que aparecen en las notas de la misma sátira o de que dichos autores sean exactamente los que cita Boileau —como quiere el marqués de Valmar—, el mérito de Jorge Pitillas es extraordinario, como lo prueban unánimemente las continuadas alabanzas que ha recibido de diversos críticos, de las cuales recojo aquí una breve selección:

Cayetano Alberto de la Barrera, en sus *Obras crítico-satíricas atribuídas a D. José Gerardo de Hervás*[245], considera a la *Sátira* como obra comúnmente reconocida *«por una de las joyas de nuestra poesía moderna».* Lleva incluso su entusiasmo por el autor a recopilar todas las noticias existentes sobre el mismo y a exponer detalladamente los autores a quienes ha sido atribuída: el P. Isla y don José Cobo de la Torre, según don Fulgencio de Tapia en su *Historia de la Civilización*, tomo IV, página 266.

Y opina que *«no es dudoso que los escritos de Herrera Jaspedós i Pitillas atrajeran* sobre el *Diario de los Literatos de España* la influyente persecución que dio con él en tierra, a pesar de hallarse protegido y costeado por el Gobierno»*[246].

---

[245] BARRERA, Cayetano Alberto de la, *Obras crítico-satíricas atribuidas a D. José Gerardo de Hervás, coleccionadas e ilustradas por D. ————*, Madrid, 1862, B. M. P. Manuscrito M-293, página 3.

[246] ID., íd., págs. 21-22.

Cotarelo y Mori la considera, juntamente con la poética de Luzán, como introductora en España del buen sentido francés y como «*códigos que contenían los nuevos preceptos del gusto*»[247].

Para el P. Gaudeau[248], juntamente con la obra del P. Isla y la del *Diario de los Literatos*, es de lo más importante en el terreno de la sátira de su siglo.

Ticknor[249], que califica a la *Sátira* como el único «*punto brillante... en todo este período de la historia de la poesía, tanto más notable cuanto mayor es la oscuridad que la rodea*», destaca como sus principales cualidades «la *felicidad y sencillez de estilo, la verdad y rigor de la sátira y las buenas imitaciones de los antiguos, particularmente de Persio y de Juvenal, a quien se parece bastante en lo conciso y sentencioso*».

Alcalá Galiano elogia a la *Sátira* afirmando que es «*una colección de imitaciones hechas con bastante espontaneidad, expresadas con bastante brío en su lenguaje fácil y elegante hasta cierto punto, y vertidas con cierto colorido español, donde al mismo tiempo que se está trasluciendo la imitación, hay cierto aire de cosa de nuestra patria*».

Todavía a finales de siglo, cuando Forner escribe *El asno erudito*, finge no conocer bien a su autor, expresado sólo por las letras iniciales J. P. F. y rinde indirecto homenaje de admiración a Hervás, suponiendo que pudiera entenderse dicho anagrama (Juan Pablo Forner) como don Jorge Pitillas, aunque la última letra queda en el aire.

Sobradamente conocida es asimismo la admiración que por ella sentía don Marcelino Menéndez Pelayo.

La *Sátira* va precedida de una carta del autor, en la que, además de advertir que tiene escritas otras muchas sátiras que está dispuesto a publicar, justifica la

---

247 Cotarelo y Mori, Emilio, *Iriarte y su época...*, pág. 39.
248 Gaudeau, P. Bernard, *Prêcheurs burlesques en Espagne au XVIII*, pág. 58.
249 Ticknor, M. G., *Historia de la Literatura Española*, Rivadeneira, Madrid, 1856, tomo IV, págs. 22-23.

razón de su encono contra los malos escritores por «*los chascos*» que éstos le han dado con sus malos libros.

El autor se confiesa —según tópico de la crítica— «*Satírico Quixote contra todo escrito follón y aleve*».

Como espaldarazo de autoridad lleva continuas referencias a los clásicos, citados en unas 21 notas, con que se intenta prestigiar las afirmaciones contenidas en los 100 tercetos de que consta.

El manuscrito de la *Sátira* se conserva en la Biblioteca Nacional: Ms. 18.662-1.

Los tiros que iban contra el diarista turolense se dirigieron a uno de los mayores enemigos del *Diario*, el *Mercurio Literario:*

> «*Apunto en un papel que pesa el plomo*
> *Que Diorides fue grande Herbolario,*
> *Según refiere Wandelanzchck el romo;*
> *Y allegó de noticias un almario*
> *Que pudieran muy bien según su carta*
> *Aumentar el Mercurio Literario*».

Pero el manuscrito lleva al final una nota en que se aclaran los cambios que han sufrido las estrofas 19 y 20 —nada favorables a Salafranca en su primitiva redacción—, así como los elocuentes motivos de dicho cambio. Veamos primero la conocida versión original:

> «*Apunto en un papel que pesa el plomo*
> *Que en Groenlandia las Zorras son malditas*
> *Segun refiere Wandenlazchck el romo;*
> *Con otras mil noticias exquisitas*
> *Que pudieran muy bien según su carta*
> *Aumentar las Memorias eruditas*».

La nota manuscrita aclara significativamente:

> «*Estos dos terceros se concibieron y escribieron primeramente assí, y despues se reformaron segun se lee en el cuerpo de la Satyra, por las supervinientes atenciones de amistad y comercio estrecho*

entre Pitillas y el Autor de las Memorias Eruditas, y por que ante todas cosas es justo respetar illud amicitiae sanctum ac venerabile nomen».

«Se cambiaron», dice la nota. El cambio debió ser apresurado, acaso con aquellas urgencias de enseñarle la formidable *Sátira* al ministro Campillo que tanto gustó de ella. Fue más bien una mera sustitución apresurada de rimas, con flaco servicio al fondo de ambos tercetos, a los que encaja bien la idea burlesca de que en Groenlandia las zorras sean malditas y otras vaguedades por el estilo que se acoplan de maravilla al carácter misceláneo de las tantas veces atacadas —y tan continuamente alabadas en el *Diario*— Memorias Eruditas, con lo que la idea de la estrofa 20 viene a reforzar estilísticamente la ya contenida en la 19.

En la nueva versión, por el contrario, la estrofa 20 resulta aislada ideológicamente de la 19. Y el conjunto de ambos tercetos pierde mucho de su fuerza expresiva.

Parecidos motivos tiene otro curioso cambio de un verso de la estrofa 34 que me parece que no ha sido señalado hasta ahora:

Donde la *Sátira* pone:

«De que Dios nos defienda y nos aparte», dice el manuscrito:

«Por mas que dócil los apruebe Iriarte.»

Cambio que acaso se debe a los propios diaristas y que da mucho que pensar en cuanto al papel de Iriarte —a quien Gallardo califica de «alma del *Diario*»— en la gran empresa crítica del mismo.

La *Sátira* va precedida de una carta firmada por «Jorge Pitillas», en Barcelona, el 29 de abril de 1741, aunque los propios diaristas advierten, en una nota preliminar, que han recibido la carta el 15 de mayo —la *Sátira* está fechada el 8 de dicho mes—, y que tienen fuertes razones para presumir que *«ni es fábrica de Barcelona, ni tiene su Autor el nombre jocoso que ha querido apropiarse».*

Descubierto el nombre del verdadero autor a Campillo, años después el propio Salafranca vendría a descubrirlo, aunque veladamente, en su correspondencia.

COLABORACIONES EN CARTERA

Entre las colaboraciones conservadas que, por razones de espacio o de prudencia, no salieron en el *Diario de los Literatos*, se encuentran:

1. Una especie de tratado de Medicina de don Francisco Suárez de Rivera: B. N. Ms. 18.662-4.

2. Un tratado de Historia: B. N. Ms. 18.662-5.

3. Una feroz crítica a un sermón del P. Fidel de Burgos: B. N. Ms. 18.662-13.

4. Sermón que por especialísimo precepto de la Reyna Nuestra Señora doña María Luisa de Saboya, que Dios guarde, compuso don Fernando de la Cerda... (año 1701): B. N. Ms. 18.662-14.

5. Una «Relación de las solemnes exequias, que la ilustre y venerable Congregación de la Virgen Santísima baxo título de la Buena Muerte, fundada en el Real Monasterio del Gran Padre de la Iglesia San Agustín de Agustinos Calzados de la Ciudad de Barcelona, celebro el día primero de marzo de 1737 a la inmortal memoria del R. Sr. Doctor en Artes, y ambos derechos, Geronymo Talavera, Prior que fue de la Colegial Iglesia de Santa Maria del Colell, y actual prefecto de la mysma Congregacion; y Oracion Funebre Panegyrica, que dixo el Muy R. P. M. Fr. Agustin Antonio Minart, Agustiniano, Doctor en Artes, y Sagrada Theologia, Catedratico que fue de Visperas en la Universidad de Barcelona... Vice-Prefecto de la Venerable Congregacion de la Buena Muerte. Sacala à luz la misma venerable Congregacion. Impresa en Cervera por Manuel Ibarra, en 4, tiene 52 pag. sin los principios».

Posiblemente se tratase de un borrador de artículo o, tal vez, de un artículo del inédito tomo VIII. Se nota en todo él cierto sarcasmo característico de los últimos tomos del *Diario*. Empieza con un aparente elogio alabando la ejemplar edificación del autor «*que es el mo-*

*tivo también porque nosotros hacemos lugar en esta
obra a este escrito, considerando quan importante es
a la Patria la memoria de un sacerdote docto y virtuoso
como el que se celebra en este Panegyrico, destinado
enteramente à la dirección y conservación de las Devocio-
nes Christianas y reformación de las costumbres»*, para
terminar con este satírico párrafo: *«Advertimos también que si se nos remiten Respuestas manuscritas ex-
tractaríamos lo que era util; porque no es raçon con-
sumir el tiempo en efugios y cavilaciones que ni a los
Autores pueden sufragar; pues la falta de estudio y de
juicio, facilmente se conocen: y al mismo tiempo se
manifiesta que tambien faltan las virtudes propias de
los Literatos. A quien carece de todas estas cosas mas
le vale seguir la opinion de Aristipo»*...

6. Unas «Reflexiones sobre los *Orígenes de la Lengua Española* y algunas observaciones sobre la *Ortografía Castellana* hechas por la Real Academia para la reforma y enmienda de esta primera Ortografía», B. N.,
Ms. 18.662-18.

Se trata de un largo artículo de 27 puntos para so-
meterlos a consideración de la Academia. Tal vez perte-
nezcan a Puig, entre cuyos papeles y cartas personales
se hallan.

A todo lo cual habría que añadir el ya citado artículo
titulado *Las noticias de la fama y noticias de Europa,*
y varias cartas de los amigos y fervientes admiradores
de los diaristas, ya estudiadas con anterioridad.

VII

ADMIRADORES, AMIGOS Y CONTINUADORES DEL «DIARIO». ECOS DEL «ANTI-DIARIO»

Si el *Diario*, por su novedad, «*no podía dexar de tener muchos enemigos*», ya que, como afirma Sempere y Guarinos, «*hasta entonces no se había visto en España emplearse la crítica en los libros que salían a luz*», sino que «*por el contrario, una larga lista de elogios y de aprobaciones sorprendía por lo regular la atención del lector, que no estaba suficientemente instruído, para distinguir por sí mismo el mérito de la obra*», es cierto también —como asegura el mismo autor— que «*con todo, no dexó de tener de su parte algunos sabios que lo celebraban, y que alentaban a sus Autores para continuar su trabajo*» [250].

Entre las muchas cartas de aliento recibidas por los diaristas —algunas de las cuales, como las de Jorge Pitillas, Hugo Herrera de Jaspedós, el P. Jacinto Loaysa y la de Fernández Navarrete, se publicaron en el propio *Diario*— quiero dar ahora noticia de algunas que he tenido la suerte de encontrar entre los manuscritos pertenecientos a los diaristas:

1. Carta de don Joseph Xavier Rodríguez de Arellano a los señores Salafranca, Huerta y Puig:
Tras insistir en el tópico de los malos escritores del

---

[250] SEMPERE Y GUARINOS, Juan, *Ensayos...*, «Discurso preliminar», I, pág. 21.

siglo hace un panegírico de la plausible labor del *Diario*, consistente, según él, en eliminar a los escritores:

«*de modo, que si al principio (porque puede más en los necios la porfía) no pudiessen Vms. lograr, que no se escriva, al menos conseguirán que no se lea, y después la misma falta de despacho obligarà à estos escritores a mudar de oficio*».

Insiste en el asombro que causará a toda Europa obra tan discreta como el *Diario*, que es una especie de Biblioteca con quintaesencias.

Alude de paso a la crítica que abunda tanto que «*se oyen como Synonimo, lo crítico, y lo insolente*». No así el *Diario*, cuya moderación se alaba extraordinariamente.

Les anima a no desmayar en su obra, pese a los ataques y a que se den prisa sobre todo a censurar los defectos de la oratoria sagrada, ya que el P. Feijoo no ha publicado su *Oratoria*, prometida hace años.

Finaliza, *in crescendo*, con este elogio del *Diario*:

«*Yo tengo tal concepto de ella, que si se hubiesse emprendido antes de que viniera a esta iglesia me hubiera ofrecido a Vmds. por Amanuense, sin que me amedentrassen las opposiciones. De ese principio, y de ver tan próximo el fin de este Año, sin que Vmds. hayan escrito Trimestre alguno, me nace un enfadadissimo recelo, de que hayan desamparado un assumpto tan glorioso*».

La elogiosa carta (B. N., Ms. 18.662-15), que los diaristas tuvieron intención de publicar, aunque luego no lo hicieron, está fechada en Calahorra, el 27 de noviembre de 1738.

2. Carta de don Joseph Xavier Rodríguez Arellano a Salafranca y Puig, fechada en Calahorra, el 9 de enero de 1739 (B. N., Ms. 18.662).

Es una continua alabanza del *Diario*, en la que se cita también a otros partidarios del mismo, como «el Dr. Sales y otros Ingenios». El autor no se explica que los diaristas quieran publicar su humilde carta anterior y termina declarándose incondicional del *Diario*.

Hay que tener en cuenta, para la valoración de estos elogios que ambos destinatarios eran capellanes de la Real Capilla de San Isidro de Madrid, a cuyo sostenimiento contribuían, con sus rentas las diócesis de Palencia, Calahorra y Pamplona.

3. Una larga carta anónima de M. J. A. (B. N., Ms. 18.662-3).

Alaba insistentemente al *Diario* como obra «*verdaderamente utilitaria al público*» cuyo «*heroyco pensamiento*» ha merecido «*el aplauso universal*» de los Prudentes y Sabios y al que «*todos devemos concurrir con nuestro agradecimiento a tan insignes bienhechores que nos rescatan del tiempo, del lastimoso dispendio que hazemos en varios escritos*».

Tras hacer una pesimista panorámica intelectual del siglo —Filosofía, Ciencias, Theología, Oratoria...—, ratifica que, por la unidad de estilo («el mismo ayre»), los cuatro primeros tomos no han podido admitir colaboradores ocultos.

Aplica el tópico de la Aduana —título que luego tomará un periódico continuador del *Diario*— al *Diario de los Literatos*, y termina augurándole continuadores:

«*No dudo se aplicarán otros muchos â exemplo de Vmds. para continuación de una obra tan ilustre: pero la gloria de averlo intentado siempre será de Vmds., y quedaràn sus nombres en la memoria de los Sabios, para inmortal recuerdo de su gloriosa invencion y fatigas*».

4. Una carta anónima (B. N., Ms. 18.662-13), con fuerte sátira contra la oratoria sagrada y concretamente contra un sermón impreso por el P. Fidel de Burgos.

La firma en su Aldea El Cura de N. en 23 de marzo de 1739.

No está incluida en el *Diario*, acaso por el tono violentísimo de su sátira, mucho más fuerte que el habitual en los diaristas.

5. Carta del P. Joseph Guerrero de la C. de J. a don Leopoldo Geronimo Puig, fechada en Logroño el 26 de agosto de 1740 (B. N., Ms. 18.662-16).

«Muy Sr. Mío: no extrañe Vm. que le habla un sugeto que no conoce, pues el merito de los gloriosos trabaxos de Vm. y del Sr. Salafranca es tan notorio que no debiera haver ninguno amante de las Ciencias, que no mirase en Vms. el honor de Nuestra España, y los Restauradores de la Cultura de las Letras».

Tras afirmarles que ve el *Diario* apoyado por los sujetos más distinguidos en mérito y estudios de su provincia de Castilla, les aconseja despreciar a los enemigos o «moscas literarias, y tal qual moscón, que solo hace ruido, al modo de aquel Rmo. Padre del prologo del 6.º tomito».

* * *

La misma línea de elogios y panegíricos al *Diario* se sigue, no sólo en casi todas sus continuaciones del siglo XVIII, sino también —más o menos veladamente— en las revistas de crítica literaria periodística del siglo siguiente.

Sempere y Guarinos, que achaca el fracaso del *Diario* a la falta de madurez intelectual de la nación, hace este elogio del mismo:

«Después de cerca de un siglo que en varias partes de Europa se había introducido la publicación de los Diarios, y otros papeles periódicos acerca de la Literatura, empezó a salir en España el Diario de los Literatos, en el año de 1737. Sus Autores estaban dotados de la instrucción, juicio y entereza necesaria para este género de obras, no obstante que en los primeros se conoce que usaron de alguna indulgencia, sin duda por no irritar de un golpe la caterva de los malos escritores, capaz en

todos tiempos de acobardar al hombre más constante. Pero sea por la oposición de éstos, o porque la nación no estaba todavía en estado de gustar la delicadeza de la crítica, lo cierto es que no duró el Diario *más que un año y nueve meses, no obstante que había llegado à merecer la aprobación de S. M. y la protección del Sr. Campillo, entonces Ministro de Hacienda, y el que se costeára la impresión a expensas de esta»* [251].

Luzán lo defiende en todo momento y especialmente en la *Carta Latina* a los PP. de Trevoux.

El marqués de Valmar [252] incluye a Salafranca, juntamente con el P. Isla, Feijoo y otros sabios varones, entre los restauradores del sentido común en nuestras letras.

Cotarelo y Mori [253] no sólo reconoce al *Diario* el mérito de haber sido el primer periódico de crítica que se publicó en Madrid, sino que, además, le considera «*también de los mejores, aunque de corta vida»* y el provocador de «*una de las etapas del moderno renacimiento de las letras en nuestra patria»*.

Ticknor [254] afirma que el *Diario* fue la «*primera publicación ajustada al espíritu de la crítica moderna que se hizo en España y tan avanzada para aquellos tiempos, que no llegó al segundo año»*.

El P. Gaudeau [255], que considera al *Diario de los Literatos «fundado por Juan Martínez Salafranca»,* supone el programa de crítica del mismo muy semejante al del P. Isla por mofarse igualmente de los cultistas y de los gerundios, publicando, por añadidura, la sátira de Jorge Pitillas contra los primeros afrancesados».

[251] SEMPERE Y GUARINOS, Juan, *Ensayo...*, III, pág. 53.
[252] CUETO, Leopoldo Augusto del, *Poetas líricos del siglo XVIII*, páginas LV y ss.
[253] COTARELO Y MORI, Emilio, *Iriarte y su época*, pág. 5.
[254] TICKNOR, M. G., *Historia de la Literatura española*, tomo IV, páginas 22-23, núm. 18.
[255] GAUDEAU, P. Bernard, *Prêcheurs burlesques en Espagne au XVIII*, *op. cit.*, pág. 58.

Modesto Lafuente [256] afirma que sus «ilustrados y juiciosos autores, Salafranca, Huerta y Puig», se propusieron «*hacer una crítica razonada de los libros útiles estrangeros y españoles*», y que su breve labor no fue vana, por haber seguido su ejemplo varios periódicos eruditos como el *Mercurio Histórico y político* de Mañer, la traducción de las *Memorias de Trevoux*, los *Discursos Mercuriales* de Juan Enrique Graez (1752) y Nifo con su *Diario curioso*.

Desdevises du Dezert [257] considera al *Diario* como el primero y seguramente el mejor órgano de crítica literaria aparecido en Madrid, afirmando que, pese al mayor desarrollo de la prensa en la época de Carlos III, ningún periódico de entonces tuvo el valor que el Diario».

No sin cierto tono de suficiencia, Alcalá Galiano [258] elogiaba en 1845 los méritos del *Diario de los Literatos*, «*donde hay algunos artículos bastante dignos de aprecio, y que aun en nuestra época tan adelantada todavía pueden ser estudiados con aprovechamiento, y tenido en alguna estima*».

Todavía doña Emilia Pardo Bazán [259], en su *Nuevo Teatro Crítico*, publicado a siglo y medio de distancia de la muerte del *Diario*, al hacer un elogio de algunos periódicos del XVIII como *El Pensador*, pregunta inquieta: «¿Sobraría hoy un *Diario de los Literatos* con su crítica tan reflexiva y mesurada?»

Sin duda el mayor panegírico, y el de más honda repercusión en favor del *Diario*, lo hizo Menéndez Pelayo en la larga referencia incluida en el tomo III de la *Historia de las Ideas Estéticas* [260].

César Barja destaca su labor «en favor de la restau-

---

[256] LAFUENTE, Modesto, *Historia general de España*, op. cit., página 523.

[257] DESDEVISES DU DEZERT, G., *L'Espagne de l'ancien régime*, tomo I, pág. 291.

[258] ALCALÁ GALIANO, Antonio, *Historia de la Literatura*, lección 7.ª, pág. 115.

[259] PARDO BAZÁN, Emilia, *Nuevo Teatro crítico*, Madrid, La España Editorial, núm. 1, enero de 1891, «Presentación».

[260] MENÉNDEZ PELAYO, Marcelino, *Historia de las Ideas Estéticas en España*, págs. 201-206.

ración del verdadero buen gusto» y la defensa de los valores nacionales, ya que «los colaboradores del *Diario*, admitiendo el valor de lo extranjero, no negaban, si bien reconocían sus principales defectos, el valor de la obra de Lope, Calderón..., etc.»[261].

En la misma línea de elogios y panegíricos del *Diario* están la mayoría de sus continuadores, que se apresuraron a recoger la antorcha para seguir la crítica con el mismo entusiasmo y con frecuencia con paralelo y fatal desenlace.

Al efervescente empuje de la nueva Crítica literaria periodística se deben las diversas emulaciones del *Diario*, las cuales irían cada vez en aumento, hasta el punto de que en el reinado de Carlos III, según Ferrer del Río, *«circulaban más de veinte periódicos —La Gaceta, El Mercurio político y Literario, El Pensador, la Aduana Crítica, El Censor, El Memorial Literario...— llegando incluso La Gaceta a repartirse dos veces por semana»*[262].

Todavía Salafranca planeaba desde su retiro, en Villel, la posible vuelta a Madrid para dirigir de nuevo un bien subvencionado y protegido *Diario de los Literatos*, como órgano de la Academia de Artes y Ciencias, cuando sus emuladores se apresuraran a continuarlo.

En 1748 aparece ya la *Resurrección del Diario de Madrid, o nuevo Cordón Crítico general de España*, firmada —siguiendo el tópico del Tribunal de Censores— por un nuevo «triunvirato» (v. nota 52).

Tras insistir en la «Dedicatoria» en la falta de buenos autores y el exceso de «copiantes» —vicios permanentemente criticados en el *Diario*— se justifica la necesidad de este *Cordón*, para purgar la cantidad de libros inútiles de que, según el aprobante don Carlos González Marrón, *«está lleno»* el Mundo.

A continuación hace un repaso de las principales

---

[261] BARJA, César, *Literatura Española. Libros y Autores Modernos. University of California*, Campbell's Book Store Booksellers and Publishers, Los Angeles, California, 1933, pág. 10.

[262] FERRER DEL Río, Antonio, *Historia del Reinado de Carlos III*, Imprenta Señores Matute y Compagne, Madrid, 1859, tomo IV, págs. 300-301.

Ciencias: la visión no puede ser más pesimista; después de hacer una alusión a la multitud de escritores a quienes llama despectivamente «*grajos*», establece el paralelo con el *Diario,* cuya adversa suerte quizá espera seguir el *Cordón:*

> «*Del fruto universal de su Proyecto, nadie puede dudar, sabiendo la utilidad, que por los mismos filos (y algo menos) produxo el* Diario de los Literatos, *aunque en su infamia quiso deslumbrarle una opaca nube de ignorancia que conspiró contra èl. Pero sólo sirvió de que el Sol de sus doctrinas resplandeciese más en su Emispherio. Discurso, que girarà este Papel, en todo el Orizonte, según la mala constitución de muchos hombres, cuyos humores pretende purgar.*»

En las dos aprobaciones —una del Rm. P. M. Pedro Fresuela, jesuita, y otra del doctor don Jacinto Bretón— se insiste en la importancia del *Cordón:*

> «*El fin, o intento de esta Obra, es, sin duda, de mucha importancia; pues toda su mira, y assumpto es desterrar de la Literaria República tanto farrago de inútiles Escritos...*»

En la «Razón del Cordón. Sirva de Prólogo al Discurso: y en todo caso no se pierden de vista sus advertencias» —que, por su importancia y expreso entronque con el *Diario* copio en sus puntos más sobresalientes (v. Apéndice I)—, se insiste en la necesidad de una institución expurgatoria en la infecta República Literaria, llena de advenedizos escritores hasta el punto de que «*sólo escriven oy, los que no valen a deletrear Romances*».

Contra tan numerosa legión de malos escritores se levanta, muerto el *Diario,* y a su imitación, el *Nuevo Cordón Crítico,* que intenta librar —como el Cordón de centinelas que el juez manda poner en los casos de peste— a la República Literaria de los perniciosos efectos de la ignorancia. Para ello el nuevo triunvirato se proclama sucesor del de los diaristas y asume idéntica función orientadora de la opinión pública en cuanto al valor de los nuevos libros que se editan.

En la alocución siguiente, titulada «*Señores cortesanos*» (véase Apéndice I) se hace una sangrienta visión de las ciencias de la época, con una fuerza satírica inusitada en la naciente crítica.

Por si todavía no estuviera claro el parentesco directo con el *Diario de los Literatos* y, a su vez, con la *República Literaria*, al hacer el severo juicio sobre Torres Villarroel, se dice expresamente: «*El nuevo impresso queda en la Aduana Literaria detenido, como fatàl contravando*» [263].

Otras circunstancias, como su apasionada defensa del P. Feijoo, a quien se llama «Principe del Castellanismo», de quien ha plagiado Torres su tratado, o la admiración por el «muy Erudito y Reverendo Padre Casani», docto jesuíta que se le propone por modelo a Torres para que «*no nos apeste la República literaria con sandeces*», vienen igualmente a coincidir con la tónica del Diario, al que abiertamente se ha tomado como modelo.

Unicamente el tono satírico es ahora mucho más desenfadado:

«*Un religioso de profunda circunspección, y de primera literatura de ésta Corte; dixo poco hà, à nuestra presencia con ceño agudo:* Lo mismo es para mi, leer un asunto de Torres, que entrarse quien quiera à conversar en una quadra de Cocheros. Con tedio miro, por esto, sus Impressos. No sè còmo ai gente de modo que los passe por sus ojos. En fin, el Vulgo baxo se paga de esto; y aun por lo mismo debe tener salida sus papeles» [264].

¿Qué dirían de este nuevo estilo verdaderamente duro de la crítica el P. Segura y cuantos habían cons-

---

[263] *Resurrección del Diario de Madrid...*, pág. 39.
[264] *Id.*, pág. 61.

pirado, sólo unos años antes, contra los «excesos del *Diario*»?

Apenas un lustro ha sido suficiente para afianzar y endurecer notablemente la crítica literaria periodística.

No sin razón se volverá a levantar, a su vez, los ecos del *Anti-Diario*, hasta el punto de que la postura oficial, la de buena parte de la propia prensa, o la de personas de probado prestigio literario, como Fr. Rafael Rodríguez Mohedano, adopten una postura de recelo, cuando no de franca oposición, ante la nueva Crítica literaria periodística, no siempre ejercida con el decoro y la competencia exigible a su alta misión social y cultural.

En Madrid, también en el año 1763, aparece una nueva continuación del *Diario*, original de don Joseph Miguel Flores de la Barrera, que, incluso en su propio título, lleva ya bien claras las reminiscencias de la *República literaria:* la *Aduana Crítica* [265].

Ya en su «Discurso preliminar» rinde tributo de admiración a Saavedra Fajardo:

> «*El primer edificio, que la hermosa pluma de* D. Diego Saavedra *en su* República Literaria, *dándonos su Topographia con amenidad, invención y juicio, es la Aduana, donde diferentes Censores reconocen las Obras de todas Facultades*» [266].

Pero lo importante del caso es que, como antes hizo el *Diario de los Literatos* de España —del que la *Aduana* se considera continuadora— se pretende llevar a la práctica, aquí más al pie de la letra, la utopía de la sátira crítica de Saavedra Fajardo, siempre, claro está, en beneficio de la nación, del bien común y de la ciencia:

---

[265] BARRERA, Joseph Miguel Flores de la, *Aduana Crítica donde se han de registrar todas las Piezas Literarias, cuyo despacho se solicita en esta Corte. Hebdomadario de los Sabios de España*. Su Autor, ————. Tomo primero, con licencia, en Madrid, en la Imprenta de D. Gabriel Ramírez, año de 1763.

[266] ID., pág. 5.

«*Con este primer paso se evitan fraudulentas introducciones de doctrinas perniciosas y se impide
el despacho de muchos libros, que consumen inútil-
mente el tiempo, ò siembran en la fantasía de sus
incautos Lectores unas semillas, que con el tiempo
brotan en perjuicio de la Política, la Religión, y las
Bellas Letras*»* [267].

Se anuncia asimismo el método a seguir: justicia
con todos, «*censura según el mérito de la Obra*», templanza en la crítica...

Y se toma por modelo al *Diario*, a cuyos autores se
califica de «*Atlantes de la Crítica*»:

«*Estos insultos tan frecuentes, como abomina-
bles, se vieron contenidos en el tiempo, que se formó en nuestro siglo, y Corte aquel célebre Triun-
Virato, que se dedicò à descubrir, avisar y contener
tales desórdenes. El temor de una juiciosa Crítica,
y fundadas sentencias tenía trémulos a estos Escritores proletarios*».

La admiración por el *Diario* es tal que, además de
la reseña semanal de los libros que van apareciendo,
la *Aduana* se propone hacer una revisión de los que
han salido después de la desaparición del *Diario*, ya
que la mayoría de los muchos papeles eruditos que le
han seguido apenas son meras listas de obras y no verdadera crítica:

«*... y para que puedan venir a su registro se dis-
pondrà que en una Visita General, que se practi-
que para resguardo de las Bellas Letras, se aprehen-
dan y traigan a èste Tribunal los que se hubieran
divulgado después que se disolvió el que eligieron
los Diaristas, haciendo elección, para revisar, de
aquellos, cuyo examen se gradúa más preciso para
que el Público adquiera la instrucción de que ca-*

---

[267] Id., pág. 6.

13

rece, lo que debe practicarse sin perjuicio del objeto principal, y en el vacío que permitan las nuevas producciones à las que ha de dedicarse la primera atención».

Hace también una interesante alusión a la proliferación de papeles eruditos y bibliográficos deshonrosos para la buena crítica:

> «*El Cordón Crítico, o resurrección del Diario fue una exalacion ephimera que apenas apareció sobre nuestro Orizonte, quando se disiparon sus luces, y assi no pudieron impedir la irrupción à que diò lugar la dispersion de aquellos Triunviros: De esto ha resultado, que en este intervalo, se han admirado en el Comercio de la República de las Bellas Letras varios géneros de erudición que, ò debieran prohibirse, ò al menos examinarse, para que con su versión se formasse, ò hiciese público un juicio, que influyese en los curiosos».*

La repetida admiración por los diaristas les lleva incluso a intentar imitar los mínimos detalles de su modo de ejercer la crítica:

> «*Los Diaristas ofrecieron incluir en su Obra los Tratados, Proyectos, Memorias o Dissertaciones manuscritas que les dirigiessen sus A. A. y considerando, que este es un medio oportuno para que algunas producciones dignas de darse à luz, no queden sepultadas en tinieblas, se practique lo mismo en esta Aduana...*»[268].

Con tan alto concepto del *Diario* no es extraño que cuando hacen la crítica del *Diario Estrangero* de Nipho —al mismo tiempo que equiparan a los diaristas a los mejores críticos extranjeros—, encuentren floja la obra del ilustre alcañiciense[269].

---

[268] ID., tomo III, nota en la contraportada, Madrid, 1764.
[269] ID., tomo II, 1763, núm. IX, págs. 10-15.

«*España logró por brevísimo tiempo estas delicias; se marchitaron las esperanzas quando se prometían más codiciosos frutos; su corta duración ha hecho creer, que es esta empresa inaccesible, persuadiéndose à que Varones tan beneméritos no pudieron continuarla. En esto se hace injuria à sus talentos. La verdadera causa de privarnos de tan preciso estudio fue la diversidad de destinos, y empleos...*».

Indudablemente la labor crítica de la *Aduana*, una de las varias continuaciones del *Diario* y acaso la más fiel en espíritu al mismo, ha sido verdaderamente importante y muy digna de tener en cuenta a la hora de hacer un panorama histórico de la crítica literaria periodística del siglo XVIII.

De la seriedad de sus pretensiones puede darnos idea los reparos que pone a Nipho, al *Pensador*, a varios periódicos coetáneos, así como los interesantes extractos, entre los que cabe destacar la crítica a la *Lucrecia* de don Nicolás Fernández Moratín [270] y una «Carta escrita sobre la Patria de Miguel Cervantes de Saavedra», fechada en Madrid el 13 de febrero de 1765, en la que se determina —con documentos del rescate de Cervantes perteneciente al Archivo de los Trinitarios—, como patria del inmortal autor a Alcalá de Henares [271].

Tan interesante continuación del *Diario* —que se considera heredera del mismo, con total desprecio de la *Resurrección del Diario de Madrid;* criterio en el que coincide también el sobrino del fundador de la *Aduana*, Cayetano Alberto de la Barrera [272]— intentó, asimismo conseguir la codiciada protección real, aunque posiblemente tampoco la obtuvo, a consecuencia de los recelos que los continuados desmanes de la nueva crítica habían suscitado.

---

[270] ID., núm. XII.
[271] ID., núm. XXV, págs. 273-275.
[272] BARRERA, Cayetano Alberto de la, *Obras críticas-satíricas atribuidas a D. José Gerardo de Hervás*, pág. 24. A. H. N. Consejo de Imprentas, Juzgado y Comisión de Imprentas, leg. 50.695.

Significativa a este respecto es la cautelosa y doble conducta del juez de Imprentas don Juan Curiel, que, si por una parte anima a los autores de la *Aduana* para su continuación, adopta a la vez una postura extremadamente recelosa al informar la solicitud de protección real presentada por don Joseph Miguel de Flores y Barrera y don Joseph Casimiro de León el 29 de noviembre de 1763 [273].

[273] Tras referirse a que la *Aduana* figura solo a nombre del primero de los autores y tras advertir que de los doce números publicados el 10 —que trataba del juego de la Lotería— ha sido mandado retirar por no haber parecido bien al Ministro, aclara: ...« los demás son mui Criticos y de bastante instrucción para el público; pero el fin, y propósito de estas obras es mui delicado como que mira a una Crítica Universal de las obras que salen a luz, cuio propósito no puede ser más útil del Común y del honor de la Nación, pues corregirá la fazilidad de tantos escritores que cada dia se arrojan a imprimir obras inútiles, o a lo menos de ninguna aprobación, ni para los estudios, ni para las costumbres, ni para la Religión; pero habiendo de ser rigurosa para que sea útil esta Crítica es preziso que se encarguen della hombres más doctos que los mismos Authores, y si la lisonja, el miedo, o respecto distingue de personas padezerían el maior sonrrojo los que tubieran menos fuerza para sus desagravios, y los dos suplicantes no están tan authorizados en el Común de los literatos, que pueda fiarseles un juicio tan delicado y tan expuesto a la teja de los agraviados; y aunque escriviendo por su propia authoridad y con la modestia que está prebenida an corrido hasta ahora los papeles que han salido de esta Aduana Crítica, y los authores no se han quejado hasta aora, y tienen la facilidad de defenderse con otros escritos en que se ocupan con estudio y erudicion los aficionados; pero si S. M. recibiese bajo de su Real protección la Continuación deste Diario nadie se atreberá, ni aun a la propria defensa, porque nuestra Nación está tan ciegamente sumisa a la voluntad de sus Reyes que les parezerá a todos que les es preziso en su obsequio sufrir quanto le hiziesen padezer estos escritores, y quando ellos se estimasen los más sabios de España, y Capaces de merecer la aprobación de S. M. podràse a vista de las mismas obras; pero siendo su pretensión la Continuacion deste Diario que proponen, quien podría asegurar que estas obras serian siempre dignas de semejante suprema protección?

Por cuios fundamentos me parece que S. M. deve denegar la protección de los suplicantes animándolos a la Continuación en sus tareas literarias, y esperanzándolos en la Real protección de S. M. siempre que se hagan merecedores de su agrado. Devuelvo a V. S. el memorial...» (Madrid, 29-XI-1763).

No menos receloso que Curiel se muestra ante el avance avasallador de la nueva crítica fray Rafael Rodríguez Mohedano [274], cuando por orden real se le encarga

---

[274] «De orden de V. A. he visto el Papel intitulado *Diario de los Literatos de España. Continuación del que escribieron Dn. Juan Martínez de Salafranca, Dn. Leopoldo Geronimo Puig*, etc. Tomo 1 sin nombre de Author.

Considerando que los Censores no solo deben informar sí las obras contienen ô no alguna cosa opuesta à la Fè, buenas costumbres y Regalías, síno tambien si en la sustancia y modo son utiles ô perjudiciales â la Nacion, según el espiritu de la Ley 33. Tit. 7 Libr. 1 de la Recopilación; con arreglo à ella expondrè mi dictamen sobre el presente Escrito. Bien reflexionado el proyecto y la execusion, hallo que este siglo en España hai mas abundancia de Censores que de buenos Escritores: mas falta hace quien reimprima o escriba de nuevo Obras utiles, que quien extracte y critique las impresas; siendo muchos mas los que se emplean en censurar â quien trabaja, que los que se dedican seríamente al estudio valido de las Ciencias.

La empresa del Diario es util para dar â conocer los buenos libros, y reprimir la muchedumbre de los malos. Pero tambien hai plaga de malos censores, que son igualmente perjudiciales al progreso de las letras. Tienen por Canon de los aciertos su gusto particular, y piensan que es lo mismo juzgar â vista del Orbe literario que pronunciar sentencia en una tertulia de curiosos. Deciden sobre los apíces de las Facultades sin haberlas profundizado, ni aun estudiado sus elementos; sin considerar el talento, erudicion y prudencia que se requiere para un empleo tan arduo. Censores que carezcan de estas calidades en superior grado y descubran esta falta en el actual exercicio de su Judicatura, se exponen â muchos desaciertos.

Otro inconveniente tienen los Diarios que ha manifestado la experiencia y se acredita bastante en el poco tiempo que duro el de los Literatos de España. Este es una especie de discordia o partido que se suscita entre los Authores y los Diaristas, llegando la animosidad a excesos, que sin promober el estudio de las letras desacreditan y embarazan â los Profesores. El resentimiento de nuestros Diaristas y de algunos hombres doctos, cuyas Obras censuraron, llego hasta el punto de tratarse recíprocamente de *ignorantes*, hombres de mala fe y *asesinos de los Literatos*. La nacion Española es de genio polemico ô belicoso, y de tanto ardimiento en las campañas de Minerba como en las de Marte. Son mui sensibles y dolorosas aun las mas lebes heridas, de la reputacion de entendimiento y del honor literario.

Este incombeniente nace no solo *de la mala fè y resentimiento con que los Escritores reciben comunmente la crítica de sus Obras mirandola como licenciosa satira*, segun se explican los Authores de este Papel en su Introduccion; sino tambien de la nimiedad o severidad importuna, con que algunas veces las censuran los Diaristas. Nace de que estos suelen estar tanto ò mas pagados de la bondad de sus juicios, que los Authores de la perfeccion de sus Obras. Nace de que los Diaristas miran la impugnacion hecha â sus censuras, no como juicio tal vez arreglado, justa guerra ô defensa de los Authores censurados; síno la tienen por una especie de *asechanza è invasiones de los resentidos, de los ignorantes, de los parciales y de los emulos*: como si solo estos pudieran disentir de sus dictamenes; y todo hombre justo y sabio tuviera necesidad indispensable de conformarse con sus sentencias: como si fuera tan esencial e inherente el acierto de sus censuras, que solamente la pasion y la ignorancia por informes medios pudiera contradecirlas. Nace en fin de que los Censores de obras apenas por lo comun son inexorables en sus juicios, que suelen formar con mucha facilidad y mantener con igual empeño: quieren hablar en tono de Oraculos o de Jueces supremos, sin admitir apelacion o defensa.

Sin embargo de todo lo dicho, tengo por util el proyecto de continuar el Diario de los Literatos de España, siempre que esto se execute, como debe, por sujetos habiles, de conocida doctrina y prudencia. Por lo que manifiesta este primer tomo de su continuacion, no me atrevo â asegurar que en sus Authores concurran en grado eminente estas indispensables condiciones; ni descubro aquel lleno de erudicion, de solidez y juicio que en la obra de sus Antecesores. Pero la experiencia de otros tomos y el voto del Publico podra manifestar mas bien el merito de esta Obra y el talento de sus Authores.

Entretanto juzgo puede V. A. darles la licencia que piden para imprimir este tomo, por no oponerse â la Fe, buenas costumbres y Regalias, y por que la obra bien desempeñada podra ser util â la Nacion; mas con las condiciones siguientes. I. Que el Diario no salga anonimo, ni con nombre supuesto. Tengo por dañoso â las letras y â los Literatos que no sean conocidos los Diaristas o Censores de Obras publicas: por que entonces â su salvo, impunemente y sin el riesgo de ser personalmente contradichos, combaten con los Escritores en terreno desigual, teniendo estos que pelear con las sombras: de donde resulta que las censuras son mas licenciosas è inmoderadas. También se sigue el inconveniente que sirva el Diario de instrumento â los emulos y embidiosos, que siempre abundan, para que desahoguen sus ocultas pasiones, y detras de las Estatuas ô idolos, como sucedia en los templos de los Gentiles, espiritus malignos o artificiosos pronuncien oraculos decisivos, abusando de la credulidad del genero humano. II. Los Diaristas deben aplicarse con mucho cuidado a formar bien los extractos de los libros, sacando copias fieles que los retraten y no los desfiguren; sin afectadas omisiones, que puedan dar idea menos ventajosa de su contenido. III. Que

Literatos, llevada a cabo en 1772 por don Xavier de Rioseco y don Josef de la Ripa [275].

sean mui contenidos en la crítica de metodos y estilos: cosa por su naturaleza tan opinable y sujeta â varios dictamenes, en que un Diarista no debe interponer facilmente su juicio, por que se expone â molestas y poco necesarias alteraciones; Basta recordar entre otros exemplares el de Geronimo Zurita y el Arzobispo Dn. Antonio Agustín. IV. Que purifiquen lo posible su intencion y su critica, separada la parte que en los juicios pueda tener su pasion propria y el influxo de algun interesado ô desafecto â las obras. V. Deben poner mas cuidado en formar periodos claros y precisos, por lo largo de ellos; el uso menos proprio de algunas voces, el giro de la expresion y la sintaxi no siempre exacta hacen algunas veces el estilo embarazado y perplexo, quedando sin determinacion de buen ô mal sentido. Tal es la clausula que se halla en la Introduccion al folio 2., donde hablando del *deseo* de saber *natural al hombre*, se dice que *determinado por las passiones* o *por la razon inventa, produce* y *cría* una infinidad de cosas buenas y â *vueltas ampara* otras tantas malas, como *las leyes, las artes, las ciencias, las virtudes, los vicios, las revoluciones y trastornos, el laberinto de errores y verdades, de opiniones y de sistemas, de politica y de moral, de religiones* etc. sus palabras son estas: «Nos ha mostrado la experiencia que este deseo determinado por los sentidos, por las pasiones y la imaginativa; ô dirigido por el juicio y la razon los sacò (â los hombres) de la ignorancia y barbaridad los reduxo â sociedad establecio las leyes inventò las artes, dio ser â las ciencias asilo â las virtudes, y â vuelta de eso amparò â los vicios y produxo en las naciones en los Reynos y en las Sociedades todas las revoluciones y trastornos creando por fin este laberinto de errores y verdades de opiniones y de sistemas de politica y de moral, de religiones de Legislacion y de Filosofia».

Es menester que los Authores distribuyan este perîodo en miembros proporcionados, y expliquen quien înfluye y en que; y si hablan de *virtudes* naturales ô sobrenaturales, de *Moral* Etnica ô revelada, catholica ô Protestante, Judaica ô Mahometana, etc.: por que sin esta distribucion no puede pasar el sobredicho periodo. VI. Se deberà borrar una expresion que se halla en el extracto del papel intitulado *Los eruditos â la violeta* (cuya página y número no se cita por no traerlo el Libro) y es la siguiente: *Dexarse caer con gracia sobre las Filosofas*: por ser expresion indecorosa, equivoco indecente y que excita idea obscena. Este es mi dictamen, salvo el superior de V. A. En este convento de San Francisco de Madrid a 23 de Enero de 1773. Fr. Rafael Rodriguez Mohedano» (A. H. N., Consejo de Impresiones, leg. 5.534).

[275] RIOSECO, Xavier, y RIPA, Joseph de la, *Diario de los Literatos de España. Continuación del que escribieron Dn. Juan Mar-*

Idéntico recelo muestra el encargado de informar en 1789 sobre el *Defensor literario o senior Crítico* [276] (*Censor Literario o Revisor Crítico*, según el núm. 83 del libro de matrícula 2.715), que, además de aconsejar no se proteja con ninguna subvención a tales críticos, se limita a concederles la licencia, proponiendo incluso que se les niegue cualquier privilegio exclusivo. Paralelamente resurgen en el propio terreno de la prensa nuevos combatientes de la Crítica literaria periodística. Entre todos ellos, posiblemente ninguno tan audaz como *El Apologista Universal*, que —siguiendo la línea del *Mercurio Literario*— situaba toda su actuación precisamente frente a la crítica, considerando que *«en vista de los ataques de la misma a los Escritores»*, razón será que tengan un protector que los defienda

---

bredicho periodo« VI. Se deberà borrar una expresion que se su naturaleza tan opinable y sujeta â varios distamenes, en que afecto â las obras. V.º Deben poner mas cuidado en formar perio-â la Nacion; mas con las condiciones siguientes. Iª que el Diario ston mas licenciosas è inmoderadas. Tambien se sigue el inconconque los Escritores reciben comunmente la crítica de sus Obras tinez de Salafranca, Don Leopoldo Geronimo Puig, etc., A. H. N. Consejo de Impresiones, leg. 5534 Se conserva también la siguiente instancia: Dn. Xavier de Rioseco i Dn. Josef de la Ripa por el recurso que mas aya lugar ante V. A. parecen i dicen: que aviendo determinado continuar la obra del Diario de los Literatos de España, que se empezò el año 1737, i se acabò en el de 1738, han puesto en egecucion otro proiecto, extractando las obras de los meses de Octubre, Noviembre i parte del que corre, siguiendo en lo demas el metodo que se propusieron los Autores de la referida obra, como mas por menos, resulta de los extractos que de algunas de ellas en la debida solemnidad presentan Juntamente con el prologo que debe antedecerlos: por tanto en atencion a la utilidad i provecho que de su trabajo puede provenir al publico i a la Nacion.

A. V. A., piden i suplican, que aviendo otros extractos por presentados, se sirva concederles la licencia correspondiente para imprimirlos, en que reciviran merced.

Otrosi respeto a la brevedad dèl tiempo a que ciñen esta obra periodica, i hallandose para finalizar otros extractos: A V. A. Suplican se sirva nombrar un Censor fixo, con cuio passe puedan proceder a su impression...

[276] OSSULLIBÁN, Daniel, *Defensor literario o senior crítico*, A. H. N., Consejo de Impresiones, leg. 5.555.

de los azotes del rígido Censor [277], y de «*tanto Criticón como se encontrará a cada legua*» [278].

Pero no sólo se propone la defensa de los autores, sino que intenta incluso la derogación del Código de la Crítica:

> «... *y deroga la expresa ley de* Código Erudito Violeto *en todas y cada una de sus clausulas... mandando también que en lo sucesivo no tengan éstos otro impedimento para la introducción de qualesquiera géneros en el Reino Literario que las precisas Aduanas establecidas por S. M. sin que en estas se pueda imponer derecho alguno à aquellos generos que no sean construídos de materias primeras de dentro o fuera del Reyno*» [279].

Tras dar una serie de interesantes consejos para escribir sin escrúpulos al margen de la crítica —págs. 39-50 y 108-118—, concluye con este desfavorable juicio de los críticos coetáneos:

> «¿... *quien creerá que por otra parte no me parecen estos hombres los más inútiles y perjudiciales del mundo?*» [280].

Poco después, en 1790, *El Escritor sin Título* declarará con desenfadado cinismo su abandonado propósito de ser crítico:

> «*Tuve mis intentos de tomar el tono de Diarista y hablador juicioso, y como otro Don Quixote, andarme deshaciendo entuertos y probando aventuras; pero hallé que esta plaza estaba ya tomada, y por otra parte no me sonaba muy bien grangear títulos de hablador*» [281].

---

[277] *Apologista Universal*, 19 de julio de 1786, pág. 4.
[278] ID., págs. 34-35.
[279] ID., pág. 37.
[280] ID., pág. 120.
[281] ROMEA Y TAPIA, Juan Christoval, *El Escritor sin título*.

En parecidos términos —y con ello cierro esta reseña, que podría ser infinita— se expresan don Eusebio Alvarez y don Julián Velasco, autores de un *Diario de los Teatros*[282], los cuales —pese a que en su primer número, dedicado al teatro griego, hacen alusiones nada halagüeñas al teatro de su tiempo— informan sobre la honradez de sus críticas, «que estarán por cierto muy distantes de aquella otra crítica bastarda y perniciosa, que tiene por objeto maldecir de todo, ofender a todos y no reformar nada».

Discurso primero, dirigido al Autor de las Noticias de Moda, sobre lo que nos ha dado à luz en los días 3, 10 y 17 de Marzo. Traducido del Español al Castellano por el Licenciado Don ———, Madrid, MDCCXC, en la Imprenta de Don Benito Cea. Con las licencias necesarias, pág. 9, A.H., 5-3.

[282] ALVAREZ, Eusebio, y VELASCO, Julián, *Diario de los Teatros*, A.H.N., Consejo de Impresiones, leg. 5556.

VIII

ERUDICION: ANALISIS POR MATERIAS [283]

FILOSOFÍA

En materia filosófica, y especialmente en la enseñanza de la Filosofía, los diaristas son partidarios de un eclecticismo, que combina proporcionadamente la materia de las antiguas escuelas con la de los nuevos sistemas experimentales, de los que ponen como ejemplo las teorías de Descartes y Bacon, que algunos de sus contemporáneos —y esto les saca de quicio— rechazan por sistema, como si se tratase poco menos que de herejías.

Por ello, no es de extrañar que recriminen al P. Nájera la falta de método y de estilo en sus *Desengaños*. Le acusan de falta de interés y desconocimiento de la Física moderna, de oscuridades de expresión, a causa

---

[283] Sólo a título de curiosidad y de información para los especialistas en las diversas materias —que son los llamados a dilucidar estas cuestiones— quiero completar, en la breve panorámica de los capítulos VIII, IX y X, una primera visión del contenido del *Diario*.

Para un mayor conocimiento de su erudición, consúltese mi recopilación antológica *Ideas eruditas en el Diario de los Literatos* (Publicaciones de la Institución «Tello Téllez de Meneses», Excma. Diputación de Palencia, núm. 31, págs. 193-267. Palencia, 1971) y, para las principales ideas literarias, mi *Diario de los Literatos de España. Antología.* «Clásicos Castalia». (De próxima aparición).

del uso de una terminología latinizante, de falta de método y orden, así como de incomprensible retrogradismo, apasionamiento y desconocimiento de los nuevos sistemas.

El tomo II de los *Desengaños* es calificado de un vano intento de concordar —mal concordadas— las doctrinas peripatéticas y las modernas.

El tomo III, de despreciar los avances europeos en el campo de la Filosofía moderna, incitando a su repulsión cuando todavía son totalmente desconocidos en la nación.

Idénticos criterios de modernidad y de sentido progresista muestran al hacer la crítica de la *Medulla Philosophiae* del **P.** fray Joseph del Espíritu Santo, autor también de una *Medulla Theologiae*, igualmente atacada en el *Diario*.

A la nota de retrogradismo —común al resto de la nación, donde no hay suficiente conocimiento de las nuevas doctrinas filosóficas—, añaden los diaristas los cargos de excesiva brevedad —600 págs.— para los estudios de las Escuelas, falta de método en la exposición de las cuestiones, acérrima y constante oposición a la nueva crítica y a los modernos experimentos, que han «hermoseado» tanto los nuevos sistemas filosóficos, además de pecar de oscuridad de expresión —tan opuesta a la claridad de la Filosofía en Inglaterra y Francia, «donde el idioma de la Filosofía está al alcance de los pleveyos e incluso de las mujeres»—.

RELIGIÓN

Siendo sacerdotes los tres fundadores del *Diario de los Literatos*, la temática religiosa ocupa amplio espacio dentro del mismo.

La crítica de la *Medulla Theologiae* de fray Joseph del Espíritu Santo se hace con habilidad propia de enciclopedistas, remitiendo a la de su *Medulla Philosophiae*, con la que se establece el paralelo, para reprender igualmente la excesiva brevedad y la falta de documentación y de seriedad científica en una materia tan necesitada de orden y buen método.

A la *Philosophia, Natural, Metaphisica y Moral*, de Juan Bautista Berni, se le ponen reparos, remitiéndolo a varios textos de los Evangelios en que se prueba que los Apóstoles realizaron milagros en vida de Jesucristo. Aunque no se meten directamente con él, dejan entrever claramente que el libro del P. fray Diego de Santiago no pasa de ser un vulgar tratado de devoción mariana, sin contenido doctrinal y no exento de notables defectos, muy propios de los devocionarios de la época.

Por el *Addicionario al Promptuario de Theologia de Larraga* de don Marcos Lozano, como sobre otros libros devotos, pasan los diaristas rápidamente, dejando clara, sin embargo, su escasa calidad literaria.

Idéntica línea de brevedad siguen con las *Mansiones Morales* del Rvmo. P. Polo, de quien se hace una ligera sátira por el hábil procedimiento periodístico de citar todos sus abundantes escritos sobre esta misma temática.

En materia de liturgia se muestran escépticos con las afirmaciones de don Manuel García Pérez y totalmente hostiles a los plagios del Licenciado Ignacio Antonio Palou, al que acusan de limitarse a tomar noticias confusas de libros anteriores, sin intentar hacer auténtica investigación sobre una temática en la que no cabe invención posible.

La inclusión de frecuentes elementos maravillosos, muchas veces ajenos a la verdad histórica, la falta de auténtica documentación y el exceso de vana retórica, provoca sus más duras recriminaciones en cuanto a las abundantes vidas de Santos.

Con habilidad crítica, hacen un extracto suficientemente amplio de las obras para que el público lector pueda juzgarlas sin necesidad de exponer sus propios criterios.

En la crítica de la *Primicia Basiliana* del R. P. M. don Francisco de Béjar, prescinden de contemplaciones y atacan violentamente al autor, acusando diversas inexactitudes y errores, además de reprocharle el empleo de «*todos los colores de su retórica en vivas pinturas de las galanterías seculares; de modo, que parecerian bien en los mejores Libros de Novelas, y aun el grande Homero se quedò muy atràs en la descripcion de los amantes de Penelope, si se coteja con los primores del Padre Maestro».*

DERECHO

Como en la *República Literaria,* la crítica de las cuestiones relativas al Derecho ocupa un largo espacio.

No sin razón, don Joseph Berní y sus amigos querían que los diaristas respondiesen a su ataque en términos meramente jurídicos, en vez de escaparse por la puerta falsa de la sátira literaria.

A vista de profano, los extractos son una continua exigencia de los diaristas, que raramente —por no decir nunca— se hallan satisfechos con el comportamiento de los autores: ya por falta de materia teórica y de noticias oportunas en los tratadistas; ya por exceso de vana erudición inoperante y fuera de lugar; ya por escribir sus tratados en latín; ya por hacerlo en lenguaje no científico y excesivamente vulgar...

Revisten especial interés las críticas hechas a la *Historia del Derecho Real de España,* de don Antonio Fernández Prieto y Sotelo, y la de *El Abogado instruído en la Práctica Civil de España,* del doctor don Joseph Berni, hermano del entonces ya fallecido don Juan Bautista Berni, cuya *Philosophia Racional* había sido también criticada nada favorablemente en el artículo I del tomo I del *Diario.*

En el caso del señor Sotelo, el largo Extracto va refutando materialmente una a una todas las afirmaciones del autor, antiguo compañero de la Academia de la Historia, llegando casi a escribir un nuevo tratado sobre la cuestión.

La crítica del libro de Berni, no menos extensa y detallada, es, junto a una implacable refutación de su obra, una sátira contra tan duro antidiarista.

DIDÁCTICA

Como siempre que tratan de libros dirigidos a la enseñanza de cualquier materia, se muestran partidarios de una amplia documentación científica y de la claridad y justeza del método.

HISTORIA NATURAL, MATEMÁTICAS, FÍSICA

El afán experimental de los diaristas y su interés por la Filosofía empírica y por las Ciencias les lleva igualmente a dar sus progresistas opiniones sobre Historia Natural y Matemáticas, cuyo conocimiento consideran fundamental para la nueva ciencia, especialmente para la Medicina, Física y Astronomía, en la que se muestran apasionados defensores del jesuita P. Regnaul.

MEDICINA

Como en la *República Literaria*, como en Quevedo, como después sucederá en la *Resurrección del Diario de Madrid* y en la mayoría de las sátiras literarias —más o menos disfrazadas con el erudito envoltorio de la crítica— en el *Diario de los Literatos* se ataca a la Medicina y a los médicos con más violencia aún que a la Filosofía aristotélica y al resto de las ciencias, de cuyos cultivadores y su fracaso hacen también burla.

Habiendo leído la carta de Salafranca dirigida a Cevallos en que da cuenta de las circunstancias de la muerte de su padre, parece que hay algunos motivos para atribuirle —aunque con toda reserva, mientras no se tenga absoluta certeza en tan peligrosa cuestión— muchos de los artículos de esta sección: no sólo por su declarada fobia a los que ejercen tan noble ciencia —fobia común a tanta sátira—, sino por el tono tremendamente satírico que empaña la mayoría de los textos.

La importancia que los diaristas concedían al tema queda bien patente en numerosas reseñas.

La marcada tendencia progresiva y experimental, que les caracteriza, hace que traten sin piedad a algunos libros de viejas recetas o de falsas supersticiones. La Anatomía, por el contrario, les merece todos los elogios: alaban los estudios sobre la circulación de la sangre del doctor don Miguel Borbón y hacen una Apología de los estudios del doctor Martínez y de Mr. Mugellan, considerando a la Anatomía indispensable.

Atacan fuertemente a quienes con juegos de ingenio pretenden restar importancia a su estudio, como el Padre Náxera en sus conocidos Desengaños.

Con igual pasión se interesan por todos los asuntos médicos, resumiendo ampliamente el tomo I de las *Disertaciones de la Regia Sociedad de Sevilla* —a la que defienden contra algunos ataques de particulares— y poniendo sólo algún reparo al estilo, por desgracia latinizante y gongorino, de algunos de los conferenciantes.

Igual desprecio les merecen los libros sin novedad, como el *Tirocinio Médico —Chimico— Galenico* del doctor Pasqual Francisco Virrey —lleno de supersticiones, dudosas recetas y sistemas anticuados— que la orgullosa proclamación de nuevos y espectaculares métodos no suficiente ni científicamente confirmados, como el diagnóstico a través del pulso de don Manuel Gutiérrez, ante cuyas afirmaciones adoptan una postura de escepticismo creciente.

Parecida actitud adoptan ante la obra del doctor Arnau sobre la *Laxitud, y Astriccion,* que les sirve de pretexto para exponer sus conocimientos de la doctrina hipocrática y de la *Historia de la Medicina* de Mr. Clerc.

Su interés por lo referente a la Medicina es tal que incluso se inmiscuyen en las polémicas médicas, siendo partidarios de las doctrinas del doctor Gilabert contra el doctor Lloret.

El tomo IV —art. XX, págs. 376-379— recoge, bajo el epígrafe de «*Noticias literarias de Sevilla y Granada*», nada menos que once apologías e impugnaciones de la tradicional polémica en racimo, desencadenada en torno a la obra de D. Juan Vázquez «*Medicina en las Fuentes: Corriente de la Medicina del agua: Purgas sin corriente*».

Comprendiendo que se han excedido en la materia, tangencial a una obra literaria como el *Diario de los Literatos*, intentan autojustificarse diciendo que han extendido tanto en tales asuntos no en consideración a su Instituto, sino «*para dar motivo à que los Profesores de la Medicina Española, apliquen la atención de sus desvelos, en averiguar la certidumbre de este nuevo Idioma de la naturaleza*».

Relojería

En la crítica de la obra de Juan de Arfe, añadida por don Pedro Enguera —que según nos consta por el *Anti-Diario* ya había muerto y no podía contestar a los diaristas— recriminan a éste su falta de sentido práctico y de documentación matemática... acusándole, además, de plagiar a varios autores como Monsieur Haye, Luchini, y Juan Conrado.

Geografía e Historia

La íntima relación del *Diario*, en su nacimiento, con la Academia de la Historia y la frecuencia con que los estudios de esta ciencia aparecen entrañablemente entrelazados con lo literario, hacen de este apartado uno de los más importantes.

Los diaristas no se limitan a extractar los libros de tal materia, sino que con frecuencia reelaboran auténticos tratados nuevos: ya rebatiendo las opiniones del autor, ya indicando su falta de documentación y las fuentes de donde ha tomado sus noticias, ya proponiéndole una bibliografía más adecuada, ya planteando de nuevo la cuestión y encauzándola por nuevas rutas más en consonancia con sus particulares opiniones históricas.

El erudito en la materia podrá percibir fácilmente las auténticas opiniones de los diaristas e incluso —con el previo conocimiento de las obras de Salafranca y Huerta y Vega— determinar con toda claridad cuál de las voces se deja oír al fondo del concierto. Posiblemente ninguna otra parte del *Diario* posea mayor transparencia, ni pueda ser más útil para una futura investigación, que permita la separación de textos e identificación de los autores de cada uno de los artículos.

Empiezan las reseñas históricas con la tan criticada recensión (art. IX del tomo I) de los *Anales del Reyno de Galicia*, de Huerta y Vega. Recensión elogiosa que el Padre Segura y otros afirman que es del propio autor. Y que, como en el caso de las referencias a las tan generalmente criticadas *Memorias eruditas*, cae en el odioso defecto del autobombo, si bien entreverado de cierto escepticismo ante los hechos milagrosos.

Muy distinto tono —de sátira y crítica— tiene ya el extracto de la *Historia y Milagros del Santísimo Christo de Burgos*, de fray Juan Sierra, a quien ponen reparos basándose en Pellicer.

Con menos piedad tratan a don Juan Félix Francisco de Rivarola y Pineda, cuya *Monarquía Española. Blason de su nobleza* atacan con extraordinaria violencia, acusándola de exceso de fábulas, inadecuada bibliografía, inserción de reyes fabulosos, plagios de Viterbo... y otros insultos, que el autor les devolvería a través de la airada mano de Cárdenas y Ribera en su ya estudiado *Ni Hércules contra tres*.

No menor fuerza satírica respira la reseña de la *Chronica Seraphica* de fray Eusebio González de Torres.

Idéntico tono de ataque mantiene la larga y documentada réplica —llena de exhibicionistas citas bibliográficas— al *Discurso Histórico sobre la antigua famosa Cantabria* del P. Larramendi, en que los diaristas explayan sus presuntuosos conocimientos histórico-geográficos.

Tono satírico que excede todo límite, embarga la crítica a los dos tomos del *Norte Crítico*, del P. Segura, con quien no pierden ocasión para ensañarse.

Parecido ensañamiento muestran con don Francisco Xavier de la Garma y Salcedo, por dos veces fuertemente puesto en ridículo en el *Diario* (VI-VII y VII-VII).

Acaso el extracto de la *Regalía del Aposentamiento de Corte* de don Joseph Bermúdez constituye la única excepción en esta línea continuada de feroces ataques a los diversos autores de estudios histórico-geográficos. Incluso los propios diaristas se apresurarán a defenderla violentamente contra un libro de Andrés García Narvaxa ya estudiado en el *Anti-Diario*.

Numismática

También en Numismática se muestran críticos, señalando varios reparos a la Bibliografía esencial en la materia.

Lengua y Literatura

Como no era de esperar menos, las diaristas, que dieron repetidas muestras de su erudición enciclopédica, no podían dejar de explayar sus amplios conocimientos en estas materias.

En primer lugar sus conocimientos lingüísticos: desde las cuestiones meramente toponímicas o etimológicas a las ya más generales como la apología del empleo del español frente al uso y abuso del latín, o sus réplicas a la opinión de establecer el vascuence como la lengua primitiva y universal de España.

No menos importantes son sus ya aludidas opiniones lingüísticas, puestas de relieve en la crítica de los *Orígenes de la Lengua Española* de Mayans y Siscar, su acalorada defensa del *Diccionario* de la Real Academia Española, o sus particulares opiniones en cuestiones de léxico, o en materias literarias.

IX

DIFERENCIAS ENTRE TEORIA Y PRACTICA: FORMULAS CRITICAS MAS EMPLEADAS EN EL «DIARIO»

La crítica literaria periodística del siglo XVIII se asienta desde su nacimiento —y en ello estriba su mayor falta de consistencia— en una interpretación dogmática de los principios de censura, sólo apuntados en tono satírico, en la conocida obra de Saavedra Fajardo.

Erigida sobre tan débil base, afirmándose en los conocidos tópicos críticos de la abundancia de malos escritores y de la consecuente necesidad de un tribunal expurgador que obre en nombre del bien común, levanta —y acaso ahí está su mayor gloria— toda una teoría crítico-literaria, que en buena parte tiene sus cimientos en la vieja retórica y preceptiva literaria y, en buena parte también, es producto del ambiente «excesivamente crítico» de la época.

Hasta dónde cada tribunal de censores o cada revista literaria aplicó, por su cuenta, un código de fabricación más o menos personal es una cuestión apasionante que, en su día, pondrán en claro los estudios sobre las diversas publicaciones periódicas dedicadas a la crítica literaria.

En el caso concreto del *Diario de los Literatos*, disponemos de un amplio repertorio de opiniones críticas de los diaristas, que hacen innecesaria la promulgación de aquel código personal, que tal vez no con muy buenas intenciones, les requería Fernández Navarrete en su conocida «Carta a los Autores del *Diario*».

Carta a la que los diaristas dieron una respuesta decepcionante y desilusionada, cargando las tintas sobre el tópico de los malos escritores, en lugar de remitir al conocido doctor a los diversos lugares de su *Diario* en los que, si bien diseminada y difícil de encontrar, se halla ampliamente expuesta toda su teoría literaria y crítica. Ninguna duda nos deja este amplio muestrario, que abarca las más diversas materias literarias, incluyendo desde las opiniones sobre la Crítica literaria periodística, hasta los más reservados secretos de la obra literaria, que van desde el título de la obra hasta el índice de la misma, sin olvidar apenas ninguna de sus facetas.

Hay que advertir, antes de entrar en el estudio de materias particulares, que no debe olvidarse al juzgar los aciertos o errores críticos de los diaristas, la elección de libros y autores que hicieron objeto de su aventura crítica. Elección que Fernández Navarrete ya las criticaba en la citada carta, acusándoles de detenerse con deleite en los peores autores en lugar de dedicar sus esfuerzos a los buenos. Interesante sería saber hasta dónde una más acertada elección de autores a criticar hubiera cambiado radicalmente la hipocondría crítica de que Fernández Navarrete les acusa.

Tal como hicieron la elección, el lector actual podrá encontrar planteadas una serie de cuestiones críticas, que empiezan con el propio título de las obras para seguir con las «Aprobaciones», materia en la que abundan los reproches críticos de la época.

El tema de los Prólogos, varias veces atacados en el *Diario*, era tan socorrido que el satírico P. Luis Losada descubría así la situación:

> «Yo sé bien lo que que pasa
> Un libro impreso que entre en una casa
> Sin prologo delante
> Es como un herrador sin pujavante,
> Es como un cirujano sin lanceta
> Es como un cazador sin escopeta...» [284].

---

[284] ISLA, P. José Francisco, *Obras*, pág. 367.

En sus alusiones al estilo, alaban preferentemente la claridad y satirizan o critican el exceso de barroquismo y la falta de método.

Las traducciones constituyen otra de sus pesadillas, ya que dedican a la materia abundantes observaciones, en las que ponen de relieve las dificultades inherentes a toda traducción, la abundancia de galicismos, los frecuentes desajustes entre el original y la traducción, las supresiones indebidas, la falta de claridad... Parecidas lamentaciones abundan en las censuras de Puig, a quien posiblemente se deban tales quejas.

La asombrosa pericia del autor del extracto lleva al diarista que critica la traducción de las *Secciones Theológico-Morales sobre el Juego*, de don Francisco Collart, a afirmar que «aunque no hemos podido lograr el original de esta traducción... por las señas que puede percibir nuestra corta inteligencia, nos atrevemos à assegurar, que la traducción es exacta» y a dedicar una larga digresión al hondo mérito y valor de las buenas traducciones.

En el extracto de la *Historia del Príncipe Eugenio*, de don Joseph Rodrigo de Tovar, podrá el lector comprobar la exhaustiva lista de reparos, incluido el de plagio, que los diaristas ponen.

No menos exigentes se muestran en el largo extracto de las *Obras de Ovidio, traducidas, y comentadas* del doctor don Diego Suárez de Figueroa, a quien los diaristas no perdonan defecto: inexactitudes, digresiones, falta de inteligencia del texto original...

Con Mañer se ensañan, como siempre, acusándole de romper todas las reglas de una buena traducción y de hacer «mercenario este género de literatura».

POESÍA

El extracto de la *Poética* de Luzán da lugar a que los diaristas (o Iriarte, al que muchos juzgan autor de parte del extracto) expongan sus aclaraciones y objeciones a la cuestión.

En primer lugar destacan la definición de poesía hecha por Luzán. Siguen con el orden natural y el artificial en el poema, las églogas piscatorias, la esencia de la épica, en la que se muestran en abierta disconformidad con Luzán, y cierran la materia con una acalorada defensa de Lope y de Góngora.

TEATRO

Feroz es el justificado ataque a la *Historia Cómica de la Conquista de Sevilla* de don Manuel Durán.

Parecidos reproches se dirigen a don Tomás Añorbe y Corregel por su comedia *La Tutora de la Iglesia*.

El resto de las objeciones sobre teatro van dirigidas a la *Poética* de Luzán, ya en defensa de los dramaturgos clásicos, ya opinando sobre la ópera, sobre la mezcla de fantasía y realidad en la obra teatral, sobre la conveniencia del uso de la prosa o del verso, sobre la esencia de la tragedia, de la tragicomedia y de los autos sacramentales o bien sobre las tres unidades, materia en la que se muestran en clara discordancia con Luzán.

REFRANERO

Los diaristas se muestran de acuerdo en que en la épica sean pocas las sentencias para que el poema épico no adquiera un tono predicable.

CUADRO DE COSTUMBRES

Al hacer el extracto de la *Impugnación católica y fundada, a la escandalosa moda del* Chichisveo, del Abad de Cenicero (Juan Joseph Salazar de Ontiveros), los diaristas, que cerrarán el entusiasmado extracto con el decepcionante hallazgo de que la obra es un tremendo plagio literal, escriben, a su vez, un interesante artículo de costumbres. Artículo de la mejor ley, que muy posiblemente sea de Salafranca y que no desmerece en nada de los mejores del género.

Junto con el valioso colorido de época, derrochan erudición y profundo conocimiento del tema, que, con variantes, encontramos repetido en varios periódicos del XVIII.

Para mi juicio, es el artículo de lectura más agradable de todo el *Diario*, y demuestra las altas dotes literarias de su autor.

LITERATURA PIADOSA

La nota común a todas las críticas de esta temática es la ironía, más o menos disimulada según el autor a quien critican, cargando la mano en la falta de erudición y de calidad artística, así como el frecuente empleo de citas erróneas.

Se ve claramente —por más que a veces lo disimulen— que son totalmente opuestas a este género de literatura.

ORATORIA SAGRADA

La degeneración de la oratoria sagrada constituyó una de las grandes pesadillas de la época, sólo equiparable al gran tópico de los malos escritores del siglo. Hasta tal punto que el P. Luis Losada —que, según Desdevises du Dezert coleccionaba, para divertirse, los sermones ridículos, las dedicatorias afectadas...— pretendía unir el ataque contra ambos vicios en una especie de *Don Quixote* crítico.

No menos preocupaba la temática a Feijoo y a Mayans —que se ocupó del tema, en su *Orador cristiano*—, como a Macanaz, y a los mismos obispos —como don José Climent o el arzobispo Lorenzana— que, según Ferrer del Río, hubieron de tomar repetidas medidas para que la oratoria sagrada volviera a recobrar sus antiguos derechos a finales del Reinado de Carlos III.

El desolador panorama —objeto de la tan discutida y triunfante obra del jesuita P. Isla— preocupaba también a los diaristas, como ya hemos visto por los datos de su biografía, así como a sus instigadores, que, en una y otra carta, vuelven violentamente sobre los vicios de la oratoria sagrada.

Critican como vicios más frecuentes la inconsciencia, la impropiedad, la falta de doctrinas, el acudir a fuentes comunes de erudición, la falta de documentación y de estudio de la elocuencia...

A veces, como en la crítica de *Sermones Vespertinos* de fray Alexandro de San Antonio, se critican las expresiones de auténtico gusto degenerado, como el llamar a la Magdalena *Dama de rumbo*, y *Damaza de mucho toldo*.

En los *Sermones de San Francisco de Sales* traducidos por don Florián de Anison ponen reparo a la traducción, excesivamente literal, y al vocabulario del traductor.

La crítica del *Panegírico al Gran Apóstol de Navarra San Fermín* es una desbordada sátira contra los abusos de barroquismo de su autor, especialmente contra el abuso de términos mitológicos aplicados al santo.

Idéntico tono satírico siguen en el extracto de la barroca obra de fray Diego de Madrid *Nada con voz* —compendio de todos los defectos de la disparatada oratoria de la época—.

Igual tono sarcástico, creciente cada vez, siguen el resto de los compendios, especialmente al hacer referencia a las fuentes más usadas por los predicadores de la época: Ravisio Textor, Plutarco, Beyerlinch...

El panorama de oratoria sagrada, a la vista de tales extractos, no puede ser más desolador y su crítica raya, en lo satírico, a la altura de fray Gerundio.

Efemérides barométrico-médicas

Ya me he referido varias veces al interés de los hombres del XVIII por los fenómenos atmosféricos y a las posibles causas de amistad de Fernández Navarrete con

Huerta y Vega, lo que lleva a los diaristas a incluir las efemérides en el *Diario*.

Sempere y Guarinos alaba la medida de los «sabios diaristas» que «*convencidos de la necesidad de que se hiciesen muy notorias, las reimprimieron en algunos artículos de su Diario de los Literatos*».

INSCRIPCIONES

Parecida importancia literaria conceden a las inscripciones, ya que uno de los defectos que achacan al *Mercurio Literario* es la falta de las mismas.

CRÍTICA LITERARIA

Además de la forma indirecta de exponer su teoría literaria y de las continuas referencias a la crítica, difusamente esparcida por el *Diario*, hay en él toda una abundante y curiosa preceptiva literaria.

En primer lugar proclaman, en oposición al **P.** Segura, un ancho campo para la crítica, que no debe limitarse sólo a los hechos históricos, «*sino también a todo género de Escritos, juzgando de sus varias lecciones, de su sentido y estilo, y de todo lo concerniente à sus Autores*».

Se alaba la forzada exigencia de los críticos y se elogia los compendios bien hechos. El propio *Diario* pretende —con afán enciclopédico— «*enseñar por compendio*» y reducir a compendio todos los escritos de su época, aunque con frecuencia los diaristas se lamentan de las dificultades de tal labor y Forner, en *La corneja sin plumas*, la considera «*una de las operaciones más difíciles que hay en la profesión literaria*», ya que... «*El Compendiador ha de ser por lo menos tan sabio en la materia que resume, como el mismo Autor que la trató extensamente*».

PLAGIO

El corrosivo vicio del plagio es el más duramente fustigado —no sin motivo— a lo largo del *Diario*.

Con su peculiar gracejo, afirmaba Forner en *La corneja sin plumas* —pág. 7—: «*Hace muchos siglos que el país de la literatura hormiguea en salteadores y foragidos.*»

Y el cínico autor de la Colección de los *Correos de Sastre Cathalan* [285], que tiene el valor de decir que «*Ya no se ven sino salteadores de Sonetos, rateros de Letrillas, Zurcidores de conceptos, y remendones de equívocos*» empieza su desvergonzado plagio de la obra de Nipho con estas picarescas consideraciones:

«*¿Por que causa, decía yo entre mi, habiendo en Barcelona tan afamados Sastres, no ha de ser semejantes caxones?*»

Todavía lleva a mayores extremos su cinismo, al decir que las obras de don Diego de Torres «*padecieron la injusta Critica de ser una copia substancial de las de Quevedo*» y deducir de ello, curándose en salud, que «*Lo cierto es, que la Critica necesita más ingenio, reflexión y madurez de la que regularmente se emplea en ella, y que muchas veces se pretende dissimular con este pretexto la embidia, y aun la petulancia, aversión y venganza*».

POLÉMICAS

Quien conozca sólo esta aséptica teoría de la polémica —y no todo el largo proceso del *Anti-Diario*— tendrá una idea tan equivocada de los diaristas como la abismal

---

[285] (Marqués del Cigarral), *Colección de los Correos de Sastre Cathalan que en manual de honesta diversion ofrece al señor público*. Sin año. [Es de 1761.] Hemeroteca Municipal de Madrid, Signatura 358.

distancia que media habitualmente entre la teoría y la práctica.

Como siempre, fue el P. Segura uno de los primeros en notar la diferencia entre este inmenso predicar teórico y las injusticias —bien evidentes— que luego cometían los diaristas a la hora de realizar su crítica. Parecido tono, teóricamente pacifista, mantienen al hablar de las impugnaciones y de las apologías.

Acaso por eso mismo, llevándoles la contraria, Forner, en su *Oración apologética* [286], tras citar varias apologías famosas, hace esta insinuante defensa del género: «*y por ventura ¿serán reprehensibles porque a Vm. y à otros incapaces de hacerlas se les antoje sobreponer un color odioso a las Apologías?*»

EJERCICIO DE LA CRÍTICA

Uno de los recursos más acusados por los diaristas es la ironía, a veces tan velada que es casi imperceptible. En algunos casos llega a la sátira franca, que casi siempre enfila por las ridículas apreciaciones personales de los autores, a las que los diaristas «ponen música».

En el caso concreto de Suárez de Figueroa la ironía resulta de la repetición con que el autor cae una y otra vez en el mismo defecto de introducir en las obras de Ovidio un panegírico a la ciudad de Badajoz, disimuladamente diseminado por las dedicatorias de los diversos tomos.

En el extracto de la *Vida de San Antonio Abad*, de don Pedro Nolasco de Ocejo, con el tiempo impugnador del *Diario*, la sátira se desata sin límites.

Y, por si los ataques de los diaristas no habían sido suficientes, todavía volvería sobre el autor, con su socarronería genial, D. Hugo Herrera de Jaspedós.

En términos muy próximos está realizado el extracto de *El Sacerdote Instruido, y enseñado*, de don Ignacio

---

[286] FORNER, Juan-Pablo, *Oración apologética por la España y su mérito literario*, Madrid, Imprenta Real, 1788, pág. 9.

Antonio Palou, amigo del P. Segura —a quien alcanzan igualmente algunos de los latigazos de los diaristas—, y la de la *Primicia Basiliana* del R. P. M. don Francisco de Béjar.

A veces salen en defensa no sólo de varios autores —como tendremos ocasión de ver—, sino también en defensa de las Instituciones como la Academia Médica de Sevilla o la Real Academia Española. Sólo contadas veces pierden el control y llegan a un ataque directo y violento, como en el caso del *Tratado del Dolor Colico* de don Francisco García Hernández o en el del señor Sotelo.

Entre otras habilidades suyas —como la ironía, la aparente urbanidad, el sentido velado...— figura también la de remitir de un capítulo a otro con el fin de no hacer tan aparatosamente violenta su opinión.

PRINCIPALES REFERENCIAS BIBLIOGRÁFICAS

Una de las más eficaces canteras para el futuro estudio de fuentes del *Diario* y para un mejor conocimiento de la categoría literaria del mismo han de constituirla las referencias y juicios que hacen de diversos autores.

Entre los muchos que aparecen en el *Diario,* cabe destacar su permanente defensa del P. Feijoo —ídolo al que dedican abundante espacio—, así como su defensa de los dramaturgos de los Siglos de Oro —especialmente de Lope, Calderón y Alarcón—, o su apasionada apología del *Arte nuevo de hacer comedias* y de la poesía de Góngora.

A lo largo de este ensayo se han venido indicando asimismo otras muchas peculiaridades en cuanto al fondo y la forma de la manera de hacer del *Diario,* vista no sólo bajo el optimista prisma de sus embaucadores prólogos e introducciones, sino también bajo la cara —menos halagüeña, pero más realista— de la amplia polémica suscitada por sus apreciaciones críticas, con frecuencia muy lejos de la imparcialidad y de la urbanidad tan repetidamente proclamadas.

Polémica ya ampliamente estudiada en el *Anti-Diario* y que adquiere caracteres verdaderamente agresivos, cuando el autor criticado —Mayans, el P. Segura, Mañer, Antonio María Herrero...— ha intentado hacer sus armas en el «acotado campo» de la Crítica literaria periodística.

Los furiosos ataques, repetidos en varias ocasiones, contra Mañer, no parecen tener otro objeto que desacreditar su *Mercurio histórico y político*.

Mucho más feroz todavía es el ataque a su mayor enemigo en el terreno de la crítica literaria periodística, el *Mercurio Literario*, en cuyo ataque no respetan ni siquiera a su antiguo compañero Huerta y Vega, ahora criticado sin contemplaciones. Solo un aspecto puede salvarse del furibundo artículo —tan fácil de dar y tan difícil de cumplir— el respeto que un autor de talla, como el Marqués de Mondéjar, debiera merecer a los cultivadores de la Crítica.

Embelesador código de dignidad y ética profesional, que hubiera hecho de la Crítica literaria periodística algo muy estimable, de haber seguido, sin desviaciones hacia la perniciosa sátira, el camino tan clarividentemente programado.

X

SELECCION DE MATERIALES: LIBROS RECIBIDOS Y LIBROS CRITICADOS

Acaso nada más apropiado para un enjuiciamiento realista de la labor crítica del *Diario* que un amplio índice bibliográfico.

Si, por una parte, nos puede proporcionar su extensión un expresivo panorama cultural de las Letras españolas durante el trienio 1735-1738 [287]— con escasos rebasamientos de tan estrecho marco cronológico— por otra parte nos permite comprobar hasta dónde está justificada la repetida acusación del *Anti-Diario*, que una y otra vez insiste en la mala fe con que los diaristas critican las obras de peor calidad, sin dignarse, en cambio, hacer caso a los autores más dignos de respeto.

Estos son, ordenados alfabéticamente para mayor facilidad del lector, los libros recibidos —algunos de ellos también criticados [288]— en el *Diario de los Literatos:*

ABAD DE CHOISY: *Historias de Piedad, y de Moral,* por el ————, en 12.º, dos Vol., año 1735. (II-XXVI-388.)

ABAD DE PARTHENAL: *Historia de Polonia durante el Reynado de Augusto II,* por el ————, 4 Tom. en 12.º, año 1735. (La Haya.) (V-X-357.)

ABAD DE SEGUY: *Panegyricos de los Santos,* por el ————

---

[287] Aunque el *Diario* muere en febrero de 1742, la licencia del tomo VII estaba ya concedida en noviembre de 1739.

[288] Los libros criticados llevan aquí un asterisco delante.

————, Predicador del Rey, Abad de Geulis, Canonigo de Meaux, de la Academia Francesa. En casa de Pereault, año de 1736, dos Vol. en 12.º (París.) (II-XVI-388.)

La ACADEMIA de Cirugia de Paris, no dandose por plenamente satisfecha de las dissertaciones compuestas sobre el asunto propuesto el año 1736, es à saber: Si se deba cortar el Cancro del pecho, ha suspendido el premio, bolviendo à proponer de nuevo la referida question para el año de 1738 permitiendo à los autores retocar, ò refundir como quisieren los discursos que en esta materia tienen presentados, para producirlos otra vez; y assi ofrece al que mejor la desempeñare premio doble, que seràn dos medallas de oro, cada una de valor de 200 libras, ò una medalla sola, y el importe de la otra à eleccion del Autor. (Francia.) (IV-XXI, 384.)

La ACADEMIA REAL de las Buenas Letras, Ciencias, y Artes de Burdeos, propone à todos los doctos de Europa dos premios, cada uno de una medalla de oro, de valor de 300 libras, que se distribuiràn el dia 25 de Agosto de 1738. El uno està destinado, para el que mas probablemente explicare la Causa de la opacidad y de la diaphanidad de los cuerpos: y el otro al que mejor desentrañare la Causa de la fertilidad de las tierras. La misma Academia ofrece tambien otros dos premios para el año siguiente de 1739 al que mejor resolviese la question de si el ayre de la respiracion passa por la sangre; y el otro al que con mayor probabilidad explicare la causa del calor, y de la frialdad de las aguas minerales. (Francia.) (IV-XXI-383-384.)

Historia de la ACADEMIA REAL *de las Ciencias, año 1734, con las Memorias de Mathematica y Physica para el mismo año Sacadas de los registros de dicha Academia.* En la Imprenta Real, año 1736 en 4.º (París.) (V-X-356.)

Los Socios de la ACADEMIA REAL de las Ciencias embiados por su Mag. Christianissima al Norte, para descubrir, y encontrar la figura de la Tierra, han dado cuenta à la Academia de sus Observaciones; y por estas se ha decidido, que la tierra es una Spheroide chata àzia los

Polos, Segun que por la theorica lo havian llegado à descubrir los Señores Huygnes, Newton, y otros grandes Geometras. (Francia.) (IV-XXI-384.)

ALBALATE, Fr. Joachin de: *Vida, Virtudes, y Milagros del Glorioso San Joachin, Padre de N. Señora,* Su autor el R. P. Fr. ————, del Orden de Franciscos Descalzos. Impresso por Antonio Sanz. (IV-XIX-372.)

* ALCALÁ, Marcos de: *Naufragio de la verdad ilustrada y tormenta de varias imposturas, que imprimiò Don Fernando Camberos en su Heroe Serphico,* su Autor el R. P. Fr. ————. Lector de Theologia, Misionero Apostolico, Predicador de su Magestad, Difinidor actual, y Chronista de la Santa Provincia de San Josepho de Religiosos Descalzos de N. P. San Francisco, impresso en Madrid, en la Oficina de Antonio Marin, año de 1737, en quarto, con 50 numeros. (II-XV-273.)

——: *Segunda parte de la Chronica de la Provincia de San Joseph, de Religiosos Descalzos de N. P. S. Francisco,* Su autor el M. R. P. Fr. ————. Predicador de S. M. Calificador de la Suprema, Difinidor actual, y Chronista de la misma Provincia de San Joseph. [VI-Indice de Libros que no se ha extractado en este Tomo.]

ALCALÁ, Fr. Pedro de: *Vida del V. Siervo de Dios el P. Presentado Fr. Francisco de Possadas, del Sagrado Orden de Predicadores.* Su autor el R. P. M. Fr. ————, de la misma Orden, Segunda Impression. (IV-XIX-371.)

ALGAROTI, Mr.: *Il Newtonismo per le Dame, ouvero Dialoghi Sopra la luce i colori.* 1 volum. en 4.º En Napoles, ò lo que es mas cierto, en Milán, año 1737. (Venecia.) (V-X-357.)

ALONSO TORRALBA, Vicente: *Empeño Español, el que hace patente el modo práctico de la traìda del Rio Xarama à Madrid, y la limpieza de sus calles, por menos costoso, y no practicado en España.* Su Autor Don ————. (VI-Indice de Libros que no se han extractado en este Tomo.)

* AMAT, Joseph: *Sermon en las Exequias de la V. Doña Josepha Maria Roca de la Serna y Mascarèll, muger del Generoso D. Lorenzo Torres y Carròz, celebradas en la nueva Iglesia de la Real Congregacion del Oratorio de*

S. Phelipe Neri de Valencia, dia 6 de Junio de 1737. Dixole el Doctor ————, Presbytero de dicha Congregacion, Visitador General, y Examinador Synodal del Obispado de Cuenca, Sacale à la luz la Ilustre Señora Doña Mariana Roca de la Serna y Mascarèll, Marquesa de Mirasol, hermana de la Venerable, y le consagra al Deifico Corazon de Jesus Nuestro Redentor. En Valencia por Joseph Estevan Dolz, año 1737, en octavo grande, tiene 211 pág. Sin los principios. (IV-VII-166.)

*Anison, Florian de: *Sermones familiares, compuestos por San Francisco de Sales, Obispo, y Principe de Ginebra,* traducidos del Idioma Francès al Español por Don ————, dos Tomos, en quarto. Impressos en Madrid, por Antonio Marin, año de 1734. El primero, tiene 435 págs. y el Segundo 515. Sin los principios. (II-V-147.)

Anville: *Dissertación en forma de Carta, dirigida al P.P. Castèl, Jesuìta, de Mr. d'————; Geographo Ordinario del Rey, Sobre el País de Camtchatka y de Jezo, con la respuesta del dicho P. Castel.* Año 1737. Papel en dozavo. (París.) (V-X-354.)

*Añorbe y Corregel, Thomàs de: *Comedia de la Tutora de la Iglesia, y Doctora de la Ley,* 1.2.3. parte, compuesta por D. ————, Capellán del Real Convento de la Encarnacion de esta Corte. Tienen las tres partes 114. pág. en quarto. (IV-XVII-358.)

*Aranda y Marzo, Joseph: *Descripcion tripartita medico Astronomica, que toca lo primero sobre la constitucion epidermica, que ha corrido en muchas Ciudades, Villas, y Lugares de los Reynos de España, desde el año de 1735, hasta la mayor parte del año de 1736, y con especialidad en la Villa de Orgàz, hasta el dia 12 de Deciembre de dicho año de 1736. Lo Segundo, la residencia demonstrativa sobre la distincion de la verdadera preñèz de la falsa. Y lo tercero, el juicio conjetural Astronomico, Philosophico, y Mathematico, sobre el Phenomeno igneo, que por muchos dias se ha manifestado al Oriente, y Occidente, desde el dia 27 de Noviembre del año de 1736, finalizando siempre en el Occidente.* Por el Doct. D. ————, Medico de la muy ilustre Villa de Orgàz,

Impreso en Madrid por Manuel Fernandez, año de 1737, en 4.º Tiene 183 pg. sin los principios. (IV-VIII-171.)

ARANJO, Bernardo de: *Triunfos partidos entre el Canero obstinado y el Cirujano advertido.* Su Autor, el Doctor ————.

ARAUJO, Domingo de: *Gramática latina del Bachiller* ———— *para el uso de sus discipulos etc. en tres tomos; reformado, acrecentado, y reducido à methodo màs facil, con la claridad que basta para que en menos de un año se aprenda por ella,* por Antonio Felix Mendez, Maestro de Letras humanas. En la Imprenta de Manuel Fernandez de Costa. En octavo. (II-XXV-368.)

ARAUJO, Joseph de: *Cursus Theologici, tomus secundus* (Oficina de Miguèl Rodriguez, año 1737. En folio. II-XXV-367.)

ARIAS, Gómez: *Descripción-Metrica Laconica de las plausibles fiestas, que executaron los Padres de la Compañia de Jesus en la Canonizacion de San Juan Francisco Regis,* Su autor D. ————, Maestro de Philosophia, Professor de Mathematicas. (VI-Indice de los Libros que no se han extractado en este tomo.)

ARMESTO, Ignacio: *Papel de Aviso à los Censores hominales del Anti-Critico,* compuesto por ———— (IV-XIX-371).

*——: *Theatro Anti-Critico Universal sobre las Obras del R. P. M. Feijoò, del P. M. Sarmient, y de Don Salvador Joseph Mañer. Se empieza en cada Discurso con un breve selecto de lo que dice el P. Feijoò. se reparte la justicia entre los tres Theatristas, se convence la verdad contra los principales assumptos, y otras opiniones del Theatro para desagravio de Errores comunes.* Libro tercero, su Autor Don ————: con Privilegio. En Madrid en la Oficina de Diego Miguèl de Peralta. Año de 1737, en quarto, con 300 pág. fuera de los principios, y fines. (II-XIX-289.)

*ARNAU, Joseph: *Obra nueva Medica Theorico-Practica, sobre la Laxitud y Astriccion, segun la mente de Hipocrates, las observaciones de Santario, y los experimentos de Baglivio,* escrita por el Doctor D. ————, Medico graduado en la Universidad de la Ilustre Ciudad de Valencia. Dos tomos en 4.º en Valencia, por Antonio Bordazar, año 1737. El primero tiene 334 pág. incluido el Indice, y la Tabla de los Capitulos. El segundo 408. contando el Indice (V-IV-173.)

* ARPHE, Y VILLAFAÑE, Juan de: *Varia commesuracion para la Escultura, y Architectura*, por ———, natural de León, escultor de oro y plata, añadido en esta quarta impression por Don Pedro Enguera, Maestro de Mathematicas de los Cavalleros Pages del Rey nuestro Señor, y de Su Real Artilleria, etc. El Relox vertical, con declinación y sin ella: El Relox Oriental, Occidental y en todos puestos los Signos. Impresso en Madrid en la Imprenta de la Viuda de Don Pedro Enguera, calle de Embaxadores, en el año 1736 en fol. tiene 168 foliaciones, sin los principios, y fines. (I-III-65.)

ASSENSIO, Francisco: *Nuevo, y provechoso uso para reducir à reales de vellon todo genero de moneda corriente de oro, y plata, conforme à la Real Pragmatica de 17 de Mayo de este año, Su Autor* ———, Mercader de Libros de esta Corte. (II-XXIV-363-364.)

* ASSUMPCION, Joseph de la: *Voces Sonoras evangelicas, que salen à luz en Sermones de varios assuntos, convocando en la Militante Iglesia à sus Obreros Apostolicos, para que se sienten a la Mesa de la Sabiduria transfigurada, que está dispuesta para que registen, como Mysticas Aves, lo que oculta debaxo de las Letras del Abecedario Evangelico, y publicarà en cinco tomos.* Su Autor: el R. P. Fr. ———, Predicador, y Ex-Difinidor de la Provincia de San Pablo Apostol, de Franciscos Descalzos, en Castilla la Vieja. Impressas en Salamanca, en la Imprenta de la Santa Cruz año de 1736. en quarto, tiene 351 pág. Sin los principios. (II-III-135.)

El ATLAS *de faldriquera,* en un tomo en 4.º y el ATLAS *portatil* en dos tomos en folio, año 1734. En Francés (Libros de Amsterdam). (II-XXV-381.)

* AUTORES DEL DIARIO: *Respuesta de los* ——— *à la Carta del Doct. Don Francisco Navarrete.* (VII-IX-182.)

El AUTO *de Fè, celebrado por el Santo Tribunal de la Inquisicion de la ciudad de Lisboa, en que huvo hasta el numero de 59 Judios, entre quemados vivos, en esta-*

tua, Relaxados, y Penitenciados. En la Botica de la Plazuela del Angel. (IV-XIX-372.)

La relación del AUTO *de Fè, que celebró el Santo Oficio de la Inquisicion de Toledo el dia 20 de Marzo de 1738*. (VI-Indice de los Libros que no se han extractado en este Tomo.)

AVENDAÑO, Alexandro de: *Dialogos Philosophicos en defensa del Atomismo*, Su Autor ————. (VI-Indice de los Libros que no se han extractado en este tomo.)

* AVILLON DAZA ET GUZMAN, Josepho de: *Lumen Justitiae, et Juris Utriusque in novem Vesperibus refulgens, totidemque Dialogis illustratum. Opus Eruditis valdè utile et erudiendis maximè necessarium*. Authore D. ———— ————, J. U. D., Et in Regio, Supremo Castellae Senatu, Causarum Patrono. (Impressa en Valencia, en la Oficina de Joseph Thomàs Lucas, en la Plaza de Sent-Vult, año 1737 en quarto, con 288 pág. Sin Indices, ni principios. (II-VII-161.)

AZNAR POLANCO, Juan Claudio: *Crisol Christiano para enseñar à leer en muy breve tiempo*, su Autor D. ————, Maestro del Arte de escrivir, y contar. (IV-XIX-310.)

* BAÑATI, Simon, y BONIS, Carlos de: *Admirable vida del Venerable Padre Francisco de Geronymo de la Compañia de Jesus, Apostol de la Ciudad, y Reyno de Napoles*, escrita en Italiano, y en Latin por los Padres ————, y traducida en Español por el Padre Manuel Antonio de Frias, todos de la misma Compañia... Impressa en Madrid en la Oficina de Don Gabriel del Barrio, impressor de la Real Capilla de su Magestad, año de 1735. Dividida en seis libros, y consta de 703 pág. Sin los principios, ni Indices. (I-XVI-237.)

BARBOSA, Joseph: *Elogio Funebre de Diego de Mendoza Corte Real, del Consejo de su Magestad, y su Secretario de Estado*, compuesto por Don ————, Clerigo, Regular de la Divina Providencia. Impresso en Lisboa Occidental, en la Oficina de Antonio Isidoro de Fonseca, año 1737 en 4.º (II-XXV-372.)

BARNAHITA, Nicèron: *Memorias para Servir à la Historia de los Hombres ilustres en la Republica de las Letras, con un Catalogo de sus Obras*, por el R. P. ————,

Tom. 35, en casa de Briasson, calle de Santiago, à la Sabiduria. (Paris) (II-XXVI-387.)

BARONIO, Leonardo Venturini, Impressor de la Ciudad de Luca, propone por Subscripcion una edicion nueva de los *Anales del Card*, que sin duda será el mas amplio, y mas completo cuerpo de Historia Eclesiastica, que aya salido hasta ahora. En cada plana se hallarán las criticas del P. Pagi añadidas, corregidas, è ilustradas con notas de diferentes eruditos, colocada cada una de las Adiciones en el lugar que le pertenece; y en fin en todo el discurso de la obra, gran copia de nuevos monumentos, que no han visto todavia la luz publica. Se añadirà la continuacion de los Anales de Oderico Raynaldo, de suerte que esta basta coleccion subirà à lo menos à 26 tomos en folio. Por cada tomo en papel de marca mayor se pagaràn adelantados 18 julios, y siendo de marca menor 16. El Librero se obliga à dar cada tres meses un tomo, y assi espera poder entregar toda la obra en cinco años. (Italia.) (IV-XXI-381.)

BARROS, Salvador Joseph de: *Desengaño de alucinados, Caso horroroso, Relacion tragica, è Historia Funesta del Peregrino del Infierno, un hombre demonio, ò un demonio hecho hombre, cuya estragada vida, y escandalo de la naturaleza humana, fue mandada escrivir por el demonio, cuya desastrada muerte, proximamente sucedida, hue horror de una de las ciudades de Italia, y la noticia ha sido temor de muchos, se pretende sea cautela de todos*, traducida de Italiano en Portugues por ———. Impresa en Lisboa Occidental, en la Oficina Ferreriana, año 1737, en 4.º (II-XXV-375.)

BASTERO, Antonio: *La Crusca Provenzal, ò bien las voces, frases, y modos de hablar, que la elegantissima, y cèlebre lengua Toscana ha tomado de la Provenzal, enriquecidas, ilustradas, y apoyadas con razones, autoridades, y exemplos: y juntamente algunas memorias, è noticias acerca de los Antiguos Poetas Provenzales, Padres de la Poesia vulgar, especialmente algunos que entre ellos fueron de nación Catalana, Sacadas de los Manuscritos Vaticanos, Laurentianos, y otros.* Obra de D. ———, Cavellero de Barcelona, Doctor en Philosophia, en ambos Derechos, Canonigo, y Sacristan mayor de la Cathedral de Girona, y Examinador Synodal de dicha Diocesi, llamada entre los Academicos Arcades Iperides Bacchico, impresso en Roma en varios tomos de à fol. en Italiano. Muriò este Sabio à fines del año 1737. con sentimiento universal de los eruritos, especialmente de aquellos que lograron de cerca admirar sus amables prendas, y exquisita erudicion. Dexó manuscrita (segun sabemos por un erudito Catalàn) otra obra de mayor extension, é importancia, que parece ser Historia de la Lengua Catalana, y está en poder de su Ilustrissimo hermano el Señor Obispo de Girona, quien hará un especial favor à la Nacion quando la publique. (Italia.) (IV-XXI-379-380.)

BEANMONT, Blàs: *Exercitaciones Anatomicas.* Su Autor Don ————, Cirujano de su Magestad. (VI-Indice de los Libros que no se han extractado en este Tomo.)

————: *Nota Practica sobre las virtudes de las aguas de Quintos.* Su Autor Don ————. En octavo. (II-XXIV-363.)

BECERRA CASTRICERENSE, Benito Gil: *Asserta Theosubtilia, etc. Esto es, Conclusiones Theologico Sutiles, ò Systemas Theologicos de la essencia, y eficacia, voluntad divina, y de la moralidad de la voluntad humana,* tom. I. Su Autor el M. R. P. Fr. ————, de la Orden de los Menores de la Observancia de la Provincia de San Miguèl, Lector Jubilado de Sagrada Theologia, Calificador de la Santa Inquisicion, etc. Impresso en Barcelona en la Oficina de Joseph Giralt año 1737 en folio y 625 páginas. (III-VII-188.)

* BÉJAR, Francisco de: *Primicia Basiliana, Vida Prodigiosa de Santa Macrina Virgen, Abadesa, Hermana de San Basilio el Grande.* Escriviala el R. P. M. Don ————, Lector Jubilado en Sagrada Theologìa, Abad que ha sido de los Colegios de Salamanca, y Alcalà, Ex-Abad de este Monasterio de Madrid, y dos vezes Difinidor de la Provincia de las dos Castillas, del Orden de nuestro Gran Padre San Basilio. En Madrid, en la Imprenta de Lorenzo Francisco Mojados. Año de 1738. En 4.º con 339 pág.

Sin los principios, Dedicatoria, Aprobaciones, y Prologo. (VII-XIV-326.)

* BERMÚDEZ, Joseph: *Regalia del Aposentamiento de Corte. Su origen, y progreso, Leyes, Ordenanzas, y Reales Decretos, para su cobranza y distribucion,* que dedica al Rey Nuestro Señor, Don ————, del Consejo de Su Magestad, y Alcalde de la Real Casa, y Corte, Impresso en Madrid por don Antonio Sanz, año 1738. en 4.º tiene 118 pág. Sin los principios y fines. (VI-V-198.)

* BERNI, Joseph: *El Abogado instruido en la Practica Civil de España.* Su Autor el Doctor ————, Abogado de los Reales Consejos, de la Ciudad de Valencia, i de esta natural, i vecino. Un tomo en 8.º de 168 páginas. Sin los principios, y sin nombre de Impressor, lugar, ni año de, su impression. (VII-I-1.)

* BERNI, Juan Bautista: *Philosophia Racional, Natural, Metaphysica y Moral,* en 4 tomos en octavo: Su Autor el Doctor ————, Presbytero, Colegial que fue en el Mayor de Santo Thomas de Villanueva, Maestro en Artes, Doctor en Sagrada Theologia, Cathedràtico de Philosophia en la Universidad de Valencia, y Penitenciario del Hospital Real, y General de dicha Ciudad. Impresso en Valencia año de 1736, por Antonio Bordeyar. (I-I-1.)

BIBLIAE *Brenneri Thesaurus Nummorum Sveo Gotliorum, et Scriptores rei nummariae,* in 4.º, eum fig. 1731.

BIBLIOTHECA *Germanica.* Tomo 36, en casa de Pedro Humbert, Librero. (Amsterdam.) (I-XXIV-359.)

* BORBON, Miguel: *Flumen vitale quator liquidorum dissertationibus chyli nempè, Sanguinis, bilis, et lymphae illud constituentium elucidatum, quibus, instar aurae Suppetias ferentis, quinta de instrumentis respirationis, eorumque usibus, adjuncta superadditur.* Auctore D.D. ———— in Medicina, Chirurgia, atque Anathomica olim, nuc Aphoristica Cathedra Doctore, Socio, Professoreque Caesar-Augustano; parcelebris Urbis, et Orbis Deiparae de Gratia Nosocomij Aulis Chirurgicis addicto Medico, necnon Regij, Militarisque Xenodochij in eadem Urbe Primario. Caesar-Augustae, apud Joannem Malo, Typographum, in quart anno M.DCC. XXXVI. (I-II-34.)

* BODAZAR DE ARTAZU, Antonio: *Proporcion de Mone-*

das, *Pesos y Medidas, con principios prácticos de Arithmetica, y Geometria, para su uso*, por ————. En Valencia en la Imprenta del Autor año de 1736, en octavo, con 175 pág. Sin los principios, que tienen 24. (I-XI-150.)

BOSCH DE CENTELLAS Y CARDONA, Balthasar: *Practica de Visitar los Enfermos*, Su autor el P. ————, de Clerigos Reglares Agonizantes. (II-XXIV-362.)

BOTELLO DE MORALES Y VASCONCELOS, Francisco: *Historia de las Cuevas de Salamanca*, Su Autor el Cavallero ———— (IV-XIX-371).

BOUILLET: Doctor en Medicina, de la Facultad de Montpellier, Professor de Mathematicas, y Secretario de la Academia de las Ciencias, y buenas letras de la Ciudad de Beziers, ha publicado poco ha el Plan, ò Disseño de una *Historia general de las enfermedades*, en que por principios de Anatomia de Physica, y Mathematicas, se dà razon de todas las alteraciones, y desordenes que pueden acontecer al cuerpo humano, y se señalan los medios mas prontos, y seguros, que la razon, ayudada de la experiencia, ha podido descubrir para su remedio. La obra serà en idioma Francès, dividida en 20 libros, que cabrán en seis, ò siete tomos en 4.°. El Autor ofrece los dos primeros para el año de 1738 y despues un tomo cada año, Mr. Bouillet en esta nueva obra, no pretende inventar nuevo sistema, contentandose de tomar de los dos systemas de los Fluidos, y Solidos, que han corrido hasta ahora con mas credito, lo que en ellos encontrare mas bien fundado, y formar de ambos un systema medio. (Francia.) (IV-XXI-382-383.)

BOUNAROTI, U: *Reglas de las cinco ordenes de Arquitectura;* aumentadas por U ————. en Francés, I. Vol. en 8.° (Utrech.) (II-XXVI-380.)

BREICHAUPT, Christiano: *El Arte de descifrar, con una Dissertacion Historica al principio sobre los diferentes modos de escrivir en cifra, usados por los Antiguos y Modernos.* Su Autor ———— Cathedratico de Logica y Methaphysica. En Helmstadt, en casa de Christiano Federico Vveigand (1737. I. vol. en 12.° con 160 pág. Sin las Tablas. (Està escrito en Latin). (Alemania, Helmstadt.) (V-X-358.)

BREVE *Epistolica reflexion, sobre el Prologo, que D. Juan Vazquez hizo à la frente de un impresso, que tiene por titulo: Juicio sobre la methodo controvertida de curar con agua, y limitacion en los purgantes,* etc. Con licencia, impresso en Granada, en la Imprenta de la Santissima Trinidad, En fol. pág. II (IV-XX-377-378.)

BROOKS, Francisco: *Navegacion hecha à Berberia por* ————, *contiene varias cosas, y sus aventuras durante los diez años de su esclavitud en aquel Pais.* Traducido del Inglès al Francés. Un vol. en 8.° en casa de E. Neaulme. (Utrecht.) (II-XXVI-380.)

CALATAYUD, Pedro: *Doctrinas practicas que suele explicar à los Pueblos en Sus Missiones el P.* ————, *Missionero de la Compañia de Jesus.* (VI-Indice de los Libros que no se han extractado en este Tomo.)

CALDEYRA, Joseph: *Sermon del mesmo San Justino Predicado por* ————, *Presbytero del habito de San Pedro.* En la Oficina de Miguèl Rodriguez, año 1737. En quarto. (Portugal.) (II-XXV-366.)

* CALINO, César: *Lecciones Theologico-morales, sobre el Juego.* Obra del Padre de la Compañia de Jesús. Traducida de Toscano en Castellano, por Don Francisco Bollat, Theologo. Impresso en Madrid por Juan de Zuñiga, año de 1737, en 8.° Tiene 400 páginas, sin los principios y fines. (IV-IX-187.)

CALMET, Agustin: *Historia Universal Sagrada, y profana, desde el principio del mundo, hasta nuestros dias,* por el R. P. D. ————, Abad de Senones, etc. Impressa en Strasburgo, y se hallarà en Parìs en casa de Estevan Ganeau, calle de Santiago. Primero, y Segundo Vol. en 4.° año 1736. El Tercero se està imprimiendo. Toda la obra tendrà 6 vol. (Parìs.) (II-XXVI-338.)

CAMBEROS, Fernando de: *Papel nuevo: Verdad ilustrada contra las imposturas, que ha escrito el R. P. Fr. Marcos de Alcalà,* su Autor Don ————, que lo es del Heroe, y Fenix Saraphico: se hallará en Salamanca, en la Imprenta de la Cruz. En Madrid, con Privilegio, año 1737. en quarto, con 36 numeros. (Està recogido por el Supremo Consejo por haberse imprimido sin las licencias necesarias.) (II-IX-195.)

* Campo y Melgarejo, Antonio Bernardo: *Historia y Explicacion de la Informacion, que se hizo del Aparecimiento del Santissimo Christo, aparecido en el termino de la Villa de Griñòn en el dia Viernes 17 de Junio, año de 1569, con el resumen de algunos milagros, que ha obrado Dios por medio de esta Santa Imagen. La ofrece al bien comun, y de sus devotos.* Su Autor el Lic. D. ——— ———, Cura Propio de la Iglesia Parroquial de N. Señora de la Assumpcion, de la referida Villa de Griñòn. Impresso en Madrid, por Antonio Sanz, año de 1737, en octavo. Tiene 284 pág. Sin los principios. (IV-XIV-263-264.)

Cano Machuca, D. Francisco: *El Sermon que predicò el Doctor D.* ———, *à la Festividad de N. Señora del Buen Parto y Guìa, en la Parroquia de S. Sebastiàn.* (IV-XIX-373.)

* Cárdenas y Rivera, Juan: *Ni Hercules contra tres. Impugnase el Diario de los Literatos de España.* A costa de Don Juan Felix Francisco de Riverola y Pineda Rodriguez de Cardenas, Familiar del Numero del Tribunal de la Santa Inquisicion de la Ciudad de Sevilla, primer varon primogenito de la casa de Rivarola, y Patrono de la Capilla de San Gregorio en la Iglesia del Colegio de San Alberto en la propria Ciudad, etc. En Madrid, en la Imprenta de Alfonso de Mora. Año de 1737. en 4.º Tiene 256 páginas. Sin los principios. (IV-XII-245.)

Carmona Martínez, Joseph de: *Triunfo conseguido del Cancro obstinado por el Cirujano instruìdo,* Su Autor el Lic. D, ———. (VI-Indice de los Libros que no se han extractado en este Tomo.)

* Casani, Joseph: *Tratado de la Naturaleza, origen, y causas de los Cometas. Con la Historia de todos los que se tiene noticia averse visto, y de los efectos que se les han atribuido, donde se manifiesta quan sin fundamento se dice que son infaustos. Y con el methodo de observar Astronomicamente sus lugares aparentes, y hallar los verdaderos en el Cielo: Su curso, Su magnitud, distancia de la Tierra, y de formar las Ephemerides, con lo demàs que a la Astronomia toca.* Por el Padre ———, de la Compañia de Jesus, Calificador del Supremo Consejo de la Santa, y General Inquisicion, Maestro que ha

sido de Mathematicas en los Reales Estudios del Colegio Imperial de la misma Compañia. Impresso en Madrid por Manuel Fernandez en el año 1737. en 8.º tiene 256 páginas. Sin los principios. (I-XXII-337.)

CASTILLO, Antonio de: *Comentario del Cerco de Goa, y Chaul en el año de 1570, siendo Virrey Don Luis de Atande,* escrito por ————, Guarda Mayor de la Torre del Tumbo. Nuevamente reimpresso en Lisboa Occidental, Oficina Joachiniana en la Musica, año 1736, en 4.º Publicòse en Enero de 1737. (II-XXV-372-373.)

CASTRO, Marcos de: *Folla burlesca y entretenida.* Su Autor ———— Receptor de los Reales Consejos. En quarto. Se publicò la primera vez en 1735. (I-XXII-355.)

CARTA *de M... à Madama la Princesa de... Sobre los ensayos historicos y criticos sobre el gusto.* En Parìs en casa del dicho Perault, año de 1736 en 12.º pág. 26. (Parìs.) (II-XXVI-385.)

CARTA *a M. N. N. Sobre la declaracion Solemne, que la Comision Real de Berlin ha publicado de la inocencia del Systhema de la Philosofia de* M. Uvolfio, *Professor en Marburgo.* La fecha de esta Carta es de 10 de Diciembre de 1736. en 4.º con 7 pág. (Ginebra.) (II-XXVI-384.)

CARTA *à Monsieur S'gravesande, Professor de Philosophia en Leydèn, sobre su introduccion à la Philosophia, y en particular sobre la naturaleza de la libertad.* En casa de J. F. Bernard. En dozavo, año 1736. (Amsterdan.) (II-XXVI-382.)

CARTA *Philosofica para assegurar al Universo contra las vozes populares de una irregularidad, en el curso del Sol; Sobre el viento furioso, y el calor extraordinario, que se experimentò el Sabado 20 de Octubre de 1736.* En Parìs, en casa de Perault el padre, en 12.º con 32 pág. (Parìs.) (II-XXVI-385.)

CARTANO DE SAN BUENAVENTURA, Pontanio: *Examen Regulare pro confessariis Fratrum Minorum instruendis,* &c... (Su Autor Fr. ————, de la Orden de los Menores de San Francisco de la Provincia de Portugal. En Lisboa, en la Oficina de la Congregacion del Oratorio, año 1736 en 4.º Publicòse en 1737). (II-XXV-376.)

CARTAS *edificantes y curiosas, escritas de las Missio-*

nes Estrangeras por algunos Missioneros de la Compañia de Jesus, Tom. XXIII. En Parìs, en casa de Nicolàs Le Clerc, calle de la Bouclerie, y P. G. calle de Santiago, año 1738, en dozavo. (Parìs.) (V-X-355.)

CEILLIER, Remigio: *Historia General de los Autores Sagrados y Eclesiasticos, que contiene su vida, el Catalogo, la Critica, el Juicio, la Chronologia, la Analysis, y el numero de las diferentes Ediciones de sus Obras: lo mas importante que contienen sobre el Dogma, la Moral, y la Disciplina de la Iglesia: la Historia de los Concilios, assi Generales, como Particulares, y las Actas Selectas de los Martyres.* Por el R. P. Don ————, Benedictino, de la Congregacion de S. Vanne y de S. Hydulpho, Prior Titular de Flavigny. Tom. VI, en Paris en casa de Phelipe Nicolas Lottin. Impressor y Librero en la calle de Santiago à la Insignia de la Verdad, año 1737, en 4.º con 783 pág. (Francia.) (V-X-353-354.) [Tomo 6-IV-XXI-382.]

* CILLERO, Joseph: *Perla preciosa, incomparable Margarita, fundamental Piedra en que con Solidèz se establece el mas alto mysterioso Edificio Christiano, sacada del insondable pielago de la Escritura Sagrada, à comun utilidad de los menos instruidos en los Mysterios de la Fè Catholica.* Por el M. R. P. Fr. ————, Hijo de la Santa Provincia de Burgos, y trasladado Myssionario à esta del Santo Evangelio, Lector Juvilado, Comissario del Santo Oficio de la Inquisicion, Examinador Synodal de este Arzobispado de Mexico, Padre de esta Santa Provincia, y Guardian de este Convento de nuestro Seraphico Padre San Francisco, intitulado de nuestra Señora de la Assumpcion de la Ciudad de Toluca. Impresso en Madrid por Thomàs Rodriguez, año de 1735, en 4.º Tiene 747 pág. Sin los principios, y fines. (I-VII-108.)

COLECCIÓN *de varias piezas, que pueden servir de suplemento a la Historia de las Practicas Supersticiosas del P. Pedro Lebrun, Sacerdote del Oratorio de Francia,* Tom. 4.º En casa de la Viuda de Delaune, Celle de Santiago. (Parìs.) (V-X-354-355.)

Juan F. Bernard ha impresso el Tom. 9 de la COLEC-

CION DE VIAGES *que se han hecho al Norte. Contiene, entre otras piezas, una curiosa, Relacion del establecimiento de los Ingleses en la Georgia, con un nuevo Mapa del Pais.* Es traduccion del Idioma Inglès al Francès. (Amsterdam.) (I-XXIV-359.)

COMENDADOR.—*Conversaciones de M. El... Sobre los negocios presentes por lo respectivo a la Religion.* (Parìs.) (II-XXVI-386.)

COMPENDIO *Chronologico de los Privilegios Regulares de Indias.* (II-XXIV-364.)

COMPENDIO *de las Reglas de los Cofrades de Nuestra Señora de la Anunciada de la Universidad de Ebora.* Impresso en su Imprenta año de 1737. En diez y seis. (II-XXV-365.)

CORNEJO, Alfonso: *Respuesta á un Papel Apologetico, que con el titulo de Medicina de las Fuentes, y Purgas sin corriente, Sacò D. Juan Vazquez de Cortes, Medico revalidado en esta ciudad.* Sacala à luz D. ————, Medico de la Familia del Rey N. S. y de los Reales Alcazares de esta Ciudad de Sevilla. Con licencia en Granada, en la Imprenta de los PP. Clerigos Menores. En 4.º pág. 87. (IV-XX-376.)

CORONA *Virginea, esmaltada con las doce piedras preciosas de el Racional de Aaròn: Modo facil de implorar el Patrocinio de la Gloriosa Virgen, y Martyr Santa Ursula, y de las once mil Virgenes, para la hora de la muerte, repartido por los doce dias desde diez de Octubre, hasta el dia de su martyrio.* Por un Jesuita Conimbricense, Misionario del Brasil. En la Oficina de Antonio Pedro Galvàn, en 8.º (II-XXV-369.)

COUTO, Diego de: *Decadas del Asia, que tratan de los Mares que descubrieron, Armadas que desvarataron, Exercitos que vencieron, y de las acciones heroycas, y hazañas belicas, que obraron los Portugueses en las Conquistas de Oriente.* Escritas por ————, Chronista, y Guarda Mayor de la Torre del Tumbo, del Estado de la India. Nuevamente impressas en Lisboa Occidental, en la Oficina de Domingo Gonzalez, año 1736 publicadas à fin de Enero de 1737 en folio, tres Tomos: el primero, contiene las Decadas IV y V. el segundo tomo, la Decada VI y el tercero, la VII. VIII y IX. (Portugal.) (II-XXV-370.)

CHARITATIS, Hermenegildo: *Saludable reprehension de ———— à Theophilo Correctionis, sobre el no haver este respondido à un Papel Anonymo, que tiene por titulo: La Verdad Trompeta.* Con licencia, impresso en Granada, en la Imprenta de la Santissima Trinidad, en fol. pág. 19. (IV-XX-378-379.)

El tom. I y II de la DEVOCIÓN *al Sagrado Corazon de Jesus etc. en los quales se explican los Exercicios y meditaciones para todos los viernes del año, con un resumen al fin del tom. II de la vida de la prodigiosa Virgen la V. Margarita María Dalacoques.* Nueva edicion. (IV-XIX-373.)

DIOS BULLONES, Manuel de: *Sermones en varias solemnidades de Maria Santissima, Madre de Dios, y Señora nuestra, predicados en la ciudad de la Bahia por el M. R. P. Fr. ————. Religioso Carmelita de la Observancia.* Impressos en Lisboa Occidental en la Oficina de Manuel Fernandez de Costa, año 1737. En quarto. (II-XXV-367-368.)

DIOTALEVI, Alexandro: *Entretenimientos espirituales para quien desea adelantarse en el Servicio, y amor de la Santissima Virgen.* Su Autor el R. P. ————, de la Compañia de Jesus, traducido de Italiano por D. Thomàs Buselmi, Presbytero, Napolitano: en Madrid. (VI-Indice de los Libros que no se han extractado en este Tomo.)

DISCURSOS *Evangelicos sobre diferentes verdades de la Religion por el P. L. R. P. S. D.* Tom. 2 en 12.° en casa de Billy, á los Agustinos. (Parìs.) (II-XXVI-387.)

DISSERTACION *Historica en forma de Carta, sobre las Thermas, ò Baños consagrados à Hercules, descubiertos nuevamente en Dacia.* En Viena de Austria, en casa de Juan Pedro Van Ghele, Impressor de la Corte Imperial 1737. en 4.° grande de 107 pág. Està escrita en Latin. (Austria. Viena.) (V-X-358.)

DOLCE, Ludovico: *Dialogo della Pittura di Mr. ———— intolato l'Aretino nel quale si ragiona della dignità di essa Pittura, etc.* En Florencia, año 1736, por Miguel Nestenus y Francisco Mouke. Un tomo en 8.º (Florencia.) (V-X-356.)

* Durán, Manuel: *Historia Comica de la Conquista de Sevilla, por el Santo Rey Don Fernando.* Su Autor Don ————: Impressa en Madrid, en la Imprenta de Alfonso de Mora, año 1737, en quarto, y 136 páginas. (II-X-196.)

Eliae *Breneri Thesaurus Nummorun Sveogothorum, et Scriptores rei nummarine,* in 4.º cum. fig. 1731. (La Haya. Holanda.) (V-X-357-358.)

Ephemerides *Barometrico-Médicas Matritenses.* (III-IV-134.)

———— id. id. *del mes de Diciembre de 1737.* En la librería de Manuel Suárez, calle del Carmen. (V-IX-352.)

Escupoli, Lorenzo: *Combate espiritual, compuesto por el Venerable P. D.* ————, *del Orden de S. Cayetano, nuevamente traducido en lengua castellana, y añadido un tratado del mismo Autor, del modo de consolar à los enfermos, y ayudarlos à bien morir,* por el P. Don Ramón de Guñinel, del mismo Orden. (VI-Indice de los Libros que no se han extractado en este Tomo.)

Estatutos *del Real Colegio de Professores Boticarios de Madrid, aprobados, y confirmados por su Mag. que Dios guarde.* En Madrid, en la Imprenta Real, año 1737. Contiene 40 Estatutos en 26 páginas; y al final se pone un breve Extracto de la Junta General de Eleccion, que celebrò el Real Colegio en 24 de Septiembre de 1737. (IV-XIX-374.)

Examen *y Refutacion de un libelo intitulado: Respuesta Critica de Hercules de Ocaña, à la Reflexion Epistolica de Theophilo Correctionis, Sobre el Prologo que hizo D. Juan Vazquez à la Methodo de curar con agua, y limitacion de los purgantes,* etc., en fol., pág. II. (IV-XX-378.)

Pharmacopea *Augustana, reconocida, revista, y aumentada, con un Apendice de los medicamentos mas Selectos.* En Latin, 1. Vol. en folio, año 1734. (Asburgo.) (II-XXVI-383.)

* Ferau de Cassañas, Estevan: *Defensorio Historico-Canonico-Legal, que juridicamente hace notorio perte-*

necer à los Reyes de España el cuidado, defensa, coleccion, y administracion de los Expolios, y Rentas vacantes
de las Prelacias, difuntos los Prelados, y la Succession
à las Iglesias, y à los nuevamente electos, con la obliga-
cion de expenderlos entre pobres, segun disposiciones
Canonicas, y dictamen de los Santos Padres: probando
assimismo la legitimidad de Patronato Real de Indias,
y España. Su Autor el Lic. Don ————. Abogado de
los Reales Consejos. Impresso en Madrid, año de 1737,
en quarto, con 255 págs. (I-XX-323.)

FERNÁNDEZ GAYO, Bernardo: Culto Funebre, enterneci-
da parentacion, ò breve noticia del demostrado sentimiento con que la 'Santa Sede Principal de Braga, en funesta,
y ardiente pyra, testificò su magnificencia, y zelo en la
ocasion de la nunca bien sentida muerte de la Serenissima Señora Infanta Doña Francisca, de amable memoria.
Por ————, en Lisboa Occidental, año 1737, en 4.º
(II-XXV-373-374.)

————: Feliz noticia de la Conversion de un Jogue,
que en la Casa professa del Buen Jesus de Goa, recibiò
el Santo Bautismo en 8 de Setiembre de 1735, Siendo
Virrey del Estado de la India el Excelentissimo Señor
Don Pedro Mascareñas, I. Conde de Sandomil. Por ————
————, en la Oficina Joachiniana de la Musica, año 1737,
en 4.º (II-XXV-373.)

————: Relacion de la muerte, y entierro del Eminen-
tissimo Señor Don Fr. Antonio Manuel de Villena, Gran
Maestre de Malta, con las noticias de la Eleccion del
Nuevo Gran Maestre Don Fr. Raymundo Despuig. Por ————
————. En la Oficina Joachiniana de la Musica, año 1737,
en 4.º (II-XXV-374-375.)

————: Relacion del magnifico y cèlebre Mausoleo, que
erigiò la Santa Iglesia Cathedrál de Oporto en las fune-
rales Exequias de la Serenissima Señora Doña Francisca,
de amable memoria, con la noticia de los Emblemas,
Epitafios, è Inscripciones, adorno de su funebre aparato.
Por ————, en la Oficina Joachiniana de la Mùsica,
año 1737, en 4.º (II-XXV-374.)

————: Tratado de los Pasos, que se andan en la Quaresma; para rezar, ò cantar, por el Padre Fray Rodrigo

de Dios, Guardian del Convento de Nuestra Señora de Arrabida, nuevamente acrecentado por ————, en la Oficina Joachiniana de la Musica, año 1737, en 4.º (II-XXV-374.)

* FERNÁNDEZ NAVARRETE, Francisco: *Ephemerides Barometrico-Medicas Matritenses para el mas puntual, y exacto calculo de las Observaciones que han de ilustrar la Historia Natural, y Medica de España.* Extractadas de orden de la Real Academia Medico-Matritense, por el Doct. D. ————, Cathedratico de Medicina de la Imperial Universidad de Granada, Medico de Camara con exercicio de su Magestad, y Academico de Numero de dicha Real Academia: impressas en Madrid en la Imprenta Real, año de 1737, en quarto, tiene 19 páginas sin los principios. (II-XXII-311.)

————: *Carta del Doctor Don* ————, *Medico de Camara de S. M. à los Autores del Diario.* (VII-VIII-167.)

* FERNÁNDEZ PRIETO Y SOTELO, Antonio: *Historia del Derecho Real de España, en que se comprehende la noticia de algunas de las primitivas Leyes, y antiquissimas costumbres de los Españoles: La del Fuero antiguo de los Godos, y las que se establecieron despues que començò la Restauracion de esta Monarquia, hasta los tiempos del Rey Don Alonso el Sabio, en que se instituyeron el Fuero Real, y las Siete Partidas.* Su Autor D. ————, Abogado de los Reales Consejos, y de los del Colegio de Madrid, año de 1738. Impresso por Antonio Sanz, en 4.º Tiene 451 páginas. Sin los principios. (V-II-33.)

FIGUEREDO, Manuel de: *Oración Funebre en las Solemnes Exequias, que en la Iglesia de Santa Justa de Lisboa, hizo la Hermandad de Santa Cecilia en 11 de Diciembre de 1736, a su perpetuo Proveedor el Excelentissimo Señor Diego de Mendoza Corte Real.* Dixola el Padre Maestro Fray ————, Chronista de su Religion de San Agustin. En la Oficina de Antonio Isidoro de Fonseca, en 4.º (II-XXV-372.)

PHYSICA *Experimental Systematica, dispuesta para el uso de los jovenes Estudiantes, ilustrada con muchas Questiones curiosas, confirmada con experimentos Mecanicos, Chimicos, y Anatomicos.* En Latin, 4.ª Edicion.

I, Vol. en 4.º En Uvitemberg, año 1734. (II-XXVI-383.)

FLORES VELASCO, Juan Antonio: *Clarissima luz para el que sabe, y remedio eficàz para el que ignora. Exposicion copiosa en Castellano Idioma de los quatro Libros de las Instituciones de Justiniano, en las que no se omite doctrina alguna de las del Comentario de Arnoldo Vinio. Tom. I.* Su Autor el Doctor Don ————, Colegial Huesped en el de Santa Maria Magdalena de la Universidad de Salamanca. (I-XIII-190.)

——: *Exposición copiosa en Castellano Idioma de los quatro Libros de las Instituciones de Justiniano. Tom. I.* Su Autor el Doctor Don ————, etc. (II-XVI-276.)

* FLEURI, Claudio: *Costumbre de los Israelitas, escritas en Francès por el muy ilustre Señor Claudio Fleurì, Abad de Loc-Dieu, Sub-Preceptor del Rey nuestro Señor, que Dios guarde.* Traducidas por Don Manuel Martínez Pingarrón, Capellan de su Magestad en la Real Capilla de San Isidro de Madrid.

Costumbres de los Christianos del Mesmo Autor, y traducidas por el referido Don Manuel Martìnez, 2 tom. en octav. el primero tiene 283 pág. El Segundo 422. Sin los principios. En Madrid por Juan de Zuñiga, año 1737. (II-IX-386.)

FONCEMAGNE: *Discursos pronunciados en la Academia Francesa el Jueves 10 de Enero de 1737 en la Recepcion de M. Foncemagne.* En la Imprenta de Juan Bautista Coignard, Impressor del Rey, y de la Academia Francesa, en 4.º (Paris.) (II-XXVI-386.)

FORTEZA, Joseph Antonio: *Medula de Cirugia explicada, Cartilla impugnada, y D. Manuel de Porras defendido.* Su Autor el Bachiller D. ————, Profesor de Medicina, Cyrugia y Anathomìa. (IV-XIX-372.)

FRANCISCO AUGUSTO: *Oración exortatoria, que à los Hermanos Congregantes de Nuestro Señor Jesu-Christo, llamado de los Agonizados, dixo en el Real Convento del Carmen de Lisboa Occidental, en la Capilla del mismo Señor, à 14 de Setiembre de 1736 el P. Fr. ————, Religioso Carmelita de la Observancia.* Impressa en Lisboa Occidental, en la Oficina de Miguèl Rodriguez, año de 1737. En quarto. (II-XXV-365.)

Frezier, M.: *Theorica, y Practica de los Cortes de Piedras, y Maderas para la construccion de Bobedas, y otras partes de los edificios Civiles, y Militares,* por ——— ———, Cavallero de la Orden Militar de Parìs, Ingeniero Ordinario de su Magestad Christianissima. Impresso en Landau, en quarto, con varias figuras. Se halla en casa de Pedro Mortier, Librero. (Amsterdam.) (I-XXIV-359-360.)

Fuente y Valdés, Vicente Ventura de la: *El Triunvirato de Roma, Carta Monitoria, Exortatoria, y Juridica sobre los Diarios de los Literatos de España.* Su Autor el Lic. D. ———. (VI-Indice los libros que no se han extractado en este Tomo.)

*García de Narvaxa, Andrès: *Advertencia acerca del Extracto de la Regalìa del Aposentamiento de Corte,* excrito por el Sr. D. Joseph Bermùdez. (VI-VIII-311.)

*García Hernández, Francisco: *Tratado del dolor colico, en que se contienen varias, y distintas especies con su apropiada curacion, acomodada à la mas racional practica.* Su Autor D. ———, Medico Titular de la Villa de Santorcaz. En Madrid, en la Oficina de Diego Miguel de Peralta, año 1737. I. tom. en 4.º de 248 páginas. (IV-X-226.)

*García Pérez, Manuel: *Luz de la Verdadera Luz, entre las mysticas sombras del Altar.* Su Autor D. ———, Cura proprio de la Villa de Parla, Año 1737 1 Tom. IV (al presente del Lugar de Arcicolla) impresso en Madrid por los Herederos de Juan Garcia Infanzon. En 1737 en octavo. Tiene 367 páginas, sin los principios. (IV-II-113.)

*Garma y Salcedo, Francisco Xavier de: *Theatro universal de España. Descripcion Eclesiastica y Secular de todos sus Reynos y Provincias en general y particular: que consagra al Rey N. S. D. Phelipe V, el Animoso,* D. ——— Cavallero de la Orden de Alcantara, por mano del Excelentissimo Sr. D. Joseph Carrillo de Albornoz, Duque de Montemar. Tomo I. II y III. en octavo con Privilegio en Madrid, año de 1738. El I. tiene 365 pág. El II. 451. y el III. 442. Sin contar los principios y fines. (VI-VII-242.)

*———: *Theatro Universal de España, Descripcion*

Eclesiastica, y Secular de todos sus Reynos y Provincias, en general, y particular, Que consagra al Rey N. S. D. Phelipe V. el animoso, D. ———, *Cavallero del Orden de Alcantara, etc.* Tomo II y III. En Madrid. Año 1738. en 8.º el II, tiene 452. pág. y el II. 442. Sin los Indices. (VII-VII-124.)

GNOMON MANUALIS: Thiboust ha impresso un Poema Latino sobre el Relox de nuestra, Su titulo es: ———: Se dice le han compuesto cinco, ò seis estudiantes de la classe de Mayores Gramatica; pero muchos Maestros tuvieran bastante dificultad en tratar el referido assunto del modo con que lo han tratado. (Parìs.) (II-XXVI-386-387.)

* GONZÁLEZ DE TORRES, Eusebio: *Chronica Seraphica,* escrita por el R. P. Fray ———, Ex-Lector de Sagrada Theologìa, Ex-Custodio, y Padre de la Santa Provincia de Castilla, de la Regular Observancia, y Chronista General de toda la Religion de San Francisco, octava Parte. Impressa en Madrid año 1737. en 395 pág. (I-XVIII-291.)

* GONZÁLEZ DE TORRES, Eusebio: *Epistola familiar, monitoria y Satisfactoria, al R. P. Fr. Mathias Alonso, Predicador General, y Chronista de la Santa, y gravissima Provincia de la Concepcion, de la Regular Observancia de N. P. S. Francisco.* Su Autor el P. Fr. ———, Ex-Lector de Sagrada Theologia, ex-Custodio, y Padre de la Santa Provincia de Castilla, y Chronista General de toda la Orden de N. P. S. Francisco: impressa en Madrid, año 1736. Contiene 14 SS. y 75 pág. (I-XIX-320.)

GOTTLIEB UVERLHOFFIO, Pablo: *Cautelas Medicas para limitar las alavanzas y vituperios, de los remedios y de las enfermedades.* Latino, I. Vol. en 4.º, año 1734. (Hannover.) (II-XXVI-383-384.)

GUERRA, Teresa: *Las obras Poeticas, que à diferentes assuntos escriviò Doña* ———. Es repetido en la *Gaceta.* (IV-XIX-372.)

GUERRAS *de Alecrin, y Mangerona, obra jocoseria, anonyma.* En la Imprenta de Antonio Isidoro de Fonseca, en 4.º (II-XXV-372.)

* GUEVARA, Antonio de: *Menosprecio de Corte y alabanza de Aldèa, en el qual se tocan muchas, y muy bue-*

nas doctrinas para los hombres que aman el reposo de sus casas, y aborrecen el bullicio de las Cortes, copilado por el Ilustrissimo y Reverendissimo Señor Don Antonio de Guevara, Obispo de Mondoñedo, Predicador y Chronista, y del Consejo de su Magestad. Quinta impression. En Madrid, por Juan Valentino, año de 1735, en octavo, tiene 161 páginas. (I-X-140.)

GUTIÉRREZ DE LOS RÍOS, Manuel: *Idioma de la Naturaleza: con el cual enseña al Medico, como ha de curar con acierto los morbos agudos. Descubierto por el Doctor Don Francisco Solano de Luque, en su Libro, que diò à la luz publica, intitulado: Lapis Lydos Appollinis. nuevamente compendiado, añadido, è ilustrado por el Doctor Don* ————, *Presbytero, Medico en Cadiz, Doctor del Claustro de la Universidad de Sevilla, Prothonotario Apostolico, Dignidad de la Santa Iglesia de Roma, amante de la Salud publica.* Un tomo en octavo con 604 páginas. Sin Indice, y principios. En Cadiz, en la Imprenta de Geronimo de Peralta, Calle Ancha de la Xara. (II-VIII-166.)

————: *Juicio que sobre la methodo controvertida de curar los morbos con el uso del agua, y limitacion en los purgantes, formaba el Doctor Don* ————, *Presbytero, Medico de Cadiz, Doctor del Claustro de Medicina de Sevilla, Prothonotario Apostolico, y Dignidad de la Santa Iglesia de Roma.* Con licencia en Sevilla, en la Imprenta de Joseph Navarro Armijo, en la calle de Genova, donde se hallarà. Parece se imprimiò año 1736. en 4.º, pág. 160. (IV-XX-377.)

HERRERA DE JASPEDÓS, Hugo: *Carta de Don* ————, *escrita a los Autores del Diario.* (V-I-1.)

————: Carta de Don ———— *à los Autores del Diario, sobre el Rasgo del Doct. Don Joachin Casses.* (VII-XV-362.)

* HERRERO, Antonio María: *Dissertacion Metheorologica sobre el Phenomeno, ò Aurora Septentrional, que se descubriò en el Oriente de Madrid el día 16 de Diciembre de este año de 1737, donde por incidencia curiosamente se explican todos los Metheoros ingneos, que se han observado en la naturaleza.* Su Autor el Doct.

D. ————, Opositor à Cathedras en la Universidad de Huesca, y Examinador Synodal del Arciprestazgo de Agèr, etc. En Madrid, en la Imprenta de Joachin Sanchez, en 8.º, con 27 pág. Sin los principios. (V-VI-239-240.)

HERVÁS, José Gerardo de: *Carta de* ———— *escrita a los AA. del Diario.* (VII-X-192.)

La famosa HISTORIA *del Conde Emerico Tekeli, hasta su muerte en Nicomedia, traducida y añadida por Don Joseph Rodriguez.* (VI-Indice de los libros que no se han extractado en este Tomo.)

La segunda parte del tomo 7 de la Bibliotheca Britanica de la HISTORIA *de las Obras de la Gran Bretaña, compuesta por una Sociedad de Literatos en Londres.* Este Jornal, de quien regularmente se ha publicado una parte cada quatro meses, se hallarà en casa de Gissard, calle de Santiago; y en casa de Nully, en el Palacio. (Parìs.) (I-XXIV-358.)

*HUERTA Y VEGA, Francisco Xavier Manuel de la: *Anales de el Reyno de Galicia.* Su autor el Doct. D. ———— ————, Juez Eclesiastico de la Ciudad, y Arzobispado de Santiago, su Visitador General, y Juez Subcolector por la Reverenda Camara Apostolica, y Chronista General del Reyno de Galicia, etc. en Santiago, en la Imprenta de Ignacio Guerra, Impressor del Reyno de Galicia, tom. 2, con 432 pág. en Fol. con los Indices, y sin los Principios. (I-IX-119.)

*(IBÁÑEZ DE MENDOZA, Gaspar) (Marquès de Mondèjar): *Declaracion acerca de un Manuscrito, que han impresso adulterado los Autores del Mercurio Literario.* (VI-IX-322.) [El artículo, en su defensa, es de los Autores del *Diario de los Literatos*.]

INSCRIPCIÓN *Romana* nuevamente hallada. (V-VIII-346.)

Varias INSCRIPCIONES *Romanas,* nuevamente descubiertas. (III-XI-410.)

IRIGOYEN, Manuel: *Sermones Varios, Panegyricos, y Morales, compuestos por el P. M.* ————, *de los Clerigos Menores.* (VI-Indice de los libros que no se han extractado en este Tomo.)

*ISIDORO FRANCISCO ANDRÉS: *Oracion Panegyrica, a*

el Grande Apostol de Navarra S. Saturnino, que en la Solemne festividad, que con asistencia del Illustrissimo Cabildo de la Santa Iglesia, le consagrò la Novilissima ciudad de Pamplona, agradecida al beneficio de haver plantado en su ameno fertilissimo terreno la Santa Fè, arrancando las espinas, y abrojos de la Gentilidad, dixo el P. D. ————, Monge Benedictino de la Congregacion Cisterciense, de la Corona de Aragon, y Navarra, en el Monasterio de Santa Fè, Lector, entonces, de Artes en la Real Casa de Nuestra Señora de la Oliva, Doct. en Sagrada Theologìa, Examinador Synodal del Obispado de Albarracìn, y Lector actual de Theologìa en su Religion, etcétera. Segunda impresion. En Madrid: En la Imprenta de Lorenzo Francisco Mojados año de 1737, en quarto, 27. pág. Sin otras 30 de principios, y Aprobaciones. Se vende en casa de Juan de Buytrago, calle de la Montera. (II-XXIII-341.)

*ITURRI DE RONCAL, R. P. Fr. Basilio: *Eco Armonioso del Clarin Evangelico, con duplicados sermones, o platicas de assumptos Panegyricos, Mysticos, y Morales, para las Fiestas Solemnes de Christo Señor nuestro, de Maria Santissima, y Santos, cuyos dias son festivos.* Su Autor el R. P. Fr. ————, Predicador General y Ex-Definidor de la Santa Provincia de Aragon, del Orden de San Francisco, impresso en Madrid, en la Imprenta de la Causa de la V. Madre Maria de Jesus de Agreda, año de 1736, dos Tomos en quarto, el primero tiene 647 pág. Sin los princìpios y fines, y el Segundo 664. (I-VI-86.)

JAÉN, Fr. Manuel de: *Instruccion utilissima, y facil para confessar particular, y generalmente, y para prepararse, y recibir la Sagrada Comunion. Tiene al fin una Direccion devota para emplear las 24 horas del dia.* Su Autor el P. Fr. ————, Missionero Capuchino, y Guardian del Convento de Toro en la Provincia de Castilla. Quinta impression, añadida. En Madrid, año de 1728, en dozavo. (I-XXIII-356.)

————: *Remedio universal de la perdicion del Mundo: Arma poderosa contra el Infierno: Preservativo de todos los males espirituales: Estimulo para todos las virtudes: Y medio eficaz para assegurar la salvacion. Manifestado*

Y medio eficaz para assegurar la salvacion. Manifestando todo en la practica de la Oracion mental. Su Autor el P. Fr. ————, Religioso Capuchino. En diez y seis. (I-XXIII-356-357.)

JESÚS, María Joseph de: *Sermones que predicó D. Fr.* ————, *Obispo de Patara, de la Orden de Predicadores.* Tomos 3.4.5. Impressos en la Oficina de la Universidad de Ebora, año de 1737. En quarto. (II-XXV-365.)

(JOURNAL DES SAVANTS): Tocante a la Colección del *Diario de los Sabios* de Parìs, desde el año 1665, en que empezò, hasta el de 1741, inclusive, en todos sus suplementos, en 63 volumenes en 4.º. En Parìs, en casa de Briasson, Librero en la Calle de Santiago à la Insignia de la Ciencia, y del Angel de la Guarda. (VII-397-398.)

LABYRINTO *Apolineo, en que se pierde la Verdad Rutilante, y se halla la Verdad Trompeta.* En 4.º, pág. 28. (IV-XX-370.)

LAMA, Juan de: *Fabulas, y vida de Isopo, con las de otros Autores, traducidas por su orden nuevamente de Latin en Castellano por Don* ————. (VI-Indice de los Libros que no se han extractado en este Tomo.)

* LARRAMENDI, Manuel de: *Discurso histórico, sobre la antigua famosa Cantabria. Questión decidida, si las Provincias de Vizcaya, Guipúzcoa y Alaba, estuvieron comprehendidas en la antigua Cantabria?* Su Autor, el M. R. P. ————, de la Compañía de Jesus, Maestro, que fue de Theologia en el Real Colegio de Salamanca, y de Extraordinario en su Universidad, Confessor de la Serenìssima Señora Reyna Viuda de Carlos II, impresso en Madrid, por Juan de Zùñiga, año 1736 en octavo, y 420 pág. (II-I-1.)

El pequeño Almanach institulado: LAS ESTRENAS *galantes, curiosas, y utiles, aumentando para el año 1737.* (La Haya.) (I-XXIV-358.)

Nicolàs LE FEVRE ha impresso en dicha Ciudad [Utrech] un tratado del *Formulario,* en que se examina fundamentalmente la causa del Jansenismo, en quanto el Hecho y el Derecho, 4 vol. en dozavo, año 1736. (II-XXVI-380-381.)

* LENGLET, Monsieur el Abad: *Principios de la Histo-*

ria para la educacion de la juventud por años, y por lecciones. El primer Tomo se publicò el año passado de 1736 y los otros tres en este de 37 en 12.º—Ha dividido su obra en 6 Tomos. (II-XXVI-387.)

* Loaysa, Jacinto: *Carta del R. P. Fr.* ——— *à los Autores del Diario de los Literatos de España.* (VII-II-19.)

* Lozano, Marcos: *Adiccionario al Promptuario de Theologia Moral del Rmo. Padre Maestro Fray Francisco Larraga.* Su autor, el Padre Don ———, Missionero Apostolico, de la Congregacion antigua del Oratorio del Salvador del Mundo de la Villa de Madrid. Impresso en ella en la Imprenta de los herederos de Francisco del Hierro, año de 1737. Tomo I, en 4.º, pág. 624. Sin los principios y el Indice. (I-XV-232.)

* López de Amézquita y Cañadas, Antonio: *Elucubratio brevis aperiens sensum Aenigmatis Subcripti:* Aelia Laelia Cripsis, etc. *inniza testimoniis, tùm Sacris, tùm prophanis, et floribus utriusque historiae circumornata, etc.* Authore D. ———, Doctore Theologo in alma Universitate Hispalensi, etc. et Ecclesiae Parrochialis S. Rochi, Cura et Animarum Rectore: anno 1737. Hispali, Typis Regalibus (vulgo del Correo Viejo) D. Francisci Ioseph de Laefdael. Papel en quarto de dos pliegos y medio. (II-X-395.)

———: *Definicion del Mysterio de la Purissima Concepcion de nuestra Señora.* Su Autor Don ———, Capellan de Honor de su Magestad. (II-XXIV-1363.)

López Moreno, Ignacio: *Schola Dogmatica de Postulanda Catholica Definitione,* etc. (II-XXIV-363.)

Losada, Domingo: *Discusio Theologica Super Definibilitate proxima &c.* (II-XXIV-364.)

* Luzán, Claramunt de Suelves y Gurrea, Ignacio de: *La Poètica, o Reglas de la Poesía en general, y de sus principales especies.* Por D. ———, entre los Academicos Ereynos de Palermo, llamado Egidio Menalipo. Con Licencia en Zaragoza por Francisco Revilla, vive en la Calle de S, Lorenzo, año 1737 en fol. pág. 503. (IV-I-1.)

Llagas, Antonio de las: *Sermones Genuinos, y Platicas Espirituales del V. P. Fr.* ——— *primer Misiona-*

rio Apostolico Franciscano en aquel Reyno, Fundador del Seminario de Veratojo. Lisboa Occidental, en la Oficina de Miguel Rodriguez, año 1737. En quarto. (II-XXV-367.)

MADRE DE DIOS, Alexandro de la: *Manual Christiano.* Segunda impression. Su Autor, el R. P. Fr. ————, Chronista General del Orden de Descalzos de la Santissima Trinidad. (IV-XIX-370.)

MADRID, Fr. Diego de: *Nada con voz, y voz en ecos de nada. Multiplicada y expressada en varias Oraciones Evangelicas, Morales y Panegyricas. Hechas, y dichas en varios tiempos.* Por su Autor el R. P. Fr. ———— del Orden Seraphico de Capuchinos de N. S. P. S. Francisco de esta Provincia de la Encarnacion de los Reynos de Castilla: Guardian que ha sido muchas vezes; tres de este Convento de San Antonio del Prado; muchas veces Difinidor de la Provincia: al presente primer Custodio; y Predicador de su Magestad. Tomo primero, que contiene veinte y quatro Oraciones, cuyas vozes se ponen repetidas, por el orden de las letras de Seis nadas. Impresso en Madrid por Bernardo Peralta. Año de 1737. Tiene 456. Sin los principios, y indices. (IV-IV-142.)

MAGRO, Sant-Iago: *Indice de las Leyes de la Recopilacion, con remission à los DD. que las tocan.* Su Autor D. ————. Es repetido. (IV-XIX-371.)

MANIFIESTO *que la Corte de Viena ha publicado en justificacion de los motivos, que la han obligado à declarar la guerra à los Turcos.* En la Imprenta de la Gaceta. (IV-XIX-371.)

*(MAÑER, Josep); LE MARGNE: *Mercurio Histórico, y Político, en que se contiene el estado presente de la Europa: lo que passa en todas sus Cortes: los interesses de los Principes*, etc. Traducido del Francès al Castellano por Monsieur ————, impresso en Madrid, etc. (VII-XII-234.)

MÁRQUEZ DE MEDINA, Marcos: *El Arte explicado, y Gramatico perfecto, dividido en tres Tomos.* Su Autor Don ———— Cathedratico de Latinidad, y Letras Humanas en el Real Convento de San Benito, del Orden de

Alcantara. (VI-Indice de los Libros que no se han extractado en este Tomo.)

MARTÍ, Andrés: *Proyecto, que D. ——— Capitan de Galeota, pone à los Reales Pies de V. Mag. sobre la Limpieza de las calles de Madrid, Construcciones de Jardines, Huertas y Arbolados en sus cercanìas, y considerables utilidades, que de todo resulta a favor de la Real Hazienda de V. Mag. Villa y Corte, Arzobispado de Toledo, bien comun y particular; y se satisface à algunos reparos puestos à este Proyecto.* En Madrid, por Manuel Fernandez, en su Imprenta y Libreria, enfrente de la Cruz de Puerta Cerrada, donde se hallarà, es un papel en 8.º de 56 pág. (V-IX-350.)

* MARTÍNEZ ARGANDOÑA, Alexandro: *Ephemerides Barometrico-Medicas Matritenses, de los meses de Septiembre, Octubre, Noviembre, y Diciembre del año 1737. Extractadas de orden de la Real Academia Medica, por el Doctor Don ———, Medico de Camara de su Magestad. Socio de la Regia Sociedad de Sevilla, y Academico Anatomico de numero.* En Madrid, en la Imprenta Real. (IV-XVIII-360.)

* MASSUET, M. P.: *Historia del Principe Eugenio Francisco de Saboya, traducida del Idima Francès al Castellano por D. Joseph Rodrigo de Tòvar. En que se contienen las gloriosas hazañas de este Principe, representadas en los quatro famosos Theatros de la guerra de Italia, Flandes, Alemania, y Ungria.* Dedicada al Excelentissimo Señor D. Joseph Carrilo de Albornoz, Duque de Montemar, etc. Con licencia: en Madrid en la Imprenta de Joachin Sanchez, calle del Carmen, en 4.º. Tiene 181 pág. fuera de otras 70 que ocupan una larga Dedicatoria, ò Panegyrico a dicho Señor Duque, y los demàs proliminares. (V-III-160.)

MASTRUCIO, Manuel: *Apuntaciones contra la Universalidad, y abuso del Agua, que expressa, y practica, el Señor Don Juan Vazquez de Cortes, Medico revalidado y de esta ciudad de Sevilla.* Escrivialas el Doctor D. ———, Medico de la misma Ciudad, Ex Cathedratico de Anatomia, y actual de Methodo en su Universidad, año 1735. Con licencia en Sevilla, en la Imprenta de

Juan Francisco Blas de Quesada, Impressor mayor de la Ciudad. En 4.°, pág. 52. (IV-XX-376-377.)

* MAYANS Y SISCAR, Gregorio: *Conversacion sobre el Diario de los Literatos de España*: La publicò Don *Plácido Veranio*. Impresso en Madrid por Juan de Zuñiga año de 1737 en octavo, tiene 132 páginas. (III-VIII-189.)

*——: *Origenes de la Lengua Española, compuestos por varios Autores, recogidos por Don* ————, *Bibliothecario del Rey nuestro Señor*. Impressos en Madrid, por Juan de Zúñiga, en dos tomos en octavo. El primero, tiene 219 pág. Sin los principios. Y el Segundo 342. (II-II-34.)

*——: NOVA LITERARIA EX HISPANIA. (III-VIII-245-262.)

Quœ ad nos doctus quidam vir ex Hispania scripfit, non invidemus Lectoribus noftris, eundem publice rogantes, ut censuras suas porro, ut promissit, ad nos mittere ne dedignetur.

Chronica Serafica. Vida del Glorioso Patriarca San Francisco, y de sus primeros Discipulos, escrita por el R. P. Fr. Damian Cornejo, *Chronista General de la Regular Observancia. Parte primera. En Madrid, por Juan Garcia Infanzón*, A. 1682. in fol.

Parte segunda, apud eundem Infanzón, A. 1684. in fol.

Parte tercera, apud eundem, A. 1686. in fol.

Parte quarta, apud eundem, A. 1698. in fol. Quae pars edita fuit Autore jam Episcopo *Aquarum calidarum*, vulgo *Orense*. Fuit *Cornejus* vir pius, & ingeniosus; sed qui historicas leges ignorabat. Ejus scripta plerique ad cœlum efferunt; sed suam in hoc, ut in aliis, imperitiam produnt.

Chronica Serafica, escrita por el P. Fr. Eusebio Gonzalez de Torres, *Chronista General de la Regular Observancia. Quinta parte. En Madrid en la Imprenta de la viuda de Juan Garcia Infanzón*. A. 1719. in fol.

Sexta parte, apud eandem viduam, A. 1725. in fol.

Septima parte, apud eandem viduam, A. 1729. in fol. *Gonzalezius* sequitur, quantum potest, *Coneji* vestigia, paribusque fere dotibus inftructus est. Verum Historiæ leges aut ignorat, aut videtur ignorare.

Reflexion Historica sobre los matrimonios de las

Casas de Austria, y Baviera. Su Autor Don Luis de Salazar y Castro, *Cavallero de la Orden de Calatrava. En Madrid en la Imprenta Real por Matheo de Llanos y Guzmàn,* A. 1689. in fol. Ostendere hic cœpit *Salazarius,* quam deditus esset Genealogiæ studio, in quo postea inter Hispanos, sibi coætaneos principem locum obtinuit, retinuitque.

Carta del Maestro de Niños à Don Gabrièl Alvarez de Toledo, *Cavallero del Orden de Alcantara, y primer Bibliothecario del Rey. En Zaragoza, (Madrid)* A. 1713. in quart. Hæc Ludimagistri Epistola in aliquibus est disserta, in aliis ridicula, ubique mordax. Verus ejus Autor *Ludovicus Salazarius & Castrius.*

Palacio de Momo. Apologìa jocoseria por la Historia de la Iglesia, y del Mundo, y por su Autor Don Gabrièl Alvarez de Toledo y Pellicer, *defendiendole de una Carta anonima, aunque con el nombre de Maestro de Niños, que se supone ser impressa en Zaragoza, y dirigida al mismo Autor despues de haver muerto. Escriviò la Apologia* Encio Anastasio, *Heliopolitano. Sacala à luz un muy amigo de* Don Gabrièl. *Leon de Francia, (Madrid)* A. 1714. in quart. Momi Palatium multo magis probaretur, si ejus Autor, Marchio scilicet *Sancti Philippi* non suscepisset defendenda, quæcunque *Salazarius* in *Alvarezii* Historia reprehendenda duxit. Non ita Marchio didicerat Hispanæ linguæ usum, ut idoneus esset Apologiis conficiendis.

Jornada de los Coches de Madrid à Alcalà, ò satisfacion al Palacio de Momo, y à las Apuntaciones à la Carta del Maestro de Niños. En Zaragoza, (Madrid) A. 1714. in quart. Rhedarum iter partus est *Salazarii;* sed abortivus. Multa ibi præter decorum effutiuntur.

Indice de las glorias de la Casa Farnese, por Don Luis de Salazar y Castro, *Comendador de Zorita, y Procurador General de la Orden de Calatrava, del Consejo de su Magestad en el Real de las Ordenes, y su Chronista Mayor de Castilla, y de las Indias. En Madrid, en la Imprenta de Francisco del Hierro,* A. 1716. in fol. Princeps est *Salazarius* Genealogicorum hujus saeculi, & ut solet esse illa gens, infamiarum buccinator, & satyricus mordacissimus.

Reparos Historicos sobre los doce primeros años del

tomo septimo de la Historia de España, del Doctor Don
Juan Ferreras, *con los suplimientos precisos para su claridad, y inteligencia. Alcalà, (Madrid)* A. 1723. in quart.
Autor hujus libelli est *Salazarius,* qui vere docet, quam
imparatus accesserit *Ioannes Ferreras* ad scribendam
Historiam de rebus Hispanis. Verum ipse *Salazarius* Dia-
logorum mores, & artem minime novit, & multa scribere
videtur invidia concitatus.

*Arithmetica demonstrada Theoretico-Practica, para lo
matematico, y mercantil. Explicanse las monedas, pesos,
y medidas de los Hebreos, Griegos, Romanos, y de estos
Reynos de España, conferidas entre sì.* Por Juan Bautista
Corachan, *Maestro en Filosofia, Doctor en Sagrada Theologia, y Cathedratico de Matematicas en la Universidad
de Valencia su Patria. En Valencia, por Jaime Bordazar,*
A. 1699. in quart. Arithmeticam hanc juvenis scripsit
Coraccianus. De hoc argumento nihil in Hispana lingua
scriptum est præstantius. Nunc jam est septuagenarius,
sagacissimus senex, Natura nunquam cui verba potuit
dare. Nimirum est Philosophus excellens, Mathematicus
eximius, Theologus sapientissimus. Has virtutes incredi-
bili modestia, pietate singularissima.

*Bibliotheca Valentina, y Catalogo de los insignes Es-
critores naturales de la Ciudad, y Reyno de Valencia. Su
Autor el* P. Fr. Josef Rodriguez, *Trinitario,* in fol. Hic
liber excusus est, sed publici juris nondum factus ob
præmaturam mortem Authoris, qui fuit homo diligen-
tissimus, sed parum doctus, & parum emunctæ naris.
Semper tamen ad fontes digitum intendit, ut scire possis,
unde biberit.

*Historia de la Iglesia, y del Mundo, que contiene los
sucessos desde su creacion, hasta el Diluvio, Autor* Don
Gabrièl Alvarez de Toledo, *Cavallero de la Orden de Alcantara, y primer Bibliothecario del Rey. En Madrid. En
la Librerìa del Rey, por Josef Rodriguez y Escobar,*
A. 1713. in fol. Scriptor pius, & doctus. Sed Historicarum
legum negligentior, multa miscet aliena, multa etiam
disputat, ut potius interpres, quam Historicus, videatur.
Stilo utitur inflato, atque poetico, sed ubique terso, si ei
demas aliqua peregrina vocabula.

Anatomia compendiosa, y Noches Anatomicas, por el Doct. D. Martin Martinez. *En Madrid, por Lucas Antonio de Bedmar*, A. 1717. in quart.

Medicina Sceptica, y Cirugia moderna, con un tratado de Operaciones Quirurgicas. Tom. I. por el Doct. D. Martin Martinez, *Medico Honorario de la Familia del Rey nuestro Señor, Professor de Anatomìa, &c. Segunda impression, añadida con una Apologìa del* R. P. M. Fr. Benito Feijoò. *En Madrid, por Geronimo Rojo*, A. 1727. in quart.

Medicina Sceptica. Tomo segundo. Primera parte Apologema en favor de los Medicos Scepticos. Segunda parte Apologema entre los Medicos Dogmaticos, en que se contiene todo el acto de fiebres, por el Doct. D. Martin Martinez. *En Madrid*, A. 1725. in quart. fine Typographi nomine.

Anatomia completa del Hombre, con todos los hallazgos, nuevas doctrinas, y observaciones raras hasta el tiempo presente, y muchas advertencias necessarias para la Cirugia, segun el methodo con que se explica en nuestro Theatro de Madrid, por el Doct. D. Martin Martinez. *En Madrid, por Bernardo Peralta*, A. 1728. in quart.

Filosofia Sceptica. Extracto de la Fisica antigua, y moderna, recopilada en Dialogos entre un Aristotelico, Cartesiano, Gasendista, y Sceptico, por el Doct. D. Martin Martinez. *En Madrid*, A. 1730. in quart. *Martinezius* est homo amœni, ac festivissimi ingenii. Ludrico delectatur dicendi genere, quo maxime capit vulgi aures. Humanis literis tinctus est. Ad celebritatem ejus multum confert scriptio vernacula.

Ordenanza de quatro de Julio del A. 1718. *para el establecimiento, è instruccion de Intendentes, y para Tesorero General, Pagadores, y Contadores de los Exercitos, y Provincias por orden de su Magestad. En Madrid, por Juan de Ariztia*, A. 1720. in octav.

Litho-Statica, ò Theorica, y Practica de medir piedras preciosas, compuesta por D. Donysio Mosquera, *Artifice de obras de Oro, y Tassador de Joyas. En Madrid, por Francisco del Hierro*, A. 1721. in quart. Libellus hic utilis esse potest Litho-Staticam amantibus.

Obras Poeticas de Don Eugenio Gerardo Lobo. *En Cadiz por Geronimo Peralta,* en quarto, A. ... Lusus est ingeniosus, & ad pangenda carmina promptissimus, ut dicitur. In eo tamen eruditionem Poetæ necessariam, & peritiam artis desideres.

Humaniores, atque amœniores ad Musas Excursus, sive Opuscula Poetica, quæ quondam lusit, aut panxit R. A. P. M. Fr. *Ioannes Interian de Ayala,* Sac. Regii, ac Militaris Ordinis B. Mariæ de Mercede, Redemptionis Captivorum, in Salmaticenfi Academia Doctor Theologus, &c. Matriti, ex Typographia Conventus præfati Ordinis, A. D. 1729. in octav. Vir fuit *Ayala* magno ingenio, majori memoria; miram habuit pagendorum versuum facilitatem. Non raro tamen Syllabarum quantitatem immemor, in pueriles errores labebatur: admonitusque ab amico suo *Greg. Mayansio,* respondit, solere Poetas, non versificatores, in ejusmodi offendicula incurrere.

Examen diligente de la Verdad. Demonstracion Historica del Estado Religioso de San Pedro Pascual de Valencia, Obispo de Jaèn, &c. en respuesta de lo que tiene escrito el señor Doct. Don Juan de Ferreras, *por Fr.* Juan Interian de Ayala, *del Sagrado, y Real Orden de nuestra Señora de la Merced, del Claustro, Theologo, y Cathedratico Jubilado de la Universidad de Salamanca. En Madrid. En la Imprenta de Don Gregorio Hermosilla, en la calle de los Jardines,* A. 1721. in quart. Solidis rationibus probavit argumentum susceptum *Ioannes Interamnensis Ayalaeus,* adeo, ut *Ioannes Ferreras* opinionem suam publicæ retractaverit.

APASTEROSIS sive in Astrum Conversio. Elegia *Don Emmanuele Martino,* Decano Alonensi, Authore. In qua Arcam, vicennalium peregrinationum comitem, itinerum attritu, ac vetustate satiscentem, quadam veluti consecratione inter astra collocat, Cl. Viro J. V. D. D. D. *Philippo Buliphoni,* olim in Neapolitano foro causarum Patrono, ac postmodum in Alonensi tractu Regii ærarii Præfecto vigilantissimo atque integerrimo, inscripta. Accesserunt nonnullæ eorundem Epistolæ, ad idem argumentum spectantes. Mantuæ Carpetanorum, ex Typograph. Nicolai Rodriguez Francos, A. 1722. in quart. Præfatio *Cæsaris Laurentii Bulifonis, Philippi* fratris, elegans est, multaque refert de *Emmanuele Martino,* præter ea, quæ in sua Bibliotheca narrat *Rodriguezius.* Natus est *Martinus* Oropesæ Regni Valentiæ oppidulo. Vir est ingenii præstantissimi, antiquitatis peritissimus. Ejus Elegia eruditissima, & elegantissima est. Epistolæ indicant, quantus sit *Martinus* in lingua Latina. Sed, & in Græca etiam excellit. Denique unus est ex paucis, qui sunt Hispaniæ ornamento. *Philippi Buliphonis* Epistolæ judicium ejus ostendunt. Puræ, & emendatè scriptæ, quas *Ianus Ajalæus Interamnensis* addidit, dissertæ sunt.

Diccionario de la Lengua Castellana, en que se explica el verdadero sentido de las voces, su naturaleza, y calidad con las frasses, ò modos de hablar, los Proverbios, ò Refranes, y otras cosas convenientes al uso de la lengua. Dedicado al Rey nuestro señor Don Felipe V. *(que Dios guarde) à cuyas Reales expensas se hace esta obra. Compuesto por* la Real Academia Española, *tomo primero, que contiene las letras* A. B. *En Madrid en la Imprenta de Francisco del Hierro,* A. 1726. in fol.

Tomo segundo, que contiene la letra C. A. 1730. Hispana lingua, si qua alia, desiderat Dictionarium Criticum: nam unusquisque loquitur arbitratu suo. Nulla Grammatica scripta est, quæ possit esse norma locutionis: nullos habet libros Criticos, qui loquendi usum accurate doceant. Perpauci scripserunt emendate. Itaque eloquentissimorum hominum consuetudo vix observatur. Ad eam autem observandam meliores magistros vellem, quam Academici sunt, qui gravioribus negotiis fortasse intenti, vocum origenes non satis accurate notant, fere semper insistentes *Covarruviae* vestigiis, qui licet multa viderit accute, omnia non potuit; proprias ab impropriis locutionibus solent infeliciter distinguere. Non raro utuntur testimoniis proletariorum scriptorum, utpote qui fere trecentos sibi tanquam Hispanæ linguæ magistros operis initio præsixerunt. Voces præsertim antiquatas, quæque, cum reperiuntur, magis ignorantur, prætermittunt plurimas. Denique ea linguæ Latinæ infantia laborare videntur, ut raro vocabula Latina Hispanis, & multo minus phrasfes pharassibus respondeant. Et quis credat, viginti quatuor Academicos septendecim annorum spatio tres literas tantum edisisse? Unus homo femeftri tantundem præftiterit.

Theatro Critico Universal, ò Discursos varios en todo genero de materias, para desengaño de errores communes, por el M. R. P. M. Fr. Benito Geronimo Feijòo, *Maestro General de la Religion de San Benito, y Cathedratico de Visperas de Theologia de la Universidad de Oviedo. Tomo primero. En Madrid en la Imprenta de Lorenzo Francisco Mojados,* A. 1727. in quart.

Tomo segundo, en Madrid en la Imprenta de Francisco del Hierro, A. 1728. in quart.

Tomo tercero, apud eundem, A. 1729, in quart.

Tomo quarto, apud eundem, A. 1731, in quart.

Ejusdem Ilustracion Apologetica al primero, y segundo tomo del Theatro Critico, donde se notan mas de quatrocientos descuidos al Autor del Anti-Theatro (D. Salvador Josef Mañer) *y de los setenta que este imputa al Autor del* Theatro Critico, *se rebaxan los sesenta y nueve y medio. En Madrid, por Francisco del Hierro,* A. 1729. in quart. Hujus viri lectio fere omnium oculos in Hispania detinet non aliam ob causam, nisi quia gens imperita, & rudis tot argumentorum varietatem admiratur. Quanquam præditus est *Feijóo singulari ingenio, quod* nemo ei negat. Philautia maxime laborat. Oratio ejus perspicua, sed peregrinis vocibus fœdata. A multis est impetitus; sed, ut debiles adversarios nactus est, eorum impetus irridet, nescius forte, quantum à potenti adversario pati posset, si critico stilores esset decernenda.

De la Antiguedad, y Universalidad del Bascuence en España. De sus preferencias, y ventajas sobre otras muchas lenguas. Demonstracion previa al Arte, que darà à luz de esta Lengua, su Autor M. D. L. en Salamanca, por Eugenio Garcia Honorato, A. 1728. in octav. Emmanuel de Larramendi, qui hujus libelli est Autor, præditus est magno ingenio: ludrico dicendi genere delectatur. Vocabulorum Hispanicorum multas detegit origenes, quas Academicos docet.

El impossible vencido. Arte de la Lengua Bascongada, su Autor el P. Manuel de Larramendi, *de la Compañia de Jesus, Maestro de Theologia de su Real Colegio de Salamanca. En Salamanca, por Antonio Josef Villadiego Alcaràz*, A. 1729. in octav. Gloriatur Autor in hoc libello, se fuisse primum, qui Vasconum linguan in artem redegerit.

Ortografia Española, fixamente ajustada à la Naturaleza invariable de cada una de las letras. La escrivia Antonio Bordazar de Artazu. *Segunda impression, en que se añade una Apologìa contra las instancias vulgares, recogidas por* D. Salvador Josef Mañer. *En Valencia, en la Imprenta del Autor*, A. 1730. Hujus Orthographiæ verus Autor est, ipfe *Antonius Bordazarius*, Typographus judiciosus, & homo summæ industriæ. Sunt, qui falso putant, *Greg. Majansium* scripsisse illam, propterea quod ipse Autor (qua præditus est modestia) dicere solet, fere integrum Orthographiæ suæ Systema à *Majansio* didicisse: idque verum est. Quanquam in usu duarum, aut trium literarum *Majansio* noluit asientiri; quod si non fecicsset, fortasse ab imperitis hominibus non ita convitiis, ut nunc, impetitus fuisset.

Ortografia Latina, fixamente ajustada al uso regular de los antiguos Latinos, y eruditos modernos. La escrivia Antonio Bordazàr Artazu. *En Valencia, en la Imprenta del Autor*, A. 1730. in octav. Dignum est admiratione, Orthographiam Latinam scripsisse *Bordazarium* (uti revera scripsit) cum Grammaticæ Latinæ præcepta non attigerit. Majorique admiratione dignum, Latinam Linguam eum intelligere mediocriter, cum neque præceptis, neque lo quendi usu didicerit illam, sed aliqua solum lectione, eaque privata. Tantum est ingenium *Bordazarii*, tantum judicium!

Metodo ilustrado de las más precisas Reglas de Ortografia Española, por D. Salvador Josef Mañer. *En Madrid*, A. 1730. in octav. Scriptor proletarius & ineptissimus.

Breve Relacion del Nacimiento, Vida, y Martyrio de la Gloriosa Virgen Santa Liberada. La escriviò el Doct. D. Ignacio Armissen y Marin, *Canonigo Reglar de San Agustin del Habito de S.* Ant. Abad. *En Zaragoza, por Francisco Revilla*, A. 1726. in octav. In imam classem conjicitor.

Memorias Historicas de la fundacion, y Progressos de la insigne Universidad de Valencia. Escriviòlas el Doct. D. Francisco Orti y Figuerola, *Calificador del Santo Oficio, Canonigo de la Santa Iglesia Metropolitana de Valencia, Retor de la misma Universidad. En Madrid, en la Imprenta de Antonio Marin*, A. 1730. Franciscus Ortinus, Valentiæ natus, ordine Chronologico (sed eo non ubique servato) disposuit, quæ memoriæ tradidere *Andreas Scotus, Gaspar Escolanus, Antonius Beuterius, Petrus Augustinus Morlà, Vincentius Marinerius, Laurentius Matthæus, Nicolaus Antonius, & Iosephus Rodriguezius.* Hi sunt præcipui, ac fere unici eruditionis ejus fontes. Præterea *Ortinus* sussuratus est *Gregorii Majansii* Adversaria quædam, ad idem argumentum spectantia; quæ Adversaria, *Jo. Baptistae Ferrerii* ope consilioque surrepta, nunquam restituere voluit, ne quis corniculam posset alienis plumis denudare. Habet quidem *Ortinus* ingenium minime contemnendum, promptan memorian, facilemque stilum, licet non ita emendatum. Critices usum parum, novit, adeoque celeber ut viros magnos, qui vix merentur nominari. De quam plurimis, qui magni viri fuerunt, aut sunt, neque verbum facit. Quos amat, tollit ad astra; quos aversatur, deprimit, aut silentio involvit: in eo laudandus, quod ad fontem solet digitum intendere, ut facile queat discerni, utrum aqua limpida, an cenosa, prout ejus origo.

Gregorii Mayansii, Generofi Valentini, ad quinque Jurisconsultorum fragmenta Commentarii, & ad L. Si fuerit 5. de Leg. 3. Recitatio extemporanea. Valentiæ in Ædetanis apud Ant. Bordazàr, A. 1723. in 8. Recitationem habuit *Majansius* ad Valentinæ Academiæ Censores pro Jurisconsulti titutulo adipiscendo XI. Kal. Decembris A. 1722. ætatis fuæ 22. Natus enim fuit 7. idus Majus A. 1699. Posteà serio recognitum præfixit Lib. I. Disputationum Iuris. Iureconsulti sunt *P. Rutilius Rufus*, a. *Cornelius Maximus, Rutilius Maximus, Campanus, & Tarruntenus Paternus*, quos ipse recognovit, publicavitque hoc anno cum quindecim aliis Jureconsultis.

Iusti Vindicci Relatio de Disputatione, quam habuit in Valentinæ Sacello *Greg. Majansius*, Generosus, & Antecessor Valentinus, pro intellectu verò I. *est autem 3.* Instit. Imp. de Rer. Div. Cosmopoli *(Valentiae)* apud Liberalem Evangelum *(Ant. Bordazarium)* sub signo Lunæ, & canum, A. 1725. in 8. Tunc incepit *Majansius* libris suis præfigere canes adlatrantes Lunam, addito Lunæ hoc lemmate: *Alta regebat equos;* canibulque hoc altero: *faevitque canum latratus in auras,* ad memoriam scilicèt illius gloriosissimi diei.

Gregorii Majansii, Generofi, & Antecessoris Valentini, disputationum Iuris, Liber I. Valentiæ in Ædetanis apud *Ant. Bordazàr*, A. 1726. in 8. Habet prætereà *Majansius* nonaginta Disputationes manuscriptas, aliquando edendas, Deo volente.

Vida de San Gil Abad. La escriviò el Doct. Don Gregorio Mayans y Siscàr, *Cathedratico del Codigo de Justiniano en la Universidad de Valencia. En Valencia por Antonio Bordazàr,* A. 1724. en 16.

Vida de San Ildefonso Arzobispo de la Santa Iglesia de Toledo. La escriviò Don Gregorio Mayans y Siscàr, *Doctor en ambos Derechos, y Cathedratico del Codigo de Justiniano en la Universidad de Valencia. En Madrid* (cum ibi esset *Majansius) por Antonio Bordazàr (por Antonio Marin)* A. 1727. in 12. Hæc est secunda editio. Prima prodiit Valentiæ apud Ant. Bordazàr, A. 1726. in 16. Ipse *Majansius* fatetur, se scripsisse has vitas nimis festinanter, ideò eas recognovit, & auxit, & cum sibi erit otium publicabit.

Oracion en alabanza de las eloquentissimas Obras de Don Diego Saavedra Fajardo. La escriviò el Doctor Don Gregorio Mayans y Siscàr, *Cathedratico del Codigo de Justiniano en la Universidad de Valencia. En Valencia por Antonio Bordazar,* A. 1725. in 4. Orationem hanc scripsit *Greg. Mayanius,* non in eum finem, ut *Saavedram* laudaret, in quo ipse multa reprehendit, sed ut occasionem arriperet exercendi Criticem, sub specioso prætestu laudanti scriptorem, ab Hispanis maxime probatum.

Oracion que exorta à seguir la verdadera idèa de

la Eloquencia Española. La escrivió el Doctor D. Gregorio Mayans y Siscàr, &c. *En Valencia por Antonio Bordazàr.* A. 1727. in 4.

Accion de Gracias por el Nacimiento de nuestro Señor. Dixola D. J. A. M. J. C. (D. Juan Antonio Mayans y Siscàr, Gregorii frater germanus) *en la Congregacion del Oratorio de San Phelipe Neri de Valenc.* A. 1728. in 8.

El Mundo engañado por los falsos Medicos. Discursos del Doct. Joseph Gazola Verones, Medico Cesareo, y Academico Aletofilo. Obra posthuma, traducida fielmente del Toscano. En Valencia por Ant. Bordazàr, A. 1729. in 8. Hic libellus excusus iterum Hispali. A. 1730. nunc tertium excuditur Valentiæ. In Hispanicam Linguam convertit *Greg. Majansius,* cujus etiam sunt Dedicatio ad Medicos, Præfatio ad Lectorem, & Libelli censura.

Republica Literaria, obra posthuma de Don Diego Saavedra Fajardo. *Sale à luz corregida diligentemente segun una copia M. S. de D. G. M. En Valencia por Ant. Valle,* A. 1730. in 8. Hunc aureum libellum, in quo *Saavedra* se ipsum superavit, *Gregorius Majansius* recensuit, gravissimos errores sustulit, tum librariorum, tum ipsius *Saavedrae,* quamquam hujus solum, ubi Religio Christiana violabatur, quod mirum est ab aliis animadversum non fuisse. Tales erant intolerandæ de anima opiniones. Librarii Dedicatio ad *Hiacynthum Joverium,* Prologus, & Censura etiam sunt *Majansii.* Voluisset hic suas ad *Saavedram* edere notas, sed nondum sunt in eo statu, ut publicari possint; continent enim accuratissimam crisin eorum omnium Scriptorum, quos in sua Republica nominavit *Saavedra.* (Actas de Lipsick número ——, publicadas por Menkenie. *Diario de los Literatos;* III-VIII-245-262.)

MEDICINA *que se practica en Parìs, mal traducido en Español.* (IV-XIX-372.)

* MEDINA Y CAMPION, Antonio Luis de: *Triunpho de la mejor Doctrina y Carta Apologètica contra la Disertacion, que con título de la Real Sociedad de Sevilla, ha dado al público Don Marcelo Iglesias, Socio, y Ex-Consiliario de ella. Sobre la nutrición del humano cuerpo.* Su Autor Don ————, Medico en esta Corte. En Madrid,

en la oficina de Antonio Marin, año 1737, en un Papel en quarto con 54 pág. (II-XVIII-278.) (Los diaristas dudan si la obra es original de D. Vicente Gilabert: páginas 278-279.)

MEDITACIONES *sobre las Verdades Christianas, y Eclesiasticas, Sacadas de las Epistolas, y Evangelios, que se dicen en la Missa, &c.* 5 vol. en 12. (Parìs.) (II-XXVI-388.)

MELCÓN, Juan Francisco: *La Malicia confundida, y verdad triunfante, Carta Satisfactoria para desengaño del público, y defensa de la inocencia.* Su Autor D. ————. (IV-XIX-371-372.)

MEMORIAS *del Mariscal de Bervvick, Duque y Par de Francia,* &c. Se venden en Parìs en casa de G. Gavelier, dos tomos, en 12, año 1738. (Parìs.) (V-X-356.)

MEMORIAS *de M. el Marques de Fieux, por M. el Cavallero de Mouhy.* Primera, Segunda, Tercera y quarta, ò ultima Parte. En casa de Gregorio Antonio Dupuis, año 1736. Tratado de los principios de la Fè Christiana. 3. Vol. En 12. (Parìs.) (II-XXVI-388.)

MEMORIAS *históricas de el Conde Betlem Niclos, que contienen la Historia de los Ultimos tumultos de Transilvania.* En Francès, en casa de Juan Svvart, 2. vol. en dozavo, año 1736. (Amsterdam.) (II-XXVI-382.)

* MENA, Manuel Antonio de: *Historia General del Imperio Otomano, tom. I y II, que contienen ocho cartas escritas en Arabigo por un Historiador Turco, traducidas en Francès por Monsieur de la Croix y ahora en Castellano por Don* ————. Impressa en Madrid, por Manuel Fernández, año 1737, en octavo, el I. Tom. y el II, 244 páginas. (III-III-120.)

———: *Estado actual del Imperio de Moscovia, y Historia de sus Cesares.* Su Autor, D. ————. Es obra impresa y publicada el año pasado de 1736. (II-XXIV-364.)

———: Id. Id., tomo II. (VI-352-353.)

MÉNDEZ, Valentín: *Sermon del Glorioso Patriarca San Ignacio, Fundador de la Compañia de Jesus, predicado en el Real Colegio de la Bahia à 31 de Julio de 1733, por el Padre Maestro* ————, *de la misma Compañia.* En Lisboa Occidental, en la Oficina de Pedro Freneyra, año 1737, en 4.º (II-XXV-376.)

MENDOZA DE LOS RÍOS, Pablo: *Epitome de la Vida de Santa Tecla, y descripcion de la magnificas y Sumptuosas fiestas a la Colocacion de esta Imagen en su nueva maravillosa Capilla, inclusa en la Santa Metropolitana Iglesia de Burgos, construìda à expensas del Ilustrissimo Señor D. Manuel de Samaniego y Jaca, su dignissimo Arzobispo.* Su Autor Fr. D. ———— del Abito de S. Juan, y Prior de Santa Maria de Castrelo, Encomienda de Quiroga. Impresso en Burgos, en la Imprenta de los Herederos de Juan de Villar año 1737, I. Tom. en fol. de 423 pág. Se vende en Madrid en casa de Francisco Gomez, frente de S. Phelipe el Real, y en Burgos en la de Julian de Torres. (V-IX-350-351.)

* MESSA BENÍTEZ, Pedro Joseph de: *Ascendencia Esclarecida, y Progenie ilustre de nuestro gran Padre Santo Domingo, Fundador del Orden de Predicadores. Tomo primero. Ocurrencias vulgares del Discurso, sobre los fundamentos con que se ha procurado introducir, duda en la Sentada verdad de Ser Santo Domingo nuestro Padre, descendiente legitimo de la Nobilissima casa de Guzmán.* Escriviala D. ————, de Lugo, Impr. en Madrid por Alonso de Mora, años de 1737. En 4.º, con 648 pág. Sin los principios. (V-V-190.) (1.ª Parte.)

——: Continuación del Extracto de la *Ascendencia esclarecida de Santo Domingo de Guzmán.* (2.ª y 3.ª parte.) (VI-III-115.)

METTRIE, Mr. de la: *Tratado del Vertigo ò Vahido, con la Descripcion de una Catalepsia Histerica, y una Carta a Mr. Astruc en la qual se responde a la Critica que hizo de una Dissertacion del Autor sobre las enfermedades venereas.* Por ————, Doctor en Medicina. En Parìs en casa de Prault, enfrente de la baxada del Puente nuevo, año 1737. I. Tom. en dozavo de 141. Pág. (París.) (V-X-354.)

MINGUET, Pablo: *Arte de danzar à la Francesa, adornado con laminas.* Su Autor ————. (IV-XIX-370.)

——: *Rosal florido, cuyas celestes fragancias deben respirar los hijos de Maria Santissima con un methodo breve, y util de rezar, y ofrecer al Santo Rosario.* Por —

—————. (VI-Indice de los Libros que no se han extractado en este Tomo.)

MINUART, Agustín Antonio: *Relacion de las Solemnes Exequias, que la Ilustre, y Venerable Congregacion de la Virgen Santissima, baxo el titulo de Buena Muerte, fundada en el Real Monasterio del Gran Padre de la Iglesia, S. Agustin, de Agustinos Calzados de la Ciudad de Barcelona, celebrò el dia primero de Marzo del año 1737 à la piadosa inmortal memoria del R. Señor Doctor en Artes, y ambos Derechos, Geronymo Talavera, Prior que fue de la Colegial Iglesia de Santa Maria del Colell, y actual Prefecto de la misma Congregacion; y Oracion Funebre Panegyrica, que dixo el M. R. P. M. Fr.* —————, *Agustiniano, Doctor en Artes, y Sagrada Theologia, Cathedratico que fue de Visperas en la Universidad de Barcelona, etc. Vice-Prefecto de la Venerable Congregacion de la Buena Muerte. Sacale à luz la misma V. Congregacion.* Impresso en Cervera, en la Imprenta Real de la Universidad, por Manuel Ibarra. (IV-XIX-373-374.)

* MIRANDA Y OQUENDO, Juan; CID SUÁREZ DE RIVERA, Juan, y GONZÁLEZ DE DIOS, Juan: *Diatriba Epistolarum Fasciculus quibus animi defoecandi gratia invicem olim colludebant* —————, *Regio Hispalensi Fisco nunc recens praefectus,* —————, *veterum prudentiae Salmantini Doctores, et* —————, *apud ipsos Salmantinos amoeniorum Musarum Primarius Antistes: à quo nunc denuo collecta publici Iuris fiunt sub aspiciis Illmi. D. D. Andreae Gonzalez de Barcia in Supremo Castellae Senatu Regii Consiliarii, et integerrimi Patricii.* Salmanticae, ex Officina Antonii Iosephi Villagordo. Anno 1737. (IV-XIII-258.)

* MISSIONARIOS DEL SEMINARIO DE S. MIGUEL DE ESCORNALBOU: *Assuntos Apostolicos Predicables, Literales, Tropologicos, Alegoricos, y Anagogicos, Sobre los tres Capitulos primeros del Evangelio de San Mateo. Correspondiendo uno por verso: Dado un prefacio de Selectas glossas de Padres, y Expositores, compuesto; sobre cuyas inteligencias estàn levantados con fundamento solido. Adornados con idèas yà autorizadas, yà especulativas: cuyas tres partes vàn ponderadas con muchos discursos; Siendo el primero por lo comun, sobre el texto corrien-*

te. Trabajados por los RR. PP. Predicadores ———
de la Regular Observancia de N. P. S. Francisco, en el
Colegio Seminario de San Miguel de Escornalbou, Arzobispado de Tarragona: y coordenados por el P. Fr. Francisco Romeu, Predicador Apostolico, Escritor del Seminario, y Examinador Synodal del Obispado de Gerona.
Divididos en dos tomos; comprehendiendo este hasta el
verso quinto del Segundo Capitulo; y concluyendo con
una Decada Sacerdotal predicable. Se remata con dos
indices, Abecedario, y Textual. Impressos en Barcelona
por Juan Piferrer, año 1736. En fol. El I. tiene 556 págs.
y el II, 600, sin los principios, y fines. (IV-V-146.)

*Montero de Espinosa, Gerónimo: El Boixiano In-
expugnable en el Certamen de los mayores Medicos de
España; por el qual se intenta persuadir el verdadero
methodo de tratar las enfermedades agudas.* Compuesto
por el Dct. Don ———, Medico que fue de las Villas
de Hita, Tamajón y Buitrago, y al presente primer Medico de la Ciudad de Calatayud, de sus Hospitales, Colegial de su Insigne Colegio, y Academico Honorario de la
Regia Academia Medico Matritense, etc. Dedicado à la
muy Ilustre Ciudad de Calatayud, un tomo en quarto,
de 401 pág. En Zaragoza por Joseph Fort. Año 1738.
(VII-XI-214.) Se hallará en Madrid en la Libreria de Oliveras, frente a S. P. lipe, y en Calatayud en casa del
Autor. (V-IX-351-352.)

Monteyro Brabo, Joseph Antonio: *Sermon del In-
victo Martyr San Justino, que en la Iglesia de Nuestra
Señora de Loreto de la Nacion Italiana, donde se hallan
los huesos del mesmo Santo, no predicò por cierto incidente ———, Freyre conventual de la Orden de Santiago.* Impresso en la Oficina de Miguèl Rodriguez, año
de 1737. En quarto. (II-XXV-366.)

Morales, Fr. Miguel de: *Modo de practicar la devo-
cion de los trece Viernes, instituida por el Patriarca San
Francisco de Paula, con la Regla de la Tercera Orden
de los Minimos, y las Indulgencias concedidas.* Traducida del Italiano al Español por el P. Fr. ———, del
mismo Orden. (IV-XIX-370.)

Morgán, J.: *Práctica mecánica de la Medicina,* por

el Doct. ————, I tom. en 8.º en casa de T. Woodward, en Inglés. (II-XXVI-382.)

Muñoz, Antonio: *Papel nuevo: Morir viviendo en la Aldea, y vivir muriendo en la Corte.* Su Autor Don ———— ————. En octavo. (II-XXIV-362-363.)

Muñoz, Miguel Eugenio: *Memorias ilustres de la Casa de Saxonia, ò compendio de sus prerrogarivas, y excelencias.* Su Autor, D. ————, Abogado de los Reales Consejos. (VI-Indice de los Libros que no se han extractado en este Tomo.)

Muratori, L. A.: El celebre Muratori ha publicado un excelente tratado de Philosophia Moral, con este titulo: *La Philosophia Morale, esposta è proposta à i Giovani,* da Ludovico Antonio Muratori, Bibliothecario de Serenisa. Sig. Suca di Modena. In Verona. 1735 1. tomo de à fol. pequeño, de 452 pág. (IV-XXI-381.)

Murcia: *Primero y Segundo Tomo del Calrin Evangelico, del Padre* ————. Se hallarà en Zaragoza en casa de la Viuda de Joseph Mendoza. (I-XXIII-356.)

* Nassarre y Ferriz, Blas Antonio: *Bibliotheca Universal de la Polygraphia Española, compuesta por Don Christoval Rodriguez, y que de orden de su Magestad publica D.* ————, *Su Bibliotecario Mayor.* Impressa en Madrid por Antonio Marìn, año 1738. En Folio de marca mayor, con 202 folios de Impression, y Laminas. (VI, art. I.)

Náxera, Fr. Juan de: *Desengaños Philosophicos.* Escribialos el M. R. P. Fr. ————, de el Orden de Minimos, Lector Jubilado Chronista del Orden, Padre de la Provincia de Sevilla, Examinador Synodal de su Arzobispado, y del Obispado de Cadiz, y Consultor, que fue de la Real Sociedad de Sevilla. Sacalos à luz D. Juan Vazquez de Cortes, Medico de la Ciudad de Sevilla. Impresso en dicha Ciudad en la Imprenta de las Siete Revueltas, en el año 1737 en 4.º, tiene 120 pág. Sin los principios. (VI-II-29.) Se hallará en la Librería de Francisco de Mena, calle de Toledo, y en Sevilla en casa de Jacobo de Herbe, Mercader de Libros. (V-IX-352.)

————: *Maignanus Redivivus, Sive de vera quidditate accidentium in Eucharistia manentium.* Su Autor, el

R. P. Fr. ————, del Orden de los Minimos; es repetido en la Gaceta. Se vende en la Libreria de Juan Gomez. (IV-XIX-371.)

Newton: Los PP. Thomas de Sena y Francisco Jacquier, doctos Minimos Franceses del Convento de la Santissima Trinidad de Roma, estàn, para publicar una nueva edicion de los *Principios Mathematicos de la Philosophia natural de* ————, ilustrados con enteros, y seguidos comentarios: Barillot se ha encargado de la impression de esta obra, que saldrà en 3 tom. de à 4.º (Ginebra.) (IV-XXI-382.)

* Nolasco de Ocejo, Pedro: *El Sol de los Anacoretas, la luz de Egypto, el Pasmo de la Tebayda, el Assombro del mundo, el Portento de la Gracia, la milagrosa Vida de San Antonio Abad, puesta en octavas por Don* ———— ————. I tom. con 2.000 pág. Sin los principios. En Madrid, año 1737. (IV-XVI-340.)

Noticia *individual de la Redempcion. Entrada y Procession executada en esta Corte por los Padres Mercanarios Calzados, y Descalzados, y copia de la Carta, que al Rmo. P. General escriviò el Rey de Argèl.* (VI-Indice de los Libros que no se han extractado en este tomo.)

Oliveira, Antonio: *Relacion del tumulto popular, que sucediò en 18 de diciembre de 1735 en la Ciudad del Gran Cayro, Capital del antiguo Reyno de Egypto, con muerte de su Visir, y del Juez de los Judios.* Traducida de la Lengua Castellana por ————, natural de Chamusca, en la Oficina Joachiniana de la Musica, año 1737, en 4.º (II-XXV-373.)

Ordenanzas *de la Real Sociedad de Sevilla, año de 1737.* Impresas en dicha ciudad de Sevilla, en la Imprenta de las Siete Rebueltas. En 4.º Tiene 115 páginas. (IV-XIX-373.)

Origen *de los honores, Privilegios, y Esempciones de las Reales Guardias de Corps.* (VI-Indice de los Libros que no se han extractado en este Tomo.)

* Ortega y Cortés, Ignacio Joseph: *D. D. Didacus a Covarrubias et Leiva, Episcopus Segoviensis, et Castellae Senatus Praeses, ad tit. de Testamentis, et Epitome Lib. IV. Decretalium enucleatus, et auctus.* Per D. ———— ————, Ordinis S. Iacobi, elimque in Maiori S. Salva-

toris Salmanticensi Collegio (qui Illustr. Praeses floruit) Caelesti Clamide accinctum, nunc Catholici Philippi V. Hispaniarum, Indianumque invictissimi Regis à Consillis, et in Regio operum, nemorumque caetu Fisci Regii Patronum. Jesu Christo Crucifixo dicatum opus. Cum Privilegio Regis: Matriti, ex Officina Antonii Marin. An MDCCXXXVII. (En fol. Contiene 441 pág. Sin los principios, ni el indice.) (IV-VI-162.)

ORTIZ BARROSO, Joseph: *La verdad brillante: Respuesta al Escrito Anonymo, la Verdad Trompeta.* La formaba D. ————, Medico de la Real Familia, Socio del Numero, Secretario de la Real Sociedad de Sevilla, y Ministro Familiar del Santo Oficio de la Inquisicion de dicha Ciudad, quien le dedica, y consagra à la Sapientissima Real Sociedad de Sevilla. Con licencia en Sevilla, en la Imprenta de las Siete Rebueltas, año 1737. En 4.º, pág. 60. (IV-XX-378.)

OUDENDORPIO, F., ha publicado el *Julio Cesar*, con Notas de varios Autores, en 2 Vol. en 4.º (Roterdan.) (II-XXVI-378.)

* PALOU, Ignacio Antonio: *El Sacerdote Instruido y enseñado en la Antigüedad, Origen, Autoridad, y practica de cada una de las Ceremonias de la* MISSA, *por el Licenciado* ————, Presbytero, Maestro en Artes liberales, Doctor en Sagrados Canones, Beneficiado de esta Metropolitana de Valencia, Examinador de nuevos Sacerdotes, y Maestro de Sagradas Ceremonias, etc. Impresso en Valencia por Antonio Bordazar de Artazù, año 1738 en 4.º, tiene 426 páginas sin los principios. (VI-IV-164.)

PELL, M. G.: *Vocabulario Inglès, Flamenco, Francès y Latino, en donde se demuestra la conformidad de las tres ultimas lenguas con la primera.* (Utrech.) (II-XXVI-380.)

————: *Nueva Gramatica para aprender el Inglès, por* ————, *natural de Londres.* (Utrech.) (II-XXVI-380.)

PÉREZ CARVAJAL, Alonso: *Carta de D.* ————, *en respuesta del antecedente Papel* [v. Armesto, Ignacio]. Su Autor supuesto, sin licencia, ni aprobaciones. I. pliego en quarto. (IV-XIX-371.)

PÉREZ DE MONTALBÁN, Juan: *Vida y Purgatorio de*

*San Patricio, Arzobispo, y Primado de Irlanda, escrita
en Castellano por el Doctor* ————, *expuesta en Portuguès por el Padre Manuel Caldeyra.* En la Imprenta de
Antonio Pedro Galvàn, año 1737, en 8.º. (II-XXV-369-370.)

PÉREZ DE VARGAS, Balthasar: *Sagrada Medicina. Sermon Panegyrico Moral, que en la Solemne fiesta con
que la Real Sociedad de Sevilla, cumpliendo con sus
nuevas ordenanzas, celebrò el dia 19 de Diciembre del
año 1737 el dichoso cumpleaños de su Clementissimo
Protector N. Potentissimo Monarca el Señor D. Phelipe V.
que Dios guarde, pidiendo à su Singular Patrono, y Divino Tutelar el Espiritu Santo, la dilatada vida de su Mag.
Predicò en el Oratorio de S. Phelipe Neri el Señor Lic. Don*
———————— y Sirviente, *Colegial en el Mayor de Cuenca,
Canonigo Magistral de la Santa Iglesia Cathedral de Gua-
dix, etc.* Dase à la estampa de orden de la misma Real
Sociedad, por el Doctor D. Toribio Cote y Covian, Don
Francisco Pedro de Leon, y Don Luis Montero, Socios
Diputados de dicha función: quienes le dedican à su
meritissimo Presidente el Señor Doct. Don Joseph Cervi,
del Consejo de su Mag. etc. en 4.º, pág. 19. Sin los principios. (IV-XX-379.)

PETRONIO: *El poema de* ———————— *sobre la Guerra Civil entre Cesar, y Pompeyo, con dos Epistolas de Ovidio,,
traducido todo en Francès, con notas, y conjeturas sobre
el Poema intitulada Pervigilium Veneris.* En casa de
Changinon, en 4.º, año 1737. (Amstedan.) (II-XXVI-381-
382.)

PICART, Bernard: Juan F. Bernard està vendiendo el
sexto tomo de las *Ceremonias Religiosas,* dibujadas por
———————— el Romano. (Amsterdan.) (II-XXVI-381.)

Y también los dos volúmenes de las *Supersticiones,*
que pueden servir de suplemento al de las *Ceremonias.*
(Amsterdan.) (II-XXVI-381.)

PINAMONTE, Juan: *El exorcista bien instruído, con un
methodo perfectissimo para curar Sabia, y prudentemen-
te todo genero de maleficios, que escriviò en la lengua
Latina, è Italiana el R. P.* ———————— *de la Compañia de
Jesus; y expone en la Portuguesa, acrecentandole los
Exercismos necessarios del Ritual Romano de Paulo V.*

— 273 —

el P. *Juan Bautista Roboredo.* Impresso en Lisboa Occidental por Antonio Pedroso Galván, año 1737. En octavo. (II-XXV-368-369.)

El Piscator *de Sarrabal Historico, con las noticias de las fundaciones de todas las Ordenes Religiosas y Militares, assi de España, como de toda la Europa, y otras muchas noticias, assi Eclesiasticas, como seculares.* En casa de Juan de Moya, frente de S. Phelipe. (V-IX-352-353.)

* Polo, Pedro: *Mansiones Morales, seu Quadragessima continua per Mansiones Hebroeorum ideata, et mysticas ad Frates, et Moniales, pro commoditate Praelatorum, et Confessorum, tùm pro visitatione, tùm pro exhortationibus, aliisque exercitiis, et functionibus regularibus, tùm et cum aliquibus Collationibus pro vestitione Habitus, et Professione. Opus valde utile, multiplici eruditione Sacra decoratum, quam pluribus exemplis exornatum.* Tomus Tertius. Auscthore. A. R. P. Fr. ————, Minorita Valentino Arensi, Lectore Jubilato, Ex-Diffinitore, et Custode, Provinciarum Maioricensis et Gotholomiae Patre, Valentinae Ex-Ministro Provinciali, ac Diffinitore Generali Ordinis. Cum Privilegio. Matriti: Ex Typographia Causae V. Matris de Agreda, anno 1737. (Tiene 394 pág. Sin los principios, y fines.) (VII-VI-82-83.)

* Real Academia Española: *Diccionario de la Lengua Castellana, en que se explica el verdadero sentido de las voces, su naturaleza y calidad, con las phrases, ò modos de hablar los proverbios, ò refranes, y otras cosas convenientes al uso de la Lengua.* Compuesto por la ————. Tom. 5, que contiene las letras O. P. Q. R. En Madrid, en la Imprenta de la Real Academia Española: Por los herederos de Francisco del Hierro, año de 1737 en folio, tiene 656 páginas sin los principios. (II-XI-200.)

* Real Sociedad de Sevilla: *Varias Dissertaciones Medicas, Theoretico-Practicas, Anathomico-Chirurgicas, y Chymico-Pharmaceuticas, enunciadas, y publicamente defendidas en la ————, siendo Presidente el Señor Doct. D. Joseph Cervi, Cavallero Parmense, del Consejo de su Magestad, primer Medico de las dos Magestades, Presidente del Real Protho-Medicato, etc. y Vice-Presidente,*

*por su ausencia, Don Diego Gaviria y Leon, Medico de
la Real Camara, con exercicio, y Socio del Numero.*
Tomo I. En Sevilla, en la Imprenta de las Siete Rebueltas, año 1736. En quarto, pág. 526, y 8 del Apendice à la
Dissertacion 13. (I-XIV-191.)

REAMUR, Mr. de: *Memorias para la Historia de los
Insectos,* por ———, Academico Real de las Ciencias.
Tom. 3. En Parìs en la Imprenta Real, año 1737, en 4.º,
tiene cerca de 600 pág. con muchas laminas finas. (Francia.) (IV-XXI-382.)

RECETAS *Morales, politicas, y precisas para vivir en
la Corte con conveniencia de todo genero de personas.*
(IV-XIX-371.)

Gissey, Librero e Impressor, continùa en distribuir
todos los Lunes un pliego impresso, con el titulo de
REFLEXIONES *Sobre las obras de Literatura.* (V-X-355.)

REGNAULT: *Conversaciones Fisicas, ò Fisica Nueva en
Dialogos, que contiene en breve lo mas curioso, y util,
que se ha descubierto en la naturaleza, traducidas al
Italiano del Idioma Francès, en que las escriviò el Padre* ——— *de la Compañia de Jesus,* quatro Tomos,
en 8.º. En Venecia, en Casa de Coletti, año 1736. (Italia.)
(II-XXVI-377-378.)

La RELACION *en prosa y verso de las Fiestas que en el
Convento de Capuchinos de S. Antonio del Prado se celebraron los dias 2, 3, y 4, de Febrero de 1738, por la Beati-
ficacion del Beato S. Joseph de Leonisa, del mismo Orden.* En casa de Sanz, y de Olamendi. (V-IX-353.)

RELIGIOSO BENEDICTINO: *Los Principios de la Historia de la Iglesia, ò Paraphrasis de los Actos de los Apos-
toles, con el Texto Latino al margen, y algunas Notas,*
por un ———. 2 Tom. en Dozavo. En Parìs en casa de
la viuda Ganeau. (Parìs.) (V-X-354.)

El RELOX *de Faltriquera, curioso, verdadero, y perpetuo, que en medio pliego trahe grandes curiosidades.*
(IV-XIX-372.)

RESPUESTA *a la Carta del P. Señeri sobre la probabilidad.* Esta Carta pareciò en Verona el año passado de
1732, y se ha buelto à reimprimir en el de 36. en la misma Ciudad. Un Theologo, defensor del P. Señeri, acaba

de publicar en Milàn una *Contrarrèplica* à dicha Carta. (II-XXV-385.)

RIBEYRO, Matheo: *Alivio de tristes, Consuelo de quexosos.* Seis Partes, divididas en dos Volumenes en esta ultima Edicion, compuesto por el Padre ————, Parroco de Azoeyra, Impressos en la Oficina Ferreriana, en 4.º. (II-XXV-375.)

* RIVAROLA Y PINEDA, Juan Félix Francisco de: *Monarquia española, Blason de su Nobleza.* Dos Tomos. Su Autor Don ————; impressos en Madrid año de 1736. El primer tomo tiene 376 págs. y el segundo 464. Sin los principios. (I-XVII-271.)

RIVERA: *Medicina Botanica nueva, y novissima.* Su Autor, el Doct. ————, Medico de Camara de S. M.. (VI-Indice de los Libros que no se han extractado en este Tomo.)

ROBLES, Josselin: *Vida, y acciones heroycas de varios Monarcas, y Capitanes famosos del mundo.* Escrito en Francès para la educacion del Principe Real de Prusia, y traducido en Castellano por D. ————. Tomo I. (VI-Indice de los Libros que no se han extractado en este Tomo.)

RODRÍGUEZ, Antonio Joseph: *Palestra Critico-Medica, en que se trata introducir la verdadera Medicina, y desalojar la Tyrana intrusa del Reyno de la Naturaleza.* Tomo II. Su Autor el P. Don ————, Monge Benedictino Cisterciense. (VI-Indice de los Libros que no se han extractado en este Tomo.)

————: *Palestra Critico-Medica, en que se trata introducir la verdadera Medicina, y desalojar la tyrana intrusa del Reyno de la Naturaleza.* Tomo II. Su Autor el P. Don ————, Monge Benedictino Cisterciense. (VI-Indice de los Libros que no se han extractado en este Tomo.)

* RODRÍGUEZ, Christoval: *Bibliotheca Universal de la Polygraphia Española,* compuesta por D. ————, y que de orden de su Magestad publica D. Blàs Antonio Nassarre y Ferriz. Su Bibliothecario Mayor. Impressa en Madrid por Antonio Marin, año 1738. En folio de marca mayor, con 202 folios de Impression, y Laminas. (VI-I-1.)

Rollin: *Modo de enseñar, y estudiar las bellas Letras.* Su Autor, ————, antiguo Profesor de Eloquencia de la Universidad de Parìs, nueva Edición, aumentada con Suplemento, corregida por la de París. En dozavo vol. 4, año 1736. En casa del mesmo Humbert. (Publicado en Amsterdam.) (I-XXIV-359.)

Ros, Carlos: *Norma breve de Cultura, y politica de hablar, para el idioma Castellano; aunque servirà tambien para el Valenciano y otros.* Escrita por ————, Notario Apostolico, natural de la muy Noble, Ilustre, Insigne, Leal, y Coronada Ciudad de Valencia, En la Oficina de Joseph Garcìa, año 1737, con Papel en octavo con 105 páginas. (I-XXIII-356.)

Rosende, Iñigo: *Finezas de Jesus Sacramentado para con los Hombres, è ingratitudes de los Hombres para con Jesus Sacramentado.* Escrito en Lengua Toscana, y Portuguesa por el P. Fr. Juan Joseph de Santa Teresa, Carmelita Descalzo. Y traducido al Castellano por D. ———— ————, Presbytero. En Madrid, por Juan de Zuñiga, año 1738, en 8.º con 238 pá. Sin los principios y fines. (VII-III-53.)

*Rubio de Lara, Gil: *Historia del Cardeno Lyrio, deshojado en los Campos de Atocha por unos Hereges, el Santo Christo de la Oliva.* Compuesta por el M. R. P. Presentado Fr. ————, del Orden de Predicadores: y la dà à luz el P. Fr. Ventura Sanz, de la misma Orden. Impressa en Madrid por los Herederos de Antonio Gonzalez de Reyes, en octavo, y tiene 105 pág. Sin los principios, y fines. (I-VIII-111.)

*Ruiz de Alarcón, Juan: *Comedia famosa. La Crueldad por el honor.* Su Autor D. ————: impressa en Madrid, à costa de D.ª Theresa de Guzmàn. Se vende en Su Lonja en la Puerta del Sol. Año 1737. (I-IV-80.)

Ruiz, Joseph: *Discurso Practico, Methodo Segura para curar las Fracturas, y Subintraciones.* Su Autor ———— ———— Cirujano en esta Corte. (II-XVII-277.)

Sacerdotal *Carmelitano para las Missas Rezadas, è Instruccion Ritual de las ceremonias, que el Sacerdote debe hacer en el Sacrosanto Sacrificio de la Missa,* etc. Compuesto por un DEVOTO, hijo de la mesma Señora del Carmen. En la Oficina de Miguèl Rodriguez. En octavo. (II-XX-367.)

* SALAZAR DE ONTIVEROS, Joseph de: (Abad de Cenicero): *Impugnación Catholica y fundada, à la escandalosa moda del Chichisveo, introducida en la Pundonorosa Nacion Española.* Su Autor el Abad de Cenicero. Impresso en Madrid por Alphonso de Mora, año de 1737, en 4°, tiene 59 pág. Sin los principios. (IV-XV-283.)

* SALES, Agustín: *Apologia critica contra la reciente inconstancia de un Moderno.* Su Autor el Doctor ———— ————, Presbytero Doctor en Sagrada Theologia en la Universidad de Valencia, y Beneficiado en la Iglesia Parroquial de San Bartholomè de la misma Ciudad. La saca à la luz publica un apasionado del Autor. Con licencia de los Superiores. En Valencia por Joseph Estevan Dolz año 1737. Se hallarà en la Libreria de Salvador Moles, en la Plaza de los Caxeros. Papel en quarto de 16 pág. en todo. (II-XIII-260.)

* ————: *Segura convencido en todo quanto opone contra la Dissertacion del Sagrado Caliz, en su obra de la Verdad Vindicada.* Su Autor el Doctor ————————, Presbytero, Doctor en Sagrada Theologia en la Universidad de valencia, y Beneficiado en la Iglesia Parroquial de S. Bartholomè de la misma Ciudad. La saca à la luz publica un apasionado del Autor. Con licencia de los Superiores. Impresso en Valencia por Joseph Estevan Dolz, año 1737, en 4.° Tiene 30 páginas. Sin el principio. (IV-XI-235.)

SAN AGUSTÍN, Buenaventura de: *Sermones Panegyricos, y Morales, obra posthuma.* Tom. I y II. Su Autor, el R. P. M. Fr. ————, Lector Jubilado en Sagrada Theologia, y General, que fuè, dos veces de la Orden de San Geronymo. Es reimpression. (II-XXIV-362.)

* SAN ANTONIO, Alexandro de: *Sermones vespertinos Morales sobre todos los versos del Miserere, unos solos, y otros hermanados, con los Evangelios de Dominicas, Viernes, algunas otras Ferias Quadragessimales, y Passos de la Passion Sacrosanta: y otros vespertinos sobre los Evangelios de los Lunes de Quaresma.* Dixolos su Autor el R. P. M. Fr. ————, Calificador del Santo Oficio, y del Consejo Real de la Suprema, y General Inquisicion, Theologo, y Examinador Apostolico en el Tribunal de la Nunciatura de España, Predicador de su Magestad, y una, y otra vez Provincial que ha sido de Mercenarios Descalzos, Redemptores de Cautivos Christianos por las dos Castillas. Tomo VI. con varias remissiones à los otros cinco tomos del Autor, y de unos Sermones à otros de este tomo. Impresso en Madrid por Lorenzo Francisco Mojados, año de 1737 en quarto, tiene 499 páginas. Sin los principios. (I-XXI-325.)

* SAN ANTONIO, Juan de: *Escudo Provincial, Historico, Legal, Academico con que se propugnan los derechos, frutos, y glorias de todas las Provincias divididas, que no fueron custodiadas de alguna en el Orden Seraphico, y se satisface à su reciente Historiador.* Su Author el R. P. Fr. ———— (Salmantino) Lector de Theologia, Calificador de la Suprema, Chronista General de todo el Orden Seraphico, Ministro Provincial de la Provincia de San Pablo de Franciscos Descalzos, y su Chronista. Impresso en Salamanca, en la Imprenta de la Santa Cruz año 1737 en Quarto, dividido en dos partes, la primera con 179 páginas; y la Segunda con 123. (II-XXI-307.)

————: *Primicia Fundamental del V. P. Fr. Juan de Guadalupe,* vindicada por el R. P. Fr. ———— (Salmantino) Lector de Theologia, Chronista General de todo el Orden Serafico, etc. Quien le dedica à M. Rmo. P. Fr. Juan Bermejo Lector Jubilado etc. y Ministro General de todo el Orden de N. P. San Francisco. Con licencia en Madrid, en la Imprenta de la Causa de V. M. De Agreda, año de 1737. en 4.º, pág. 55. Sin otras 24 de principios. (IV-XIX-375.)

SAN ELISEO, Antonio de: *Sermones varios* de Fray ———— , Carmelita Descalzo de la Provincia de Portugal, Parte II. En la imprenta de Antonio Pedro Galván, año 1737, en 4.º. (II-XXV-370.)

S. JOACHIN, Antonio de: Tom. 3 del *Año Theresiano, Diario Historico, Panegyrico Moral, en que se descriven las acciones de Santa Theresa de Jesus, assignadas à los dias en que Sucedieron.* Su Autor el P. Fr. ————— —,

Carmelita Descalzo. Se hallarà en los Carmelitas Descalzos de esta Corte. (V-IX-352.)

*SAN NICOLÁS, Fr. Pablo de: *Verdad Triunfante por el honor de un Sepulcro, vindicias de la buena memoria de Don Luis de Salazar difunto, infamada en la Obra posthuma, que se le atribuye con titulo Examen Castellano de la Crisis Griega, Siendo su verdadero Autor Fr. D. M. M. B.* Su Autor el M. Fr. —————, Chronista General del Orden de San Geronimo, Predicador del Numero de su Magestad, y Decàno de su Real Capilla. Impresso en Madrid en la Oficina de Bernardo Peralta año de 1737 en quarto, con 151 pág. (III-V-165.)

SANDE, Francisco: *Compendio de Albeytería.* Compuesto en Lengua Castellana por —————, traducido en Portuguès por un Anonymo, oficial del mismo Arte, en la Oficina de Luis Seco Ferreyra, año 1734 en 4.º. Publicado este de 1737. (II-XXV-377.)

SANTA ROSA DE VITERBO, Francisco de: *Conyuctivo de el venerabilissimo Nombre de Maria à el optativo de el Santissimo Nombre de Jesús, para que en modo y tiempo sea Maria en las alabanzas al Verbo Divino inmediata, assi como es en la dignidad la mas conjunta. En correspondencia à las cinco letras de tan Santo Nombre, cuenta por tiempo cinco abreviados periodos, que todos se recuden à un solo punto de Maria, Gloria, veneracion, y culto.* Por el Padre Fray —————, Religioso de San Francisco de la Provincia de los Algarves. En la Oficina de Domingo Gonzalez, año 1737; en 16. (II-XXV-371.)

——: *Compendio de dicha Obra* por el mismo Autor. En la misma Oficina, en 16.º. (II-XXV-371-372.)

SANTA THERESA, Juan Joseph de: *Finezas de Jesus Sacramentado para con los Hombres e ingratitudes de los Hombres para con Jesús Sacramentado.* Escrito en lengua Toscana, y Portuguesa por el P. Fr. —————, Carmelita Descalzo. Traducido en castellano por D. Iñigo Rosende, Presbytero. En Madrid, por Juan de Zúñiga, año 1738, en 8.º, con 238 págs. sin los principios y fines (VII-III-53). En las Librerias de Francisco de Mena, y Francisco Rodriguez, calle de Toledo, I Tom. en 8.º. (V-IX-349.)

* Santiago, Fr. Diego de: *Dolores de Maria Santissima, historiados, ponderados, y empeñados por el P. Fr. Diego de Santiago, Carmelita Descalzo, Lector de Theologia, General Historiador que fue de su Religion, y al presente Difinidor General.* Impresso en Madrid en la Imprenta Real año 1737. en fol. con 600 páginas. (III-VI-181.)

Santos, Lucas Manuel de los: *Contra-Pronostico Christiano verdadero, perpetuo, y universal, dispuesto al Meridiano de Madrid, y à los demàs Meridianos de tierra de Catholicos.* Su Autor el Bachiller D. ————. En la Librerìa de Francisco de Mena, calle de Toledo. (V-IX-349-350.)

Scamozzi, Vicente: *Obras de Arquitectura de ———— ————, contenidas en su idèa, de la Arquitectura universal.* I. Tom. en fol. en Francès, año 1736. (La Haya.) (II-XXV-379.)

Schelstrate, Emanuelis: *Acta Orientalis Ecclesiae, contra exortam praeterito Saeculo Lutheri heraesim monumentis, at dissertationibus de praecipuis fidei Catholicae dogmatibus cum Lutheranis controversis ilustrata.* Opera ac Studio D. ———— S. T. D. Bibliothecae Vaticanae Praefecti, Basilicae Principis Apostolorum de Urbe Canonici. (Italia.) (IV-XXI-380-381.) Obra en cerca de mil paginas, y sin señal alguna del lugar, ni del tiempo de la impression: circunstancias que, segun se pretende, dan a entender que este libro fue recogido.

Schultens, Alberto: *Nueva Version del Libro de Job, Según el Texto Hebreo, con un Comentario,* por ————, 2, vol. en 4.º, 1736. (Leyden.) (II-XXVI-379.)

Se-guincavio, Celestino: *Pio & Magnifico Regi Joani V Elogia &c.* En Lisboa Occidental, en la imprenta de Antonio Pedroso Galvàn, año 1737. En quarto. (II-XXV-368.)

* Segura, Jacinto: *Apologia contra los Diarios de los Literatos de España, sobre los Articulos XII, XIII y XIV del tomo 2, y I del tomo 3.* Su Autor el M. R. P. Fr. ———— ————, Examinador Synodal. Lector que fue de Artes y de Theologia en el Real Convento de Predicadores de Valencia, y Regente de los Estudios en los Conventos de Luchente, y Lombay. Con licencia: En Valencia, por

Joseph Lucas. I. tom. en 8.º con 275 pág. en todo. (V-VII-270.)

*——: *Norte Critico con las reglas mas ciertas para la discrecion en la Historia, y un Tratado preliminar para instruccion de Historias principiantes,* por el M. R. P. Fr. ————, Examinador Synodal, Lector que fue de Artes, y de Theologia en el Real Convento de Predicadores de Valencia, y regente de los Estudios de los Conventos de Luchente, y de Lombay. Primera, y Segunda parte. Segunda impression, con adiciones copiosas por su Autor, y Privilegio. En Valencia, por Antonio Valle, junto à San Martin, año 1736 en quarto. La primera parte, contiene 205 pág. fuera de otras sesenta y quatro, que tiene la Instruccion Preliminar, y 40 de principios. Y la Segunda 468 sin contar la Segunda Dedicatoria, y algunos Indices. (II-XII-203.)

*——: *Extracto de la Segunda Parte del Norte Critico del M. R. P. Fr.* ————, *que sin principios, ni fines llega à 44 páginas.* Discurso V. I. y II. (III-I-1.)

*——: (PÉREZ DE BENITIA, Joseph Antonio): *Verdad vindicada por el R. P. Fr.* ————, *Lector de Theologia Jubilado de la Orden de Predicadores, contra las falsedades, ficciones, y calumnias que contiene la Apologìa Critica del Doctor Agustin Sales.* Parte primera. Con licencia en Murcia por Joseph Diaz Cayuelas, Impresor de la Ciudad, enfrente de S. Francisco año de 1737, en quarto con 23 páginas. (II-XIV-267.)

——: PÉREZ DE BENITIA, Fr. Joseph Antonio: *Verdad Vindicada por el R. P. Fr.* ————, *Lector de Theologia Jubilado de la Orden de Predicadores, contra las Falsedades, Ficciones y Calumnias, que contiene la Apologia Critica del Doct. Agustin Sales.* Part. I y II. en Valencia, por Antonio Balle. I. Tom. en 8.º con 262 pág. incluyendo el Indice, y al fin una Nota al Diario de los Literatos de España, que tiene 10 págs. (V-IX-348.)

* SERRA Y POSTIUS, Pedro: *Elogio al Rmo. P. M. Fr. Manuel Mariano Ribera, del Real, y Militar Orden de nuestra Señora de la Merced, Redencion de Cautivos, etc.* (III-II-99.)

SERRANO, Gonzalo Antonio: *El Piscator Andalùz para*

este año de 1738. Su Autor D. ————. Se hallará en esta Corte en la Imprenta de Antonio Sanz, calle de la Paz, y en Cordova en casa de Su Autor. (V-IX-349.)

SICANDA, Juan: *Compendio de la Historia Universal.* Año 1735. (II-XXVI-378ª).

————: *Diccionario Polemico, y Bibliotheca Polemica,* 2. Vol. en folio. (II-XXVI-378.)

* SIERRA, Juan: *Historia, y Milagros del Santissimo Christo de Burgos, que se venera en el Convento Real de N. P. S. Agustin de dicha Ciudad.* Dale à luz publica el P. Fr. ————, Capellàn de Nuestra Señora de Gracia, sita, en el Convento de San Phelipe el Real. En octavo. Se calla el lugar de la impression: tiene 191 pág. Sin los principios. (I-XII-182.)

SINGULARIDADES *Históricas y Literarias, que contienen muchas averiguaciones, descubrimientos e ilustraciones acerca de muchas dificultades de la Historia Antigua y Moderna.* Tom. 2. En Parìs, en casa de Didot. (Parìs.) (V-X-354.)

* (SOLANO DE LUQUE, Francisco: v. Gutiérrez de los Rios, Manuel.)

SOLEDAD, Fernando de la: *Historia Seraphica Chronologica de la Orden de San Francisco, en la Provincia de Portugal.* IV. Parte, por Fray ————, Ministro Provincial de la misma Provincia, que de nuevo escriviò, enmendandola, y acrecentandola, en diversos lugares para esta Segunda impression. En Lisboa Occidental, en la Oficina de Domingo Gonzàlez, año 1737, folio, dos Volúmenes, que son la I.II. Parte de la IV. (Portugal.) (II-XXV-370-371.)

SOLÍS, Fr. Luis: *Gerglyphicos Marianos del P. Fr.* ———— ————, *del Orden de los Minimos.* (IV-XIX-370.)

SOTO, Francisco de: *Libro para Confessar, y Comulgar.* (II-XXIV-362.)

————: *Novena del Sagrado Corazon de Jesus.* Su Autor el Padre ————, de la Compañia de Jesus. (II-XXIV-362.)

* SPIRITU SANCTO, Joseph de: *Medulla Philosophiae Pro Triennali Cursu in Tres Partes commodè distributa: Celiberrimae Iesniticae Scholae principus solidè stabilita:*

Studientiumque utilitati, brevi, et clara methodo apprimè coaptata. Aucthore R. P. Fr. ————: Ex civitate Vicensi Cathalonici Principatus: olim Philosophiae, deinde in Salmanticensi Collegio Sacrae Theologiae Lectore Primario: Conventuum Vicensis et Pampilonensis Ministro: ad Capitulum Generale Provinciae Socio: totius Ordinis Diffinitore Generali: ac tandem nunc Provinciae Conceptionis B. M. V. Ordinis Excalceatorum Sanctissimae Trinitatis, Redemptionis Captivorum, Ministro Provinciali. Pars prima. Anno 1728. Superiorum permissu. Pampilonae: Ex Officina et Sumptibus Josephi Joachim Martinez, Typog. et Bibliop. (En tres tom. en 4.º el I. tiene 181 pág, El II 215. El III, 199.) Sin los principios, y fines) (VII-V-66.)

* ————: *Medulla Theologiae pro Triennali Cursu in tres Partes commode Distributa: Celeberrimae Iesuiticae Scholae Principiis solidè Stabilita: Studemtiumque utilitate brevi, et clara methodo apprimè coaptata.* Auctore R. R. P. Fr. ————, Ex Civitate Vicensi Cathalonici Principatus: Olim Philosophiae, deinde in Salmanticensi Collegio Sacrae Theologiae Lectore primario: Conventuum Vicensis et Pampilonensis Ministro: Diffinitore Provinciae; Vicario ac Ministro Provinciali: Congregarionis Provinciae Praeside: atque Semel et iterum totius Ordinis Excalceatorum Sanctissimae Trinitatis, Redemptionis Captivorum, Diffinitore Generali. An. 1738. Pampilon: Ex Officina, et Sumptibus Josephi Ioachim Martinez, Typographo et Bibliopola. (3 tomos en 4.º El I. tiene 295 pág. El II 329. El III 298. Sin los principios, y fines, que son Indices de los Tratados, y Questiones.) (VII-IV-59-60.)

* SUÁREZ DE FIGUEROA, Diego: *Obras de Ovidio traducidas, comentadas en Castellano por el Doct. D.* ———— ————, Capellan de Honor de su Magestad, su Theniente de Limosnero Mayor, y Calificador del Santo Oficio, etcétera. Impressas en Madrid en varios años y por diferentes Impressores. XII tomos en quarto. (VI-VI-214.)

————: *Ovidio ilustrado.* Tomo II. y Primero de los *Fastos.* Su Autor, el Doctor D. ————. (IV-XIX-373.)

————: *Ovidio Ilustrado,* tomo 12. de los *Fastos.* Su Autor, el Doct. D. ————, Capellan de Honor de S. Mag.

en casa de Pedro Vazquez, calle de Toledo. (V-IX-350.)

* Suárez de Rivera, Francisco: *Colectanea de Selectissimos Secretos Medicos, y Chirugicos.* Su Autor, el Doct. D. ————, Medico de Camara, con exercicio, de S. M. Catholica, del Gremio, y Claustro de la Universidad de Salamanca, Socio de la Regia Sociedad Medico-Chymica de Sevilla, etc. 1 tom. en quarto, con 230 pág. sin los Indices, y principios. Impresso en Madrid por Manuel de Moya, año 1737. Se hallarà en la Libreria de Juan de Oliveras, enfrente del Correo de Castilla. (IV-III-134.)

Sucessos *tragicos de una Pretendiente: modo para introducirse en la Corte, y avisos para los Agentes,* por D. B. M. y P. (VI-Indice de los Libros que no se han extractado en este Tomo.)

Svvammerdam, Juan: Pedro Vander-Aa, y Isaac Severino venden una magnifica edicion en folio, de la primera Parte de la *Historia de los Insectos,* compuesta por ————, en Holandés con la traduccion Latina de Mr. Gaubio, Cathedratico de Medicina y Cirugia, à la cual Mr. Boerhave à añadido un Prologo, en que escrive la vida del Autor. Tomo I., año 1737. (Leydèn.) (V-X-357.)

Taylor, Juan: *Nuevo modo de curar vizcos, gotas Serenas, y otras enfermedades, que hasta aqui se han tenido por incurables.* Su Autor el Doct. D. ————, Medico Oculista del Rey de Inglaterra. (VI-Indice de los Libros que no se han extractado en este Tomo.)

* Torres y Velasco, Antonio de: *Institutiones Hispanae Practico-Theorico-Comentatae.* Aucthore D. ———— ————, Salmantino Professore. Impressas en Madrid, en la Imprenta de los Herederos de Juan Garcia Infanzon, año 1735, en quarto mayor, y 574 páginas. (II-IV-145.)

Torres, Diego de: *La Peregrinacion, y viage à Santiago; y el Papel de Phenomeno, que se viò el dia 16 de Diciembre.* Ambos de Don ————. (VI-Indice de los Libros que no se han extractado en este Tomo.)

————: *El Papel: Noticias alegres y festivas de las Rafagas de Luz, que se vieron la noche del dia 15 de Diciembre (de 1737) en verso y prosa.* Su Autor ————, en 8.º (V-IX-349.)

————: *Otro Papel; Medico para el Bolsillo, Doctor à*

pie. De ————. Ambos en la Libreria de Juan de Moya, frente de S. Phelipe, y en la de Joseph Gomez à la Subida de Santa Cruz. (V-IX-349.)

   * ——: *Los Desauciados del Mundo, y de la Gloria. Sueño Mystico, Moral, y Physico, util para quantos desean morir bien y conocer las devilidades de la naturaleza.* Trasladòlo desde la fantasia al papel el Doct. D. ————, del Gremio, y Claustro de la Universidad de Salamanca, Cathedratico de Prima de Mathematicas, etc. Està dividido en tres papeles en quarto, que constituyen las tres partes de que se compone. La primera se imprimiò en Madrid el año de 1736 en la Imprenta de Joachin Sanchez, tiene 79 páginas. Las otras dos se imprimieron en Salamanca este año de 1737. La Segunda tiene 67 páginas, y la tercera 63. (II-XX-298.)

   * TORRUBIA, Fr. Joseph: *Las siestas de San Gil. Analysis historico-critico de un Arbol puesto en la Porteria del Real, y Venerable Convento de San Gil de esta Corte.* Su Author, el R. P. Fr. ————, Predicador, de Misionero Apostolico, Calificador, y Revisor General de Librerìas por el Supremo Consejo de la Inquisicion, Chronista General del Orden de San Francisco en el Asia, Custodio actual, y Procurador General de la Provincia de San Gregorio de Philipinas de Franciscos Descalzos, y Comissario de sus Apostolicas Misiones. Impressas en Madrid en la Imprenta de Alonso Balvàs. Año de 1738. En 4.º, con 112 págs. sin los principios, que son nueve pliegos. (VII-XIII-262.)

   ——: *La Aguila Cenicienta en el mas alto Cedro, Maria Purissima. Oracion Panegyrico-Funebre, en las Exequias Solemnes del Siervo de Dios Fr. Luis de S. Joseph (conocido por Fr. Luis el de la Porterìa), Religioso Lego de la Santa Provincia de S. Pablo, Franciscos Descalzos, en Castilla la Vieja, que celebrò la Real Congregacion de N. S. de la Porteria en su Capilla, sita en el Convento de San Antonio de la Ciudad de Avila, el dia 17 de Julio de este año de 1737.* Deciala el R. P. Fr. —— ————, Predicador Apostolico, Calificador del Santo Oficio, Chronista general de la Orden de S. Francisco en las parte del Asia, Custodio, legitimo Vocal para el

Capitulo General, por la Santa Provincia de San Gregorio, Franciscos Descalzos de Philipinas. Su Procurador General Actual, y Comissario de sus Apostolicas Missiones. Sacala à luz la Real Congregacion, quien la dedica por mano del Autor el Excelentissimo Señor D. Pascual Enriquez de Cabrera, Duque de Medina de Rio Seco etc. Con licencia en Madrid, en la Imprenta de Alonso Balvàs, año 1737. En 4.º, págs. 50, sin contar otras 50 de principios. (IV-XIX-375-376.)

TOURON, Antonio: *Vida de Santo Thomàs de Aquino, con una exposicion de su doctrina, y de sus obras.* Por el R. P. ————, de la Orden de Predicadores, I. Tom. en 4.º, de cerca de 800 págs., en Parìs, 1737 (Francia). (IV-XXI-382.)

* TOVAR, Joseph Rodrigo de: *Historia del Principe Eugenio Francisco de Saboya.* Traducida del Idioma Francès al Castellano por ————, En que se contienen las gloriosas hazañas de este Principe, representadas en los quatro famosos Theatros de la guerra Italia, Flandes, Alemania, y Ungria. Dedicada al Excelentissimo señor D. Joseph Carrillo de Albornoz. Duque de Montemar, etc. Con licencia: en Madrid en la Imprenta de Joachin Sanchez, calle del Carmen, en 4.º Tiene 181 págs., fuera de otras 70 que ocupan una larga Dedicatoria, ò Panegyrico à dicho Señor Duque, y los demàs preliminares. (Tomo V, Art. III, págs. 160-161.)

TRALLES, Balthasar: *Exercitationes Phisico Medicas de* ————, *en que se trata de la virtud refrigerante del Alcanfor para apaciguar los ardores internos del cuerpo humano, segun los verdaderos principios del Arte, con una Prefaccion de Federico Hoffman.* Latino. 1 Vol. en 8.º, año 1734. (Breslavv.) (II-XXVI-384.)

TRATADO *de la verdadera Religion contra los Atheistas, Deistas, Paganos, Judios, y Mahometanos, y todas las falsas religiones,* 5 Vols., en 12.º En Parìs, en Casa de Hypolito Luis Guerin, calle de Santiago, año 1737 (Paris). (II-XXVI-386.)

UBILLA, Antonio: *Diario del viage, que su Mag. (que Dios guarde) hizo à Italia, y Sucessos de la Guerra.* Su Autor el Sr. D. ————, Marquès de Rivas, Secretario del Despacho Universal, adornado con trece laminas grandes. (IV-XIX-370.)

VAN-STAVEREN, Agustín: *Cornelio Nepos, con Notas de varios Autores.* Por ————. En 8.º Año de 1734 (Leyden). (II-XXVI-379-380.)

VÁZQUEZ DE CORTÉS, Juan: *Medicina en las Fuentes: Corriente de la Medicina del Agua: Purgas sin corriente.* Por D. ————, Medico revalidado en Sevilla. Con licencia en Sevilla, en la Imprenta de las Siete Rebueltas, año 1735. En 4.º, págs. 44. (IV-XX-376.)

————: *Respuesta por D. ————, à las Apuntaciones del Doctor D. Manuel Mastrucio. Defensa de Su papel Medicina de las Fuentes, en carta de un Medico Cordovès à el dicho D. Juan Vazquez: Al fin de este papel se halla una muy erudita carta del R. P. M. Fr. Benito Feijòo, en aprobacion del tratado de las utilidades del agua, tanto caliente, como fria, que compuso el Doctor Vazquez, y regalò à S. R.* En 4.º, págs. 18. Parece se imprimiò en Sevilla año 1735. (IV-XX-377.)

VEGA, Lope de: *La Comedia: El Marido bien Ahorcado.* De ————: en la Lonja de Comedias de la Puerta del Sol. (V-IX-348.)

————: *La Comedia: La Boda Discreta.* De ————, en la Lonja de Comedias de la Puerta del Sol. (V-IX-350.)

————: *La Comedia: La Dama Melindrosa.* De ————, en la Lonja de Comedias de la Puerta del Sol. (V-IX-350.)

————: *Poema Historico de Nuestra Señora de la Almudena, y Milagros de San Isidro.* Su Autor ————, Segunda Impression, en Madrid, año de 1737. (I-XXIII-357.)

VELASCO, Mathias de: *Demonstracion Historico-Chronologica de un engaño, ò inconsideracion, que padeciò, y trasladò à la prensa el R. P. Fr. Marcos de Alcalá, Chronista de la Santa Provincia de S. Joseph de PP. Descalzos de nuestro Serafico P. S. Francisco, sobre, y en assunto, de la Fundacion del Convento de las Señoras Descalzas Reales.* Fórmala en defensa de la verdad, corriendo el velo al engaño, el R. P. Fr. ————, Lector Jubilado, Examinador Synodal del Arzobispado de Toledo, etc. y la dedica à la Excelentissima Señora Madre

Sor Maria de San Joseph, abadesa del Convento de N. Señora de la Consolacion, de Descalzas Reales de Madrid. Con licencia, en Madrid, en la Imprenta de la Causa de la Ven. Madre Sor Maria de Jesus de Agreda, año 1737. En Fol.º, págs. 123, sin los principios. (IV-XIX-374-375.)

La VERDAD TROMPETA: *Satisfaccion à los Epistolicos de Theophilo Correctionis, en su impugnacion à el Juicio Sobre la Methodo de curar con agua, y al Prologo Preliminar de dicho Papel.* En 4.º, págs. 24. (IV-XX-378.)

El Tomo Segundo del VIAJE HISTORICO, *y Politico de los Suyzos de Italia, y de Alemania.* En dozavo, publicado en La Haya. (I-XXIV-358.)

VICTORINO JOSEPH: *Curiosa Disseracion, ò Discurso Physico Moral, Sobre el Monstruo de dos Cabezas, quatro brazos, y dos piernas, que en la Ciudad de Medina Sydonia diò à luz Juana Gonzalez en 29 de Febrero de 1736, que escriviò siendo consultado el H. P. M. Fr. Benito Geronymo Feijòo, etc.* Traducida en Portuguès por el P. ——— con un Cathalogo de sus obras. En Lisboa en la Oficina de Miguèl Rodriguez, año 1737. En quarto. (II-XXV-366.)

La VIDA *de los Siete Sabios de Grecia, traducida del Francès por Don Luis Hebura y Arriero.* (VI-Indice de los Libros que no se han extractado en este Tomo.)

* VILLAGÓMEZ Y LOSADA, Joseph Antonio de: *El valor de un Pimentel en el sitio de Algecira.* Escrito por Don — ———, Presbytero: en 42 folios en quarto, impresso en Madrid año de 1737, en la Imprenta de D. Pedro Joseph Alonso de Padilla. (I-V-83.)

VILLASBOAS SAMPAYO, Pedro de: *Epitome Iuridica, in qua præcipua fundamenta,* &c. Su Autor, ———, Doctor Jurista &c. Impresso en Coimbra, en la Imprenta de Antonio Simoens Ferreyra, año 1737. en 4.º (II-XXV-376-377.)

* VIRREY Y MANGE, Pascual Francisco: *Tirocinio Practico-Medico-Chimico-Galenico. Breve methodo de curar los Enfermos por racionales indicaciones.* Su Autor, el Doctor ———, del Claustro de la Universidad de Valencia, y Graduado en ella, Opositor à las Cathedras de Cirugia, Theorica y Primaria; dos veces à las Doctorales

del Santo Hospital Real, y General de dicha Ciudad; y Cathedratico de Estraordinaria; Medico Titular, que ha sido, entre otras, de las Villas de Chelva en el Reyno de Valencia, y de la Mota del Cuervo, en el de Castilla; y ultimamente Medico aprobado por el Real Prothomedicato. En Valencia: Por Joseph Garcia, Plaza de Calatrava, año 1737, un tom. en quarto, con 402 págs. (II-VI-149.)

VOORDA, Jacobo: *Explicacion, y Correccion del Derecho Romano, con un Discurso sobre las Decretales.* Impresso en Utrech, año 1735. y se vende en La Haya, en casa de Juan Vauduren, un Vol. en 8.º (II-XXVI-379.) [«... todo él no es más que una indecente ironía contra la potestad espiritual y temporal de los Sumos Pontífices».]

XIMÉNEZ, Ana: *Respuesta de la Señora* ————, à la Carta de D. Alonso. [v. Pérez Carvajal, Alonso.] 1 Pliego en quarto. (IV-XIX-371.)

XIMÉNEZ DE LA SALA, Juan: *Escuela de Pretendientes en la misera esclavitud de una Corte, y desengaño de los Siglos.* Su Autor Don ————. (VI-Indice de los Libros que no se han extractado en este Tomo.)

ZAPATA Y BALLESTEROS, Diego: *Respuesta Critica Physiologico-Anatomica à el Impresso intitulado: Triumpho de la mejor Doctrina. La formaba en defensa de la Dissertacion de D. Marcelo de Iglesias, Socio del Numero, y actual Consiliario Primero de la Real Sociedad de Sevilla D.* ————, *Su discipulo Medico revalidado, y Titular de la villa de Paradas.* En Sevilla, en la Imprenta de las Siete Rebueltas año 1737. Papel en 4.º, de 167 páginas. Se vende en Madrid en casa de Juan de Moya, frente de S. Phelipe, y en Sevilla en casa de Joseph Padrino, calle de Genova. (V-IX-351.)

ZANINO MARSECCO, Francisco: *Historia Romana desde la fundacion de Roma. &c. escrita en Francès por los Padres Catrou, y Roville, de la Compañia de Jesus.* Traducida al Italiano por ————, tomo XV. en 4.º, año 1736. (Italia.) (II-XXVI-378.)

XI

CONCLUSIONES

Mientras la moderna estilística, consciente de sus limitaciones, aspira únicamente a servir de feliz intermediaria entre el autor y el lector, intentando, cada vez con mayor humildad, escudriñar a fondo los secretos de la creación literaria, la crítica literaria periodística del siglo XVIII ha pecado precisamente de un desesperante dogmatismo.

Los críticos del XVIII, aunque también guiados por un noble afán periodístico de servicio a los lectores [289], confunden diametralmente su objetivo, instalando su ejercicio de la crítica —no así su teoría crítica, salvable en varios aspectos— sobre una larga serie de falsos tópicos subyacentes en nuestra mejor tradición satírica y en buena parte condensados en la República Literaria de Saavedra Fajardo.

Inmersa en la corriente de la prensa erudito-literaria —verdadero aluvión que vino a oscurecer a la prensa noticiera a poco menos de un siglo de su nacimiento— la naciente crítica literaria periodística emplaza sus baterías frente a los escritores, intentando, para mayor

---

[289] Con atinada intuición afirma el P. Juan José Coy, S. J., en su *Crítica literaria actual* (núm. 62 de la «Biblioteca de cuestiones actuales», *Razón y Fe*, Madrid, 1966, págs. 12 y 13) que «El fundamento filosófico y humano del crítico y su trabajo pueden encontrarse, sin duda, en las inmediaciones de la profesión periodística».

obcecación, una segura protección real que deje totalmente indemnes sus abundantes tropelías.

En el colmo de estas aspiraciones, el *Diario de los Literatos*, nacido a la sombra de la Real Academia de la Historia, aunque felizmente expulsado de su seno, intenta, sin conseguirlo, convertirse con posterioridad en el alma de una soñada Academia de las Artes y Ciencias, que, a imitación de la de París, habría de venir a aumentar las instituciones culturales del reinado de Felipe V.

Vista a esta luz, la aventurada empresa del *Diario* y sus numerosas y desenfadadas continuaciones no resultan más que un quimérico intento de llevar a la realidad crítica de cada día —eso sí, con grandes pujos docentes— aquella devastadora burla del ambiente intelectual que el propio Saavedra Fajardo no se hubiera atrevido a repetir ni en sueños.

No es así nada extraño que, desde sus albores, la nueva crítica provoque el levantamiento de esa formidable barricada, aquí estudiada con el significativo nombre del *Anti-Diario*.

Los crecientes fueros de los censores, su reconocida falta de competencia y su irrefrenable proliferación dieron al traste con la nueva crítica, hábilmente desviada por los escritores hacia los fatales despeñaderos de la polémica y de la sátira.

Si las conclusiones en este poco explorado campo de la investigación obligan a una prudente reserva, no es menos cierto que la línea dura de la crítica, iniciada en la etapa de decadencia del *Diario*, se acentuó en muchos de sus continuadores, llegando, en el caso de la efímera *Resurrección del Diario de Madrid*, a rayar en una soez sátira, cuya realización práctica estaba muy lejos de aquellas utópicas promesas de urbanidad, ecuanimidad y demás normas de la recta crítica, proclamadas a bombo y platillo en la divulgada introducción al tomo I del *Diario de los Literatos*.

Es muy posible que estudios más amplios de la materia vengan a dar al traste con opiniones prestigiosas, procedentes en su mayoría del campo de los críticos, en torno a la Crítica literaria periodística de la primera mitad del siglo XVIII, la cual, si en la época del Triunvirato del *Diario* —tres primeros tomos— mantuvo una tónica y sobre todo unas aspiraciones dignas de todo encomio, trazando incluso los certeros caminos teóricos de una recta crítica, a la hora de llevar a la práctica esos mismos principios cayó en la más despreciable de las incompetencias, arrastrando a la crítica al enojoso terreno de la sátira, convirtiendo lo que debía ser luz orientadora en semilla de toda discordia y contribuyendo con sus desmanes no sólo al desprestigio de los escritores, sino a la inhibición de los lectores y al desprestigio de la propia crítica.

Estaban todavía muy lejos los tiempos en que, pasada su purificación del fuego, la crítica habría de llegar, humillándose y elevándose a un tiempo, a la proliferación y desarrollo de sistemas y métodos críticos que caracterizan la ebullición intelectual de nuestra época.

Estaba todavía muy lejana su entronización en las cátedras de la mayoría de las Universidades, muy lejos todavía de poder comprender la enorme sensación de vacío que supone querer asentar la crítica sobre otras bases que no sean la piedra angular del propio creador de la belleza, sobre la que la crítica ha de tejer sus aladas realizaciones.

Sólo así se concibe esa encarnizada, aunque en modo alguno estéril, batalla literaria del Siglo de las Luces.

APENDICES

Los siguientes apéndices tienen sólo el valor de breves sondeos en ese inexplorado océano de la Crítica literaria periodística.

Son sólo tres muestras del ejercicio de la misma misión crítica desempeñada por los diaristas y tan violentamente atacada por el *Anti-Diario*.

Paralelamente, la crítica se torna dura en la *Resurrección del Diario de Madrid, o nuevo Cordón Crítico General de España*, que vuelve —con renovados bríos— por los fueros de la crítica literaria periodística.

La *Aduana Crítica* —cuyo título está sacado de la propia obra de Saavedra Fajardo— acomete una vez más —y advierte que otros muchos han seguido ya antes su camino— la quijotesca empresa.

Finalmente, como aleccionador ejemplo de la radical diferencia que se establece entre la teoría de la crítica y el ejercicio de la misma, pongo aquí algunos párrafos del *Mercurio Literario*, periódico que saliendo en defensa de los escritores y con los buenos propósitos de no atacar a nadie, termina lanzando sus dardos contra los críticos y a veces contra otros escritores, en un proceso parecido al del *Diario de los Literatos*, cuya ejecución real dista tanto de aquella utópica Arcadia de imparcialidad y buenos modos predicados en el tomo I.

Cierra este rápido muestrario de algunas señeras continuaciones del *Diario*, una breve selección de los periódicos y principales papeles sueltos *(Gaceta de Madrid*, 1700-1750), que puede servir de sucinto resumen del furor expansivo del periodismo erudito en el Siglo de las Luces.

Apéndices que, con el panorama de los precedentes del *Diario* y el amplio marco del *Anti-Diario*, pueden llevar al ánimo del lector las amplias consecuencias literarias que desencadenan en el XVIII el tomar en serio y con carácter académico la jocosa idea de la *Aduana Crítica*, temerosamente expresada y reprimida con cuidado incluso en la conocida sátira literaria de Saavedra Fajardo, con quien entroncan manifiestamente el *Diario de los Literatos* y sus acaloradas continuaciones.

I
RESURRECCION DEL DIARIO DE MADRID, O NUEVO CORDON CRITICO GENERAL DE ESPAÑA

La original dedicatoria «Al Divino Verbo Encarnado, Nuestro Señor Jesu-Christo. Divino Señor» dice:

Entre estas sinrazones, nos fuerza también el escarmiento ajeno, para huir de los Mecenas humanos. Cuantos hallaron, en premio de sus DEDICATORIAS, la burla de sus Mecenas? Aquel, que creyó elevarse à la sombra del Personage, à quien sacrificò sus fatigas, se marchitò baxo de la Zona abrassada de sus esperanzas. Quien soñò à honores; amaneciò à humos. Quien se prometiò interesses, se quedò en sus miserias. Si hablàran verdad los burlados *Dedicantes*, muchas figuras havria para componer un anchuroso theatro de lastimas.

No menos interesante es la curiosa «Razon del Cordon. Sirva de Prologo al Discurso: y en todo caso, no se pierdan de vista sus advertencias»:

Señores Lectores:

Num. 1.—La muerte del *Diario de los Literatos* de España, ha dexado passo libre à mucha gente espuria, desertada de la Republica Literaria, con grave dolor de los verdaderos amantes de las Letras, Abierta esta brecha, no ay Zangano, Ganso, ni Cuervo, que no entre a defenderla, con esta moneda de Escritos. No hay quien no tenga pujos de Escritor. Podemos decir, exceptuando algunos pocos que sólo se escriven oy, los que no valen à deletrear Romances. *Desdichada la madre que tiene un hijo y no lo vio Escritor;* dixo pocos dias hà, con burlado donayre, cierta discreta Dama de Corte. Tenemos por cierto, que ay en nuestra España muchas plumas, como nunca... entre Prensas, que han reblandado tantos abortos.

2.—Por relacion de las Gacetas de este siglo, y varias curiosas noticias de Impressos, que no han sido elevados à ellas, nos consta que entre Libros, Librotes, Papeles, Papelones, Folletos, Farragos, y otros Escritos, pasan de 187 los Tomos que se han dado en el à la publica luz y venta... El crítico mas indulgente se mirará bien, en dexarnos uno por ciento. Y los demás què? *Dant, sine mente, sonus.* Como si dixeramos: *Medicinas Universales: Cirugias Infantiles: Theatros Délficos: Blerosontes Literarios: Antitheatros Críticos Universales* y otros à este tono... Y no ha de haver nadie, contra estas fanfarronadas de la estolidèz?

3.—Aquella sabia providencia de cortar el passo a la Peste; la practica el Magistrado en tiempo de ella, por medio de un *Cordón de Centinelas,* para que no se interne en los paises vecinos, el contravando de esta muerte. Es tan seguro el *Cordòn,* que aprieta, al parecer, demasiado. Pero, à tanto mal, en realidad, ninguna providencia es nimiedad.

4.—Pues à esta multitud, pretendemos fixar NUEVO CORDON DE CIRCUNVALACION, para que no se introduzca la Peste de inutiles Escritores en la Republica Literaria. Es una especie de providencia, que suplirà en la mayor parte, (ò en la que podamos) el muerto *Diario.* Pero con mira mas alta. Ya se dirà. Tres eran los Autores de aquella importantisima Obra. Tres serèmos tambien los que compondrèmos el CORDON, y harèmos el resguardo. Los Señores Contravandistas, que intentaran romperle, necesitaran mucha pujanza: *Funiculus triplex dificile rumpitur.* Vengan bien armados, y no gasten la polvora en salvas, que en verdad, que ay *(absit verbo jactancia)* gente de manos; y eche al fuego.

5.—Queremos que à lo escrito hasta aqui se añada un retoque de novedad [alude a los plagios].

6. Por un solo merito, ò dos, que tenga el Papel, ò Libro le perdonaremos lo tullido de las demás hojas.

7.—De esta regla general [urbanidad] no havrà excepción, sino con algunos pedantes porfiados, contumaces y rebeldes.

8. Al Señor D. Diego de Torres tendremos necesidad de mirarlo yà en la esfera de los *pertinaces,* un Cathedratico de Salamanca, Maestro consumado en todas Ciencias, Varon incomparable à todas luces, tuvo la pretension de atajarle estos puntos.

9.—A los que no quisieren esperar el parecer de nuestro *Diario,* para comprar los Libros, rogamos, por su bien que no se atropellen en comprar...

10.—De titulos de ofrecimiento guardense mucho mas. Queremos decir: de Libros, cuyas fachadas, à manera de Reloxes de Sol, prometen, y no dan... Una fachada que embelesa: y un zaguan luego, que ensucia. Tampoco ay que fiarse de *aprobaciones pomposas,* (que es ultima moda) aunque los Aprobantes traigan tras sí, bara y media de dictados rimbombantes. A buelta de estas Campanillas, suele haver grandes barricadas de Vulgo, con maximas rancias, y vigote à lo antiguo.

11.—... a la Corte, asi como ay *Censores de todo,* ay aprobantes para todo.

12.—Miramos este Papel, como una carta Circular, o PRAG-MATICA SANCION CONTRA DEFRAUDADORES DEL ORBE LITERARIO, que irà promulgando, por Posta, el establecimiento del nuevo *Cordon*.

13.—Una de las cosas de Escritos, que con inflexible horror, tendremos precision de mirar, sera los que vengan teñidos de adulacion...

14. En la Ortographia no seguiremos partido alguno... Las mas veces, nos arrimarèmos à los preceptos de la Real Academia Española, que, son los mas castigados.

15.—[Es una apasionada defensa del idioma español, frente al habitual uso del latín en nuestros textos.]

16.—No esperamos que la creación de nuestro Zeloso *Cordon* remedie el Mundo... Unicamente transpiramos a contenerle en sus Lineas... Menos esperamos que este papel ayude a los MUCHOS... Si mirasemos à esta vanagloria... Escriviriamos ANTI-THEATROS.

17.—De esta desconocida Señora, [La verdad] somos Secreta-rios fèrreos...; del Vulgo de los Escolasticos, (que tambien en los Literatos ay Vulgo, y no corto) nos reiremos à carcajada tendi-da. Menos caso hacemos de èl, que del Vulgo infimo.

18.—Pues Señores, contra el viento y marea de esta Peste universal, [lo mal recibidos que son los desengaños] solicitamos afianzar el interés comun del futuro de nuestro *Cordòn*.

19.—Lo que con certitud esperamos, (especialmente sobre tres puntos o quatro) es Antagonistas llovidos... A mas moros, mas ganancias. Sin contrarios, no ay victoria. Ni nos cogerà de susto. Ni nos asustarà mucho el juego fatuo de su artilleria.

20.—Hagase satisfaccion a quantos la pidieron, con razones, tocando las cancelas del tribunal del Cordòn, por la puerta de la modestia.

Con libertad christiana se le concedera la razon a quien la tenga. A los Zoylos, o turbamagna, que con un entendimiento de siete suelas llamaron en tono pedantesco por la puerta falsa de su imprudencia, sea respuesta (desde aora) nuestro desprecio.

21.—Si bien tendrèmos mucho dolor à estos Miseros Pedantes. Harèmos por su enfermedad una Octava à *San Modesto;* y a San *Urbano* un Novenario.

... Para los flexibles, y de sana intencion, basta de perora-cion. Para los *cerriles,* todo sobra. Porque nada alcanza. VALETE.

No menos violento es el tono de la siguiente admonición, de la que selecciono lo más sobresaliente:

«SEÑORES CORTESANOS»:

1.—El Mundo està cansado yà de inutiles Libros. Aporreado de Escritos necios. Y rota su racional cabeza de tanto golpe de Papelones. Hasta quando ha de seguir la porfia de las plumas? Quando se acabarà tanto disparate de molde?

... Es presentimiento de Discretos, que la Republica de las Letras debia formar de comun acuerdo, un general expurgatorio de todo lo escrito hasta aqui. Con una junta de diez, ò doce Sabios imparciales, en poco tiempo se decidiera quales Escritos deban correr libres por el Mundo, y quales se havian de entregar al fuego. La sentencia devia ser sin apelacion executiva. Esto seria quitar embarazos de raiz. Y sacudir de una vez el polvo de los estantes. Assi quedaria la Libreria del Mundo puramente literaria.

2.—Valga la verdad, Señores. De quanto se ha impresso, no podremos, sin riesgo de temeridad, entregar à las Tiendas de especie las tres partes...

3.—Quien las corta à la Corneja. Quien escrive con las de pato. Quien las arranca à los Gansos, para hablar, como por boca, por pluma de éstos. Y quien (estos son los mas) las usurpa à los Grajos. Pocos las toman del Cisne. Apenas ay hombre que no tenga pujos de Escritor, para ensuciar el Mundo, y apestar las Prensas...

8.—Naturaleza medicable: Para Medicos todos valen, aunque nunca sirvan. Por algo estan incultos los despachos de España.

9.—Señores mèdicos: Toda la inflada ciencia de Vmds. està reducida a sangria y purga.

12.—... Al Campo, al Campo, Señores Phisicos, à meditar en plantas, flores, raìces y frutos.

14.—Cierren, pues, Señores Medicos, Libros, Porfias, disputas, y dicterios, contra quien habla verdades. Y aplicados Vmds. à lo que deban, quanto tuvieren mas de Herbolarios cèlebres, tanto mas tendran de Medicos Excelentes. Mas Anatomias y menos razones abstractas. Mas Medicos, y menos en curar. Desde aora, y para siempre, seràn detenidos en nuestro *Cordon*, como contravandistas nocivos a la verdadera Medicina, y a la salud publica, todos los Libros, que no mirara derechamente a este Polo.

Naturaleza Philosophica.—Aristoteles, con un Mundo de Sectarios, que ha tenido, hizo à la Naturaleza un caos de confusiones.

16-17.—[Ataque a los aristotélicos y acalorada defensa de la filosofía racionalista: Descartes, Gassendo...].

18.—Nuestro Doctíssimo, y Moderno Cordon de la Naturaleza, Reverentíssimo Padre Maestro Feyjóo, alienta con superiores voces, y razones los intereses, y el regimiento de esta empresa. Queremos decir, que no se escriva una de ellas [Las Ciencias Theoricas de la Dialectica, Phisica y Metaphisica]. Para las utilidades, que en esto se proponen las Escuelas semejante, sobra lo escrito. No le queda, que apetecer en esta parte à un entendimiento despejado, y despreocupado, en leyendo el Curso del Sapientissimo Padre Luis Losada.

19.—Naturaleza Quimica.

20.—Assi, pues, caminan Quimicos, y Aristotelicos. Estos sin

Norte. Aquellos con la Ahuja magnetica, que conduce al Polo. La Naturaleza se ha empeñado desde tamañita en no alargar conocimiento suyo alguno, sino es à fuerza de experimentos. Quiere, que la traten a sangre y à fuego.

20.—Señores Philosophos Quimicos.

21.—... que seràn comprehendidos en el *Cordon,* y commissados, todos aquellos Libros, y Escritos que sirven a hacer perder el juicio à quien le tiene.

22.—Quissieramos, que los inventos médicos fuessen el primer objeto de los Philosophos y Quimicos.

23.—Naturaleza de las Mathematicas.

En todo lo que encierra en sí esta nobilissima Ciencia, mucho ay escrito: algo adelantado: y lo màs, menos sabido.

24.—Con que quedan incrusos en el *Cordon* todos los libros que saldran de repeticion.

25.—Naturaleza de la Theologia Escolastica.

Quien creyera, que el mas digno es el que mas embaraza? Pues assi es.

26.—... que sus Escritos, si bien se reparan los citados Maestros, son una pura repeticion.

27.—... pero la mayor culpa de esto tiene el Señor Aristoteles. O por mejor decir, el amor ciego à sus drogas.

28.—Para mantener el ruido de las Tres Escuelas opuestas, y conservarse cada una invencible en sus líneas, sobra quando menos, a la mas pobre de Escritos, mil Libros de Theologia.

29.—Naturaleza de la Oratoria Sagrada.

En larga providencia entramos. Uno de los ingenios grandes de nuestro siglo, (acaso el mayor) [el Padre Luis Losada] meditaba dàr à luz un Libro, que titulaba EL DON QUIXOTE DE LOS PREDICADORES. Fue gran lastima que no cumpliese su voto.

30.—Esto nos fuerza à decir: que ninguna Facultad pide oy mas acordonarse, que la Oratoria Sagrada.

31.—Señores Predicadores.

Nosotros no podemos remediar lo que se predica. Esto toca a los Sres. Inquisidores, y Obispos. Pero podemos estraviar los Sermones y Libros, que de esto se imprimirán. Un millon, (à breve nombre) corren de Sermones estampados, por el Mundo. Pongan Vmds. en un pequeñito estante, Vieyras, Hortensios, Guerras..., y tal qual Orador mas; y vayan los restantes à ocupar sus debidos lugares.

32.—Esso de ser argumento pio de Oradores grandes, sobre escrivirlos con Soberanos Mecenas; es proteccion apreciable solo en la mente del Vulgo. No pasa esta moneda entre gente del *Cordon.* Tal vez a la sombra de los mayores arboles, se acogen mayores monstruos.

33.—Moral, Canones y Derecho Civil.

[Hace un violento ataque de estas disciplinas y especialmente de su obstinado empleo del latin].

34.—Para Moralistas Asnos, ay tambien crasos Latinos.

Por lo que mira al Derecho Civil, no ay Facultad en que más se haya escrito, menos se haya liquidado, ni que más necessite del *Cordón*.

35.—Las *musas* que sobran en Moral, faltan en Jurisprudencia.

37.—... muchos Poetastros ongos, que escriven, y dicen, sin saber lo que dicen, ni escriven.

38-63.—[Ataque a Torres Villarroel, cuyo impreso sobre el terremoto queda detenido en la Aduana. Se le critica de querer parecer sabio con vulgaridades. Se le acusa de haber robado tanto a Quevedo que «Si huviera de restituir al gran Quevedo lo que ha defraudado de sus Obras, no sólo se quedaria en cueros, y sin trage de Escritor; pero aun quedaria debiendo todo lo que ha comido». Se le dice que todo lo que afirma ya está en el P. Feijoo «Principe del Castellanismo» y en el P. Casari: «Para quando buelva Vmds. à escrivir sobre estos Phenomenos, lea primero de espacio al muy Erudito, y Reverendo Padre Casani, y diganos algo nuevo lo que escrivió este Docto Jesuita; ò no nos apeste la Republica Literaria con sandeces».]

II

ADUANA CRITICA DONDE SE HAN DE REGISTRAR TODAS LAS PIEZAS LITERARIAS, CUYO DESPACHO SE SOLICITA EN ESTA CORTE

HEBDOMEDARIO de los Sabios de España.

Curiosamente, la obra lleva en el escudo del tomo I un ave Fénix con esta leyenda: *Post fata resurgo.*

Y la licencia la hace entroncar directamente con el *Diario de los Literatos,* del que expresamente se declarará continuadora directa: «... por una vez puede imprimir, y vender los quatro primeros numeros de la obra intitulada Aduana Critica..., en continuación de el Diario de los Literatos...».

En el «Discurso preliminar», entre otras cosas —como la razón de su título—, se hacen las siguientes declaraciones:

8.—«... atiende el otro à precaver los estragos, á que se exponen la Literatura si no se contienen los Delitos, y fraudes que con dolor vemos executarse cada día. Se admiran los plagios, que impunemente cometen algunos, que aspiran al carácter de Autores; se tocan falsedades, se notan imposturas...; se adulteran los textos..., se ven autoridades truncadas...: las que son traducciones, quieren que se repitan obras originales.

12.—«... declarando los fraudes que se verifiquen, à fin de que se corrijan sus introductores, y el Comercio Literario no padezca en su gipo, ni puedan protestar la erudición, ni la envidia cosa alguna contra nuestras letras.

15.—... procurare que la censura sea segun el merito de la Obra, disimulando los defectos leves, que son inevitables en los Escritos, que no dimanan del Divino Oráculo, y los que se notan, será con la precisa templanza, huyendo de la rigidez.

16.—Aunque mi ánimo sea instruir semanalmente al Publico de las operaciones, y exámenes que constituyen el Plan de esta Aduana, informando de los generos que solicitan despacharse, se retendrà algunas veces este despacho semanal, en quanto à imponer al comun en los trabajos novisimamente publicados, porque son notorias las dificultades que deben preceder para que salgan por su orden las hojas de esta Oficina.

23.—Ha salido novisimamente un papel, de esos que semanalmente se divulgan, en que se ofrecen las Noticias Literarias de España.

27.—La Aduana se erige, sin más fin, ni mas ocupación, que los extractos, y revisiones de las obras publicadas, y que se publicarán, sin divertirse en otras añadiduras: sus exámenes se han de estampar fielmente; y aunque no sea con toda la extensión, y dignidad, que necesitan, será con la suficiente para su noticia, y conocimiento.

29.—[Como los Diaristas critican también a los periódicos contemporáneos, no hallando ninguno perfecto para su gusto en cuanto a crítica literaria: unos por estar en manos de extranjeros y otros por insuficiencia de méritos].

30.—Contemplo desde luego ser este tan vasto, como difícil; y por lo mismo inaccesible a mis débiles fuerzas.

33.—El ver que no tiene tan precioso adorno se resuelve a este empeño por el honor de la Nación, será el más poderoso estímulo à los que son capaces de promoverlo con la dignidad, que pide la materia [la crítica], para que se dediquen a ilustrarle.

35.—Las injurias son armas prohibidas, cuyo despacho no se permite en esta Aduana, por ser perjudicial su uso en el Comercio Literario: en las guerras del entendimiento es abominable este auxilio...

36.—Y así se han visto Proyectos vastos, Obras excelentes, y Escritos insignes, aun en aquella especie de Literatura, que creen tener inmaculada los Estrangeros, disputándonos injustamente la posesión; al mismo tiempo que con las traducciones se ha enriquecido España de algunas Obras estrañas admirables, que por este medio se han connaturalizado en este País: en él se han dedicado a traducirles Sugetos capaces de hacerles, y de aqui procede la buena elección, y el acierto.

37-38-39.—Ya porque los empleos de esta Oficina son tan proporcionados para las revisiones. Aqui se necesitan Vistas perspicaces, aun con más ojos que Argos... Fiscales, que avisen los fraudes que se cometen, sin que los Zoilos puedan aspirar a este empleo; porque se busca la censura justa, no la maligna; Juez, que determine y condene... Resguardo formal para impedir las introducciones fraudulentas... un prudente Scepticismo debe gobernar estas inspecciones; ...Alcayde, que custodie, y no permita se extraigan las Obras, que no han podido reconocerse, y han quedado en depósito; ...una Oficina donde se forman los estudios semanales, y extractos, que han de hacerse.

Siguiendo, como en tantas cosas, las huellas del *Diario*, se critica con rigor a los periódicos contemporáneos:

«Visto por el fiscal de la Aduana... no pudo tolerar se cargase a los Lopes, Calderones y Dolises, la grave culpa de ser los corruptores del teatro» [crítica del tomo I de *El Pensador* —tomo I por D. Joseph Alvarez y Valladares; tomo II, por D. Joseph Clavijo y Faxardo, incluída en el núm. II de la *Aduana*].

Pone también una serie de fuertes reparos (Aduanas, núm. V) al periódico *El Hablador Juicioso, y Critico Imparcial.*—Cartas y Discursos eruditos sobre todo género de noticias, útiles, y curiosas, con las Noticias Literarias de España. *Obra periodica para todas las semanas Por el abate J. Langlet de la Real Academia de Angers. Ocho Papeles en 4 impresos en Madrid:* El primero en casa de *Francisco Xavier García y los demas en la Imprenta Real de la Gaceta, año de 1763.*

En la crítica del *Diario Estrangero* de Nipho, tras ensalzar ampliamente la labor de los diaristas, afirman:

«Comprendió D. Francisco Nipho la grande utilidad de este proyecto, y quiso comunicarle a España, trabajando un Diario semejante; pero ni en el modo, ni en el efecto corresponde a la causa exemplar, y a su buena intención; pues en aquella obra... me presentan unos extractos tan exactos que no se echan menos sus bellos originales, como advirtió Langlet; y en el presente vemos noticias tan diminutas, que no bastan para instrucción; pues de algunas obras anunciadas solamente se hallan los títulos en el Diario de Nipho... pues se reduce à copiar, à traducir parte de lo que se halla en las Obras Periódicas Francesas de esta especie; y assi, con disfrutar los Anales Typographicos de Paris, el Precursor del Correo de Francia, el Diario de los Sabios, el Económico, el de Medicina y los Carteles publicos, se halla con todos los materiales para su edificio... su aplicación contínua es digna de elogio; y si aprovechára su inteligencia del idioma Francés, y la noticia de los buenos libros, que en el se publican, en darnos sus traducciones exactas, o extractos bien formados haría un servicio distinguido à la Republica Literaria, y por el alivio que facilitaba en el estudio, podría ponerse el premio, porque anhela ò el reconocimiento de los Sabios.» (*Aduana*, núm. IX.)

III

MERCURIO LITERARIO O MEMORIAS SOBRE TODO GENERO DE CIENCIAS Y ARTES, COLECCION DE PIEZAS ERUDITAS, Y CURIOSOS FRAGMENTOS DE LITERATURA, PARA LA UTILIDAD Y DIVERSION DE LOS ESTUDIOS *

En la «Prefaccion, y proyecto de esta Obra» se sintetizan los postulados críticos y la orientación del nuevo periódico, el más feroz enemigo del *Diario de los Literatos* de España:

«Los que buscan la novedad en los Libros hallarán satisfecha su curiosidad en la presente Obra, donde se procurará recoger todas las novedades que ocurriesen en el vasto florido Imperio de Minerva, cuyos varios acontecimientos son sin disputa los más dignos de atención de los curiosos.

Azvertencia I.—Primeramente se darà al Extracto de los Libros que se han publicado en España desde el principio de este año, y de los que en adelante se publicaran, procurando que sea tan puntual, que pueda por él cada uno formar una justa idèa de lo sustancial de la obra que se compendiare, y por consiguiente de su utilidad...

III.—... procuraremos incluir en nuestro Mercurio las Piezas fugitivas que nos pareciessen mas útiles, como también los fragmentos de la Literatura, por breves que sean, que los Curiosos quisiessen remitirnos, pues unidos en esta Colectánea serán muy útiles al Público, y asseguraran la memoria de sus Autores, que no se conserva facilmente en Papeles sueltos, que por su poco volumen estan muy expuestos à perderse. Una sola Reflexión, un solo Pensamiento, una Decima, un Epigrama, un Enigma, o Logogrypho, tendrá lugar en este Mercurio, con tal que tenga suficiente solidèz, gracia, ò artificio.

IV.—Assimismo, los que trabajassen alguna Obra, y se hallassen embargados sobre algun punto, podran por medio de este Mercurio, pedir a los Eruditos aquellas noticias que necesitassen, y proponerles las dudas que se les ofreciessen, estableciendo assi en la Republica Literaria un utilissimo comercio, en

---

* V. nota 114.

que lograran prodigiosos adelantamientos los aficionados a las Letras.

VI.—Ultimamente se propondran varias Questiones sobre assumptos curiosos, y utiles para que tengan en que exercitarse los Estudiosos, y para que la emulacion, y competencia empeñen suavemente à los mas aplicados à un fructuoso, y laudable exercicio...

IV

BREVE SELECCION DE LOS PERIODICOS Y PRINCIPALES PAPELES SUELTOS (GACETA DE MADRID, 1700-1750)

1700

1.—*Pronostico del celebre Piscator Sarrabàl de Milàn.*

1701

5.—*Relación de la llegada del Rey Nuestro Señor a España.*

1703

20.—*Libro del Compendio Anual de los sucessos del año passado de 1702.*
47.—*Pronostico del Athlante español, para el año que viene de 1704.*

1704

17.—*Compendio anual de los sucessos de la Europa del año 1703, (que seguirá apareciendo con periodicidad).*
27.—*Nuevo Papel del Reyno de Portugal, con la descripción Geográfica de sus Plazas.*

1705

21.—*Compendio anual de los sucesos de Europa del año 1704.*
47.—*El Diario de Barcelona.*
Las capitulaciones.

1706

20.—*Relación de la Victoria, que ha conseguido el Señor Duque de Bandona contra el Principe Eugenio.*

23.—*Compendio anual de los sucessos principales de Europa en en el año mil setecientos cinco.*
28.—*Relación de lo que se executò desde el día 4 de agosto, por el Ayuntamiento de la muy Leal, y Coronada Villa de Madrid.*
46.—*Relacion particular de la toma de Alcantara.*

1707

2.—*Relacion del sucesso de Tenerife.*
Pronostico de la Palas Astronomica.
Pedro Enguera: *Efemerides.*
10.—*Diario de la recuperación de la Isla de Mallorca que su Magestad ha respedido tocante al Comercio de Indias.*
15.—*Papel Politico en metafora de la Doctrina Christiana.*
18.—*Diario de la batalla de Almansa.*
21.—*Relacion que se ha impresso en Valencia, de la entrada de las Armas del rey en aquella capital.*
24.—*Papel de las Reales Exequias de los Militares, con los Geroglificos, que se celebraron en la Compañia de Jesus.*
29.—*Relacion diaria de la Batalla de Almansa, y de todo lo sucedido hasta el 14 de este mes, con las listas de los prisionerose, y heridos del Exercito Enemigo.*
49.—*Diario de todas las operaciones de las Armas de su Magestad desde la Batalla de Almansa hasta la Restauracion de Lerida.*

1708

51. *El Embajador de los Astros, Mercurio Volante.*

1709

10.—*Carta ò Papel, que envìo el señor Mariscal de Tessè à su Santidad el 2 de enero de este año.*

1712

10.—Monsieur Du Gue-Trovin: *Relacion diaria de lo executado en el Brasil.*
16.—*Papel curioso de la* Conducta de los Aliados, *y del ultimo ministerio desde el principio a la continuacion de la Guerra; impresso en principio en Londres, y ultimamente traducido del Inglès, y frances en Español.*
20.—*Reflexiones historicas, sobre el Tratado de la Barrera, que piden los Olandeses, compuesto por el mismo Autor Inglés, que escrivio en Londres la Conducta de Los Aliados.*
21.—*Memorias de Monseñor el Delfin para nuestro Santo Padre el Papa.*

32.—*Relación de la Derrota, que el Mariscal de Villart diò à los Enemigos, cerca de Lambresy, el día 24 de julio.* [23 de agosto: 2.ª Relación «muy puntual» de este mismo suceso].

1713

11.—*Relacion Diaria de lo sucedido en Gerona durante el bloqueo que pusieron los Enemigos en 28 de Abril del año passado, y se levantò en 3 de Enero de este año de 1713.*

1714

2.—*El Astrologo Español Comico-Politico, Pronostico para este año de 1714.*

1715

2.—[Pedro Enguera: 2-XII-1727], *El Gotardo Español* [24-XII, *El Gran Gotardo Español*].

1716

35.—*Primera Relacion de la derrota dada en Ungria à los Turcos.*

1720

34.—*Relaciones de los Autos de Fe, celebrados en Lisboa y Coymbra*

1721

21. *Relacion del* Auto de Fè, *que se celebrò el Domingo 18 de este mes.*
50.—*Relacion del Auto de Fè que se ha celebrado en Cuenca.* [17-XII: Idem en Granada; 20-XII: idem, en Sevilla.]

1722

3.—*Relacion Puntual, de las* Reales Entregas, *de la Señora Infanta de España, y de la Señora Princesa de Asturias.*

1724

38.—*Papel sobre la destreza de las armas.*
51.—*Almanaque y Pronostico para el año 25.*

1726

29.—Claudio de Vargas, *Papel de Fabio a Lisardo sobre el Matrimonio.*

17.—*Dispertador a la moda.*

35.—Pablo de Mendoza y de los Rios, *Purgatorio de Poetas y Gloria de bobos.*
39.—*Floresta Astrologica... que contiene una breve explicación de todos los elementos.*
44.—*Piscator de Galicia, para el año que viene de 1729.*

35.—Joachin Bello, *uerde Despertador al Loco sueño de D. Carlos Gaemiadori.*
35.—D. Pablo Mendoza, *Descripcion de las Carnestolendas, y primera Corrida de Salamanca.*
49.—[D. Miguel Gonzaless, 21-XI-1730], *El Piscator de la Corte, para el año que viene, con un Prologo Apologetico contra el Andaluz.* [Gonzalo Serrano.]

1.—*El Piscator Volandero, y Sarrabàl de Madrid.*
50.—Conde de Nolegar [Gitamor], Astrologo italiano.—*Almanak nuevo, sobre el Phenomeno que se ha visto en la villa de Madrid.*
52.—*El Piscator de la Mancha, Sarrabàl de Cuenca.*

1.—Fermin Estrada y Espeleta, *El Gran Piscator Duende.*
10.—Gabriel de Atarbe, *Cathedra de las miserias de la vida humana, y consideraciones de la gloria transitoria.*
20.—*Enfermedades del Amor moderno advertidas por el Desengaño de sus definiciones* [aparecio tambien anunciado el 26-XII-30].
26.—*Dialogo Critico Physico entre un Capon y una Beata.*
37.—R.R. P.M. Fr. Marcos del Pozo, *Papel de la respuesta al Precursor de la Escuela Thomista, con una advertencia previa, sobre la* Anathomia Critica Chronologica.
42.—Luis Antonio de Mergelina, *Memorial del Perro de Tobias.*
51.—*El Piscator con Anteojos.*
51.—*Cathalogo general Indivision de noticias particulares que han sucedido en toda España, y otras partes, desde la creacion del Mundo hasta este año.*

1732

9.—El Jardinero de los Planetas, almanak nuevo sobre este año de 1732.

12.—Joseph Alvarez de la Fuente, Diario Historico, Politico, Canonico y Moral.

51.—Francisco de Leon, El Piscator Entretenido. [23 Noviembre de 1734: El Piscator Entretenido, y Asamblea de los Politicos de boton gordo, 1735.—n.º 47.]

1734

7.—Thomás de Añorbe, El Duende de Zaragoza.

10.—Geronimo Sánchez, La Tertulia Critica, sobre el Papel Hystorico Politico de Mos. Marne, con muchas adiciones, notas, y reparos convenientes à la verdad, y posibilidad.

13.—Nicolás Molaní Nogui, Querella de D. Quixote de la Mancha en el Tribunal de la Muerte.

21.—Francisco López Salcedo, El Loco en la Corte, y Duende de la Fortuna.

32.—Vino por lana, y vuelve trasquilado, en respuesta al Padre del Niño de Gómez Arias.

36.—Don Gómez Arias en Compañia, esgrimando rayos de su pluma, derribando la torre de impugnaciones que contra él han escrito los Criticos Nerones de la Corte.

48.—Destierro de Pobres, la Poesía muerta, y D. Gómez Arias espirando.

50.—(Salvador Joseph Maler), Mons. Le Margue, Piscator Erudito, con los Principes, y Republicas de Europa.

52.—D. Gómez Arias, El Gran Piscator de Castilla, Embaxador de los Astros, Pronostico divertido para el año que viene con todos los sucesos Politicos de Europa.

1735

3.—El Poeta soñando, juzgado en el Tribunal de Apolo.

49.—Joseph Herramelluri, Las Verdades de Pedro Grullo, por el Gran Piscator de la Rioja, Doctor D. ————.

1736

1.—Francisco de la Justicia y Cardenas, El Gran Piscator nuevo intitulado: «El Lazarillo de Ciegos, y hablar las bulas en varas».

8.—Francisco del Zepo, El Piscator de lo Arcadia, Prognostico del tiempo sobre los Piscatores e impugnacion final al Erudito de Mañer.

13.—Lic. D. Bartholomé Renomo de Sas, *El Pronostico mensual de verdades vestidas.*

52. Francisco de la Justicia y Cardenas, *El Piscator de Madrid en su Estrado de Damas.*

1737

18.—(3 Abril): *Diario de los Literatos de España...* se hallará en casa de Juan Antonio Lopez, junto al correo de Italia.

27.—Fernández Navarrete, Doctor Francisco de, *Ephemérides Barométrico-Médicas Matritenses.*

32.—(6 de Agosto): *Diario de los Literatos de España,* tomo II..., se hallará en casa de Juan Gomez frente del Conde de Oñate, junto con el primer tomo.

34.—(20 de Agosto): Ignacio Armesto, *Papel de aviso a los Censores Nominales del Anti-Crítico.*

37.—(10 de Septiembre): (Don Plácido Veranio) Mayans y Siscar, Gregorio, *Conversación sobre el Diario de los Literatos de España.* En casa de Juan Gomez..., calle Mayor.

44.—Alexandro Martínez Argandoña, *Ephemérides Barométrico-Médico Matritenses.*

50.—*El Piscator Serrabàl Burgalès, Politico, Historico y Chronologico.*

52.—*El Piscator de la Corte al Juego del Revesino. Ni Hércules contra tres, impugnase al Diario de los Literatos de España...* En la imprenta de Alfonso de Mora calle del Espejo: y en la librería de Joseph de Sierra.

1738

1.—Salazar Hontiveros, José, *Gracias de España Plausibles a todos los siglos.*
Francisco Xavier de Garma, *Theatro Universal.*

3.—(21 de Enero): *Diario de los Literatos de España,* tomo II..., en la Librería de Juan Gómez, calle Mayor frente al Conde de Oñate.

5.—(20 de Abril): *Los Impresores, y Plumistas de la Corte contra el Diario de los Literatos de España...* Se hallará en la librería de Joseph Gomez Bot, junto a la Botica de S. Felipe el Real.

24.—(17 de junio): *El Triunvirato de Roma, Carta Monitoria, Exortativa, y Jurídica sobre los Diarios de los Literatos de España...* En casa de los herederos de Francisco Medèl del Castillo, y en el Puesto de Pedro Rodríguez, gradas de San Felipe.

27.—(Salvador Joseph Mañer), le Margne, *Mercurio historico y político.*

31.—(5 de Agosto): *Carta familiar del Licenciado don Luis López,*

— 315 —

Cura de Morille, a D. Pedro Joseph de Mesa Benitez de Lugo.

35..—(2 de Septiembre): *Prologo Apologetico al Diario de los Literatos de España.*

39.—D. Joseph de Garma, *Verdades vindicadas en defensa del Theatro Universal de España contra dos cartas que escribió la envidia, parió la temeridad y publicò...*

48.—*El Piscator de Madrid, Melodrama Harmonica en el Theatro del Mundo.*
Thomás Añorbe, *La Entretenida Melisendra, y Piscator de Toledo.*

50.—«El Ingenio Cordobes». *El Totilimundi, Pronostico el más prodigioso y más noticioso para el año 1739, demarcando todas las provincias y Reynos del Mundo, nombres de Reynos, Mares, Golfos e Islas.*

1739

4.—(El Pobrecito Manuel Pasqual), *Sueños ay, que verdades son, y punto en contra de todos los astrologos, para este año de 1739.*

5.—*El Gran Piscator Othomano, Don Quixote y Sancho Panza.*

14. (5 de Abril): *Diario de los Literatos de España,* compuesto por Don Juan Martinez Salafranca y Don Leopoldo Gerónimo Puig, tomo VI... se hallará con los cinco Tomos antecedentes de dicha Obra en la Librería de Francisco Assensio, junto al Correo de Cataluña.
(D. Geronimo de Guzmán), *El Gran Piscator de Moscovia, Jardinero de las Estrellas y nuevo Merlin de Europa.*

16.—P. Jacinto Segura, *Apología Segunda contra el Diario de los Literatos de España en General.*

19.—José Navarro Rguez. y Gallardo, *Consulta a los Discretos Estrangeros.*
Miguel Hernandez y Salcedo, *Voz de uno, y gasto de todos...* (*Memorial Lit.,* Tomo II y III).
Joachin Paz y Monroy, *El no se opone de muchos, y residencia de negocios.*
El Pobrecito Manuel Pasqual, *El soplón de los Astros, Gran Piscator de Lavapiés.*
Francisco de León y Ortega, *El Pronostico Entretenido, y Estrado de Damas, Diario General de los Quartos de Luna, para el año de 1740.*

41.—Narciso Bonamich, *Dichos Mèdicos, en defensa y desagravio de la Facultad de Medicina, contra el «Theatro Critico» del R. P. M. Fr. Jeronimo Feijoo, y contra la «Palestra Medica» del Dr. Fr. Antonio Roriguez.*

42.—(El Pobrecito Manuel Pasqual), *Las Alfonjas Astrologicas y Gran Monte de la Luna.* Su autor, El Gran Piscator de

Labapies, Doctor en ambos Tuertos, y Socio de su Muger, el Pobrecito Manuel Pasqual; ...

48.—Joseph Moraleja, *El Entretenido. Segunda parte. Vergel de varias flores de diversión y recreo, en prosa y verso...*

50.—Manuela Sanchez, *La Gran Piscatora Aureliense, en el Theatro de Signos, y Planetas, Pronostico para el año que viene de 1742,* por la Gran Piscatora de Oreja Doña Manuela Thomasa Sanchez de Oreja, Profesora de Matemáticas.

1740

51.—Astrologo de Lavapies, *Segunda Alforja Astrologica, y continuación del Gran Monte de la Luna.*

1741

La Gran Piscatora de Oreja D.ª Manuela, *La Gran Piscatora aureliense...*

1742

10.—(6 de Marzo): *Diario de los Literatos de España,* Tomo VII..., en la Librería de Francisco Assensio.

29.—Joseph de la Torre, *Memorias de Trevoux* traducidas al castellano por D. ———.

52.—*Come poco, y cena más, duerme en alto, y vivirás, muy util para la mas larga vida, y para todas personas.*

1744

18.—Joachin Paz y Monroy, *Papel nuevo, en el que se supone un Oraculo, que va dando varios alojamientos en algunas calles de Madrid, a diferentes sugetos que se le van suponiendo.* Le da à luz D. ...

20.—Luis Antonio de Moya, *Adiccional al Oraculo que ha dado à luz D. Joachin de Paz y Monroy en el mismo metro y para el mismo assumpto.*

32.—*Reproche Literario, ò Miscelanea de varias Piezas curiosas sobre toda suerte de Ciencias, y Artes: obra periodica que saldra mensualmente.*

37.—(Luis Ignacio Quirol: n.º 5-1745), *Palacios, y engaños de la Corte, trampas y estafas de algunos de sus Individuos, y sucesos del Barquillo, y Lavapies.*

44.—*El gran Pontificio mudo, sin ninguna letra, ni numero, el qual trae muchas curiosidades, para que los aficionados que desean saber, y no saben leer, lo entiendan con mucha facilidad. Pablo Miguel.*

Joseph Marin, *El Piscator Complutense, que contiene calculos astronómicos para el año de 1745. Tratado de todas las ciencias.*

46.—El Ingenio Cordobes, *El Novelista en Campaña, Pronostico el mas curioso para el año 1745.*

51.—Joseph Garro, *El Piscator Comico para el año 1745 o Comedia Astronómica Alegórica, institulada: Guerra y Paz de las Estrellas, con los saynetes correspondientes.*
Francisco Leon y Ortega, *El oraculo astrológico para el año 1745.*

52.—*El Famoso nuevo, histórico, político, jocoserio Piscator de Don Quixote, o Don Quixote de los Piscatores.*

1745

5.—*El Astrologo Bufon, y «Perillan de la Voda», pronostico de burla y burla de pronostico, para este año de 1745.*

11.—Iñigo Oyanguren Cevallos, *Quaresma Poetica, distribuida por todos los dias de ella.*

36. *Singularidad entre las «Grandezas de Madrid», carta respuesta escrito en prosa y verso por un Matritense a un amigo suyo vecino de Sevilla.*

42.—Joachin del Rosal, *Romance Jocoserio, que en celebridad de la Toma del Parnaso, escrive D. ...*

1745

49.—Juan Arriaga, *El Piscator Murciano...*
Miguel de Cervantes, Profesor de Philosophia y Mathematicas de la Academia de Barcelona, *El Don Quixote Astrologico, y su Vida para el año de 1746.*

50.—Francisco de la Justicia y Cadenas, *El Piscator de los Piscatores: «Aventuras de la idèa por desventurados juicios, Pronostico de D. Quixote, compuesto por Sancho Panza.»*

51.—Alberto Montblanc, *Colocación de Nochebuena, que en diferentes metros, y prosas ofrece a los Aficionados su Autor D. ...*

32. *El Pleyto Critico contra los Prognosticos, y Prognostiqueros de la Corte en este año de 1746.*

36.—*Respuesta de un cortesano al Patán.*

50.—*El Ingenio Cordovès, Estudioso a primera vista, y astrologo de repente.*

1747

46.—*«La Junta de Noveleros», Pronostico y Diario de los Quartos de Luna, Juicio de los Acontecimientos naturales, y Politicos de la Europa, para el año de 1748.*

47.—Mediano Piscator de Manzanares, *Sueño Astrologico, Pronostico para 1747.*

48.—El Ingenio Cordobés, Beneficiado de las Villas de Sotos Albos, *«Natural Philosophia, con Morales docpmentos», Pronostico el mas nocturno en que se incluye una disputa Esco-*

lastica de mas de cien preguntas, y respuestas chistosissimas de exemplo, y erudicion, con otras curiosidades Astrologicas para el año de 1748 despidiendose su Autor.

51.—Bachiller D. Juan de Madrid, *El Piscator Inmortal para el año de 1748.*

52. Francisco de la Justicia y Cardenas, *Las Lavanderas de Madrid, y Gran Piscator del Rio* (que antes saliò con el titulo de *Don Quixote*).

1748

1.—Joseph Patricio Moraleja y Navarro, Plulo-Matematico de la Corte, *Piscator Serio-Jocoso:* «*El Nacimiento del Año Nuevo de 1748*», *adornado de exquisitos cuentos para reir, un Entremès, varios Secretos de naturaleza, y cuarenta curiosos Enigmas, ò Quinsicosas, que da a los Aficionados, por via de Aguinaldo, su Autor D....*

17.—*Papel Historico, Alegorico, y Moral de los tristes sucesos padecidos en el Reyno de Valencia en los meses de Marzo, y Abril de este año.*

41.—*Madrid por adentro, y al Forastero instruido y desengañado.*

49.—Joseph Moraleja y Navarra, *El Piscator noticioso: Pronostico muy divertido, adornado de apreciables Tablas Chronologicas de los Papas, Emperadores, Reyes de España, Portugal y Francia, y otras exquisitas noticias Historicas.*

50.—Pedro Sanz de Dios, *El Hospital de Rabè y el burón de Villavilla, Pronostico para el año 1749.*

1749

3.—Francisco de la Justicia y Cárdenas, *El Piscator intitulado:* «*Los Aguadores de la Fuente de la Puerta del Sol*».

48.—Antonio Muñoz, *Pronostico verdadero, y mentiras para el Meridiano de Madrid, para el año de 1750, compuesto todo en Seguidillas, con sus Estribillos.*

52.—Jorge de Cárdenas, *El Piscator de la «Casa de Campo» para el año de 1750, con el chiste de Cedulas de Damas y Galanes.*

1750

50.—Isidoro Ortiz de Villarroel, *El Piscator intitulado:* «*Manogito de utilidades, y conversaciones para el año de 1751*».

52.—Joseph de Madrid, *El Piscator Granadino, y Pronostico Aventurero para el año de 1751, adornado de apetecibles, Eclesiasticas, y naturales curiosidades, una Pastoril Astrologia, y otras noticias.*

Simón Suárez, *Papel curioso para la diversion de la noche anterior al dia del Año Nuevo, intitulado:* «*Nota para Damas, y Galanes*», *dispuestas en cien Refranes, que glosan con otras tantas Redondillas.*

Este libro se terminó de imprimir
el día 22 de noviembre de 1973, en los
talleres de TORDESILLAS, ORGANIZACIÓN
GRÁFICA, Sierra de Monchique, 25,
Madrid-18, utilizando papel de
TORRAS HOSTENCH, S. A.